Jörg Braunert • Wolfram Schlenker

Aufbaukurs Arbeitsbuch

Unternehmen Deutsch

Ernst Klett Sprachen
Stuttgart

Unternehmen Deutsch
Aufbaukurs Arbeitsbuch
von Jörg Braunert und Wolfram Schlenker

Wir danken Herrn Bernd Zabel vom Goethe-Institut für seine kompetente Beratung.

1. Auflage 1 9 | 2014

Alle Drucke dieser Auflage können nebeneinander benutzt werden,
sie sind untereinander unverändert. Die letzte Zahl bezeichnet das Jahr des Druckes.

Nach der neuen Rechtschreibung (Stand: August 2006)

Internet: www.klett.de

Redaktion: Angela Fitz, Nicole Nolte (Schreiben / Präsentieren und Telefonieren)
Herstellung: Katja Schüch
Zeichnungen: Hannes Rall, Stuttgart
Satz und Grafik: Jürgen Rothfuß, Neckarwestheim
Druck: GraphyCems. • Printed in Spain.

ISBN 978-3-12-675746-1

Inhalt

Sind Sie Herr ...?

A **1 Begrüßen Sie Gäste.**

Welche Sätze 1 bis 6 und a) bis l) passen zusammen? Ordnen Sie zu. Es passen immer zwei Antworten.

a) Wir freuen uns über den freundlichen Empfang.
b) Danke, guten Tag.
c) Danke, gut.
d) Sehr angenehm. Der Service war gut.

1 Hat es mit dem Abflug geklappt?
2 Hat mit dem Gepäck alles geklappt?
3 War die Reise anstrengend?
4 Wie geht es Ihnen?
5 Wie war der Flug?
6 Wir freuen uns, dass wir Sie hier begrüßen dürfen.

e) Nein, aber ich bin ein bisschen müde.
f) Ja, sehr. Der Zug war sehr voll.
g) Ja, wir sind pünktlich abgeflogen.
h) Er war anstrengend. Wir sind jetzt sehr müde.
i) Nein, leider ist mein Koffer noch nicht da.
j) Gut, aber jetzt brauchen wir eine kurze Pause.
k) Ja, alles in Ordnung.
l) Ja, aber nach dem Zwischenstopp hatten wir Verspätung.

A **2 Wie war die Reise?**

Schreiben Sie die passenden Sätze in die Lücken.

> Ein bisschen. Hätten Sie vielleicht einen Kaffee? • Ja, wir sind pünktlich abgefahren. • ~~Danke, gut. Die Autobahn war frei.~~ • Ja, aber die Kontrollen haben sehr lange gedauert. • Nein, wir können gleich anfangen. • Sehr anstrengend.

1 ☺ Alles in Ordnung!

▶ Herzlich willkommen hier bei uns in Wien. Schön, dass Sie da sind. Wie war die Fahrt?

▶ *Danke, gut. Die Autobahn war frei.*

▶ Hat es mit der Abfahrt geklappt?

▶ _____

▶ Sind Sie jetzt müde?

▶ _____

2 ☹ ... hat nicht so gut geklappt.

▶ Herzlich willkommen hier bei uns in Wien. Schön, dass Sie da sind. Wie war der Flug?

▶ _____

▶ Hat es mit der Zollkontrolle geklappt?

▶ _____

▶ Sind Sie jetzt müde?

▶ _____

B **3 Gespräch zwischen Gast und Gastgeber**

a) Ordnen Sie den Dialog. Nummerieren Sie.

b) Was sagt der Gast (A), was sagt der Gastgeber (B)?

☐ |B| Das tut mir leid.
☐ ☐ Freut mich, Herr Weber.
☐ ☐ Guten Tag, Frau Till, und vielen Dank für den freundlichen Empfang.
☐ ☐ Herzlich willkommen. Mein Name ist Till. Ich möchte Sie hier in Köln begrüßen.
☐ ☐ Hoffentlich geht es Ihnen gut nach der langen Reise. War es sehr anstrengend?
☐ ☐ Nein, Frau Péterfy ist krank. Sie konnte nicht mitkommen.
☐ ☐ Ich möchte Ihnen auch meinen Kollegen, Herrn Weber, vorstellen.
☐ ☐ Ja, wir sind alle ein bisschen müde.
☐ ☐ Sie können gleich auf Ihre Zimmer und sich ausruhen. Sind alle da?
|1| ☐ Wir sind die Ingenieure und Techniker aus Ungarn. Mein Name ist Lukács.

4 *-(e)n* oder kein *-(e)n*? Schreiben Sie die Wörter in der passenden Form in die Lücken.

1 **der Kollege:** Das ist mein *Kollege* _____. Ich kenne meinen _____ schon seit zehn Jahren. Ich arbeite mit meinem _____ gut zusammen.

2 **der Name:** Bitte nennen Sie mir Ihren _____. Aha, Ihr _____ ist Lukács. Hier sind die Papiere mit Ihrem _____.

3 **der Tourist:** Herr Lukács ist ein _____ aus Ungarn. Frau Till empfängt den _____ am Flughafen. Sie wünscht dem _____ einen angenehmen Aufenthalt.

4 **der Kunde:** Heute kommt Herr Heitkamp, unser _____, in die Firma. Herr Blesch begrüßt den _____ und zeigt dem _____ den Betrieb.

5 Ein Brief an Herrn Lukács

1 Alle wichtigen Unterlagen finden Sie in Ihrer Gästemappe.

2 Der Hannover-Tourismus-Service hilft Ihnen gern bei allen Fragen zu Ihrem Fach- und Freizeitprogramm.

3 Haben Sie noch Fragen und Wünsche?

4 In Zusammenarbeit mit der Hannover Messe GmbH haben wir Ihr persönliches Programm zusammengestellt.

5 Ihr Congress- und Gruppenservice

6 Wir wünschen Ihnen und Ihrem Team viel Erfolg auf der CeBIT, der Weltmesse für Telekommunikation, Software und Services.

7 herzlich willkommen in der Messestadt Hannover, der Hauptstadt von Niedersachsen.

8 Mit freundlichen Grüßen

9 Sehr geehrt- ...

10 Vom 10.–16. März präsentieren wir Ihnen die Geschichte, die Kultur und das Wirtschaftsleben in Hannover und Umgebung.

Business&Tours

Sehr geehrte Frau Zhao,

herzlich willkommen in Frankfurt, dem Herzen der Rhein-Main-Region. Business&Tours und seine Partner wünschen Ihnen und Ihren Kollegen einen angenehmen Aufenthalt und einen guten Verlauf Ihres Kongresses.

In Zusammenarbeit mit der Tourismus+Congress GmbH haben wir ein attraktives Fach- und Freizeitprogramm für Sie entwickelt. Das Programm und umfangreiches Informationsmaterial finden Sie in Ihrer persönlichen Info-Mappe.

In den nächsten Tagen zeigen wir Ihnen die verschiedenen Gesichter der Region: das Finanz- und Wirtschaftszentrum Frankfurt, die Burgen und Weinberge der romantischen Weinstraße und natürlich das kulturelle Leben, die Theater und Museen der Goethe-Stadt Frankfurt.

Wollen Sie eigene Wege gehen? Ein Stadtplan und der Fahrplan des Rhein-Main-Verkehrsverbundes helfen Ihnen. Und: Mit dem Kongress-Ticket (ein kleines Gastgeschenk von B&T / Tourismus+Congress GmbH) haben Sie einen Tag lang freie Fahrt im gesamten Stadtgebiet.

Viel Erfolg und viel Spaß
Ihre Partner von B&T

a) Bringen Sie die Briefteile in die richtige Reihenfolge wie im Brief rechts oben.

    9, ... _____

b) Schreiben Sie den Brief.

Wir haben für Sie reserviert ...

A **1 Landhotel Mainpark (M) und Hotel Am Palmengarten (P)**

a) Lesen Sie die Beschreibungen im Lehrbuch, S. 14, Aufgabe A. Kreuzen Sie an: M oder P?

Welches Hotel ...   **M P**

1 ist verkehrsgünstig gelegen? _____ ☐ ☒
2 bietet Ruhe und Erholung? _____ ☐ ☐
3 kümmert sich um den Transport vom und zum Flughafen?_ ☐ ☐
4 bietet den größeren Komfort in den Zimmern? _____ ☐ ☐
5 ist familienfreundlich? _____ ☐ ☐
6 kümmert sich um Sport und Freizeit? _____ ☐ ☐
7 ist günstiger für Geschäftsleute?_____ ☐ ☐
8 ist preiswerter? _____ ☐ ☐

b) Warum ist das so? Schreiben Sie Sätze mit *denn*.

> die Zimmer einfacher • sehr weit zum Flughafen • Konferenzräume • kümmert sich um die Kinder •
> liegt nicht in der Stadtmitte • ein Schwimmbad und einen Fitnessraum •
> ~~nicht weit zum Hauptbahnhof und zur U-Bahn~~ • die Zimmer haben Bad und Minibar

1 *Das Hotel Am Palmengarten ist verkehrgünstig gelegen, denn es ist nicht weit zum Hauptbahnhof*
  und zur U-Bahn.

2 _____

3 _____

4 _____

5 _____

6 _____

7 _____

8 _____

B **2 Frau Engel und Herr Kolb**

a) Ergänzen Sie die Reflexivpronomen.

b) Ordnen Sie den Sätzen 1 bis 6 die passenden Situationen zu.

> Herr Kolb beschwert sich. • Herr Kolb informiert Frau Engel. •
> Frau Engel und Herr Kolb verabschieden sich. • ~~Frau Engel und Herr Kolb verabreden sich.~~ •
> Frau Engel entschuldigt sich. • Herr Kolb stellt Frau Engel und sich vor.

1 Gut, dann sehen wir _uns_____ also am Montag um elf.

  → *Frau Engel und Herr Kolb verabreden sich.*

2 Ich habe _____ verspätet. Das tut mir leid.

  → _____

3 Ich wundere _____ sehr, dass das Zimmer so laut ist.

  → _____

4 Auf Wiedersehen. Hoffentlich treffen wir _____ bald mal wieder.

  → _____

5 Das ist Frau Engel. Mein Name ist Kolb. – Freut _____.

  → _____

6 Das müssen nicht Sie machen. Das Hotel kümmert _____ um das Gepäck.

  → _____

B

3 Reflexiv oder nicht reflexiv?
Ordnen Sie zu und ergänzen Sie das Reflexivpronomen bzw. ein passendes Akkusativobjekt.

bedanken · entschuldigen · verabschieden · empfangen · entscheiden · erwarten · freuen · anmelden · mitnehmen · abholen · erkundigen · vorstellen · beschweren · einladen · finden · irren · begrüßen · treffen · wundern · verabreden · besuchen · informieren · fragen · verspäten

reflexiv	nicht reflexiv	reflexiv und nicht reflexiv
sich bedanken	*den Gast empfangen*	*sich entschuldigen / die Verspätung entschuldigen*

C

4 Was passt? Ordnen Sie zu.

1 Herr Li und Herr Feng haben   a) mich   A verlaufen.
2 Habt ihr beiden   b) dich   B verlaufen?
3 Gestern habe ich   c) sich   C verlaufen.
4 Wir dürfen   d) uns   D nicht verlaufen.
5 Frau Hu, haben Sie   e) euch   E auch verlaufen?
6 Pass auf, dass du   f) sich   F nicht verläufst!

C

5 Antworten Sie.

1 ▶ Kümmert ihr euch um das Problem?   ▶ *Ja, wir kümmern uns um das Problem.*

2 ▶ Kümmern Sie sich um das Problem, Herr Mai?   ▶ *Ja, ...*

3 ▶ Kümmert sich Herr Körber um das Problem?   ▶ _____

4 ▶ Sollen wir uns um das Problem kümmern?   ▶ _____

5 ▶ Kümmerst du dich um das Problem?   ▶ _____

6 ▶ Muss ich mich um das Problem kümmern?   ▶ _____

7 ▶ Sollen sich Herr Körber und Herr Sauter um das Problem kümmern.   ▶ _____

C

6 Was sagt Karl? Was sagt Heinz? Schreiben Sie.

Karl und Heinz haben sich für 10.00 Uhr verabredet. Sie haben sich aber erst um 12.00 Uhr getroffen. Karl hat sich verspätet. Heinz hat sich gewundert, dass Karl nicht pünktlich kommt. Aber Karl hat sich verlaufen. Heinz hat sich darüber gefreut, dass Karl sich für die Verspätung entschuldigt hat.

Karl sagt:

Ich habe mich mit Heinz für
10.00 Uhr verabredet.
Wir haben uns aber erst ...
_____
_____
_____
_____
_____

Heinz sagt:

Karl hat sich mit mir für
10.00 Uhr verabredet. Wir ...
_____
_____
_____
_____
_____

Das Programm ist wie folgt

A1 **1 Das Reiseprogramm**

a) Was ist richtig: a) oder b)? Suchen Sie die Antworten im Besuchsprogramm, Lehrbuch S. 16.

b) Notieren Sie die Informationen zur Antwort in Aufgabe a).

Die Gruppe ...

1 kommt a) mit dem Flugzeug an.   _Ankunft mit Flug CA 921_
         b) mit dem Zug an.

2 wohnt a) im Landhotel Mainpark.   _Hotel: ..._
        b) im Hotel Am Palmengarten.

3 besichtigt a) den Kaisersaal, das Goethe-Haus und anderes.   _Besichtigung des ..._
           b) nur das Historische Museum.

4 fährt a) am Dienstag um 14.00 Uhr vom Hotel ab.   _____
        b) am Dienstag um 9.00 Uhr vom Hotel ab.

5 besucht a) die Messe Frankfurt.   _____
         b) den Kongress für Pharmakologie.

6 fährt a) um 15.00 Uhr von Heidelberg zurück.   _____
        b) um 15.00 Uhr zur Weinprobe.

7 reist a) mit dem Zug nach Basel weiter.   _____
        b) mit dem Zug nach Hause.

A1 **2 Die Planung der Marketingtagung**

a) Schreiben Sie die Verben aus dem Text in die Übersicht unten links und bilden Sie Nomen.

b) Füllen Sie die Tagesordnung unten rechts aus.

Die Mitarbeiter können bis 9.00 Uhr zur Tagung anreisen. Um 9.30 Uhr eröffnen wir die Tagung und begrüßen die Teilnehmer. Das dauert ungefähr eine halbe Stunde. Danach stellt Frau Zilly den neuen Marketingleiter vor. Von 10.15 bis 12.00 Uhr diskutieren wir die neue Marketingplanung. Dann besichtigen wir bis zum Mittagessen um 13.00 Uhr den Vertrieb in den neuen Räumen. Um 14.00 Uhr setzen wir die Tagung fort. Wir vergleichen die Verkaufsergebnisse in den Regionen. Ich glaube, dass das eine Stunde dauert. Dann bereiten wir noch eine Stunde lang die Messe vor. Um 16.00 Uhr verabschieden wir dann die Teilnehmer. So können alle rechtzeitig abreisen.

1 _anreisen_   _die Anreise_

2 _eröffnen_   _____

3 _____   _____

4 _____   _____

5 _____   _____

6 _____   _____

7 _____   _____

8 _____   _____

9 _____   _____

10 _____   _____

11 _____   _____

12 _____   _____

13 _____   _____

Tagesordnung

bis 9.00 _Anreise der Mitarbeiter_

9.30 _Eröffnung der ..._
      Begrüßung ...

10.00 _____

10.15 _____

12.00 _____

13.00 _Mittagessen_

14.00 _Fortsetzung der Tagung:_
     _____

15.00 _____

16.00 _____

c) Schreiben Sie mithilfe der Tagesordnung einen Bericht über die Tagung.

Bis 9.00 Uhr sind die Mitarbeiter angereist. Um 9.30 Uhr haben wir die Tagung eröffnet und die ...

A2 **3** Komposita: *des/der* oder *für*?

1	Zimmerschlüssel	*der Schlüssel für das Zimmer*
2	Zugabfahrt	*die Abfahrt des Zuges*
3	Ankunftszeit	_____
4	Museumsbesuch	_____
5	Freizeiteinrichtungen	_____
6	Seminarleiter	_____
7	Konferenzraum	_____
8	Servicetechniker	_____
9	Abteilungsleiter	_____
10	Reparaturannahme	_____
11	Reparaturrechnung	_____
12	Stadtmitte	_____
13	Kursbeginn	_____
14	Gastgeschenk	_____
15	Besprechungszimmer	_____
16	Zimmerreservierung	_____
17	Wochenende	_____
18	Wegbeschreibung	_____
19	Kinderbetreuung	_____
20	Messeticket	_____

C3 **4** **Die Gruppe aus China ist da!**

Verwenden Sie die Possessivartikel *ihr, ihre, ihren, ihrem, ihrer*. Einige Wörter brauchen Sie nun nicht mehr.

Herr Körber empfängt die Gruppe aus China. Herr Körber begrüßt (1) _ihre_ ~~die~~ Leiterin ~~der Gruppe~~. Er organisiert (2) _____ den Transfer der Gruppe ins Hotel. Er präsentiert (3) _____ das Programm der Gruppe. (4) _____ Die Aktivitäten der Gruppe in der Rhein-Main-Region dauern fünf Tage. Auf (5) _____ dem Programm der Gruppe steht eine Firmenbesichtigung. (6) _____ Der Besuch der Gruppe bei der Medisan AG ist am Dienstag. Zu (7) _____ der Stadtbesichtigung der Gruppe gehört auch der Besuch des Goethe-Hauses.

C3 **5** **Herr Sommer und Frau Weiß**

a) Welcher Possessivartikel passt? Kreuzen Sie an.

Herr Sommer arbeitet im Vertrieb.
1 ☒ Sein ☐ Ihr ☐ Seine Büro ist in der 1. Etage.
2 Frau Weiß ist ☐ ihre ☐ seine ☐ ihren Kollegin.
3 Frau Weiß arbeitet gut mit ☐ seinem ☐ ihren ☐ ihrem Kollegen Sommer zusammen.
4 Bei ☐ ihrer ☐ seine ☐ seiner Arbeit müssen sie viele Dienstreisen machen.
5 Auf ☐ ihrem ☐ ihrer ☐ ihren Reisen treffen sie die Geschäftspartner
   ☐ ihres ☐ ihrer ☐ seiner Firma.
6 Herr Sommer nimmt für die Dienstreisen immer ☐ ihren ☐ ihrem ☐ seinen Wagen.
7 Frau Weiß fährt aber nie mit ☐ ihrem ☐ seinem ☐ ihren Auto, sondern mit dem Auto
   seiner ☐ ihrer ☐ seinem Firma.

b) Schreiben Sie den Text aus der Perspektive von Herrn Sommer.

Mein Name ist Sommer. Ich arbeite im Vertrieb. Mein Büro ist in der 1. Etage.
Frau Weiß ist ...

Eine Betriebsbesichtigung

A 1 Der Besuch des Kongresses und der Medisan AG. Ergänzen Sie die Demonstrativpronomen.

1 Morgen ist der 14. Juni.

2 An _diesem_ Tag beginnt der Kongress für Pharmakologie.

3 Auch die Pharmakologen aus China besuchen _____ Kongress.

4 Deshalb interessiert sich _____ Gruppe auch für die Medisan AG.

5 Schmerz- und Rheumamittel stellt _____ Unternehmen her.

6 Die Medisan AG verkauft _____ Medikamente in die ganze Welt.

A2 2 _dies-_: Fünf Formen gibt es. Welche passt? Ordnen Sie zu.

a) Am 19. April?

1 Wer hat	a) dieser	A Tag habe ich schon einen Termin.
2 Ich notiere mir	b) dieses	B Termin passt mir gut.
3 Ja,	c) diese	C Termin vereinbart?
4 An	d) diesen	D Datum.
	e) diesem	

b) Medisan AG?

1 Der Besuch	a) dieser	A Firma her?
2 Wie viele Beschäftigte arbeiten in	b) dieses	B Firma habe ich schon mal gehört.
3 Den Namen	c) diese	C Unternehmen?
4 Was stellt	d) diesen	D Unternehmens war interessant.
	e) diesem	

c) Peter Moser?

1 Ich kenne	a) dieser	A Person habe ich noch nicht gesprochen.
2 Mit	b) dieses	B Kollegen gut.
3 Wer ist	c) diese	C Herrn komme ich gerade.
4 Von	d) diesen	D Person?
	e) diesem	

d) Das Schloss und die Altstadt in Heidelberg besuchen?

1 Mir gefallen	a) dieser	A Besuch?
2 Mit	b) dieses	B Programmpunkte sehr.
3 Wann machen wir	c) diese	C Vorschlag sind wir einverstanden.
4 Ja gern, in	d) diesen	D Stadt waren wir noch nie.
	e) diesem	

B1 3 In dieser Abteilung ...

Füllen Sie das Rätsel aus. Die Silben im Schüttelkasten helfen Ihnen.

> bung · for · her · kauf · lung · nal · per · schung · sen · so · stand · stel · trieb · ver · ver · vor · we · wer

1 _____ kümmern sich die Mitarbeiter um die Kunden.

2 _____ erfolgt die Produktion der Waren.

3 _____ machen die Mitarbeiter die Produkte bekannt.

4 _____ arbeitet man an neuen Produkten.

5 _____ macht man Verträge mit den Kunden.

6 _____ kümmert man sich um die Mitarbeiter.

7 _____ erfolgt die Leitung des Unternehmens.

1: V
2: E
3: R
4: S
5: A
6: N
7: D

B3 **4** **Tagung der Marketingabteilung – wann erfolgt was? Fragen und antworten Sie.**

TAGESORDNUNG

10.00	Teilnehmer begrüßen
10.15–10.45	der Abteilungsleiter berichtet
10.45–11.15	Bericht diskutieren
11.15–12.15	neue Produktlinie präsentieren
12.15–13.30	Werbung für die neue Produktlinie planen
14.30–15.30	neuen Prospekt besprechen
15.30–16.45	Marketingplan überprüfen

1 ▶ *Wann begrüßen wir die Teilnehmer?* _____

  ▶ *Die Begrüßung der Teilnehmer erfolgt von 10.00 bis 10.15 Uhr.* _____

2 ▶ *Wann berichtet der Abteilungsleiter?* _____

  ▶ _____

3 ▶ _____

  ▶ _____

4 ▶ _____

  ▶ _____

5 ▶ _____

  ▶ _____

6 ▶ _____

  ▶ _____

7 ▶ _____

  ▶ _____

C **5** **Nach der Besichtigung. Wohin passen die Dialogteile a) bis i)? Schreiben Sie.**

a) Also, dafür gibt es genaue Regeln. Ich habe dazu Informationsmaterial für Sie.
b) Besonders hat uns die Tablettenherstellung interessiert.
c) Das erfolgt in der Granuliermaschine hier, sehen Sie?
d) ~~die richtige Lagerung der Chemikalien erklären?~~
e) erfolgt das Granulieren der Rohstoffe?
f) viel Erfolg bei Ihrem Fachkongress in Frankfurt.
g) Haben Sie noch Fragen?
h) Vielen Dank für den freundlichen Empfang und auf Wiedersehen.
i) Ja, besonders die Gespräche im Labor.

1 ▶ Ich danke Ihnen für Ihre Aufmerksamkeit. Haben Sie jetzt noch Fragen?

  ▶ Ja, können Sie bitte noch einmal *die richtige Lagerung der Chemikalien erklären?* _____

  ▶ _____

2 ▶ Ich danke Ihnen für Ihr Interesse. _____

  ▶ Bitte erklären Sie noch einmal: Wo _____

  ▶ _____

3 ▶ Ich hoffe, es hat Ihnen bei uns gefallen.

  ▶ _____

4 ▶ Ich hoffe, es war interessant für Sie.

  ▶ Ja, sehr. _____

5 ▶ Ich wünsche Ihnen weiterhin einen schönen Aufenthalt in unserer Region.

  ▶ _____

6 ▶ Ich wünsche Ihnen _____

  ▶ Vielen Dank. Auf Wiedersehen.

Was kann man hier machen?

A **1** **Was möchten Sie machen?**

Schreiben Sie das richtige Wort in die Lücke und ordnen Sie die passende Ergänzung zu.

1 Herr Johnson _interessiert_ sich für Kunst. Er besucht
2 Wir interessieren _____ für Sport. Wir gehen zum
3 Interessiert ihr euch _____ Musik? Dann geht doch ins
4 Ich interessiere _____ für Geschichte. Ich besichtige
5 _____ interessieren sich für Literatur und besuchen
6 Du _____ dich für die Region? Dann empfehle ich dir

a) Bundesliga-Spiel.
b) den Römer und das alte Rathaus.
c) die Buchmesse.
d) die Tour durch den Rheingau.
e) eine Galerie.
f) Konzert.

B **2** **Besuch bei der Medisan AG. Was, wen, wem? Mit oder ohne Präposition?**

1 Guten Tag, Frau Köhler. → Sie begrüßen _Frau Köhler_ _____.
2 Wir würden gern die Fertigung sehen. → Sie interessieren sich _____.
3 Wo ist das neue Lager? → Sie erkundigen sich _____.
4 Wir hätten gern einen Prospekt. → Sie bitten Frau Köhler _____.
5 Moment, ich hole Ihnen die Prospekte. → Frau Köhler kümmert sich _____.
6 Hier bitte, die Prospekte für Sie. → Frau Köhler gibt Ihnen _____.
7 Vielen Dank, Frau Köhler. → Sie bedanken sich _____.
8 Auf Wiedersehen, Frau Köhler. → Sie verabschieden sich _____.

C **3** **München – Wien, München – Hamburg: Wann, wie oft?**

a) Steht das im Fahrplan unten? Was ist richtig ☐r? Was ist falsch ☐f?

1 Vormittags gibt es ungefähr stündlich einen Zug nach Hamburg. _____ ☐r
2 Nach Wien gibt es täglich vier Züge. _____ ☐
3 Der Fahrplan gilt sonntags nicht. _____ ☐
4 Wöchentlich fahren 21 Züge von München nach Wien. _____ ☐
5 Der tägliche Nachtzug nach Hamburg fährt kurz vor elf ab. _____ ☐
6 Von morgens bis abends fährt stündlich ein Zug nach Hamburg. _____ ☐
7 Nachts fährt kein Zug nach Wien. _____ ☐
8 Mittags fahren die Züge halbstündlich. _____ ☐

	Abfahrt		Abfahrt
München Hbf – Hamburg Hbf	6.54 Uhr	München Hbf – Hamburg Hbf	14.55 Uhr
München Hbf – Hamburg Hbf	7.44 Uhr	München Hbf – Wien Westbahnhof	15.26 Uhr
München Hbf – Hamburg Hbf	8.55 Uhr	München Hbf – Hamburg Hbf	15.44 Uhr
München Hbf – Wien Westbahnhof	9.27 Uhr	München Hbf – Hamburg Hbf	16.55 Uhr
München Hbf – Hamburg Hbf	9.44 Uhr	München Hbf – Wien Westbahnhof	17.23 Uhr
München Hbf – Hamburg Hbf	10.55 Uhr	München Hbf – Hamburg Hbf	17.44 Uhr
München Hbf – Hamburg Hbf	11.36 Uhr	München Hbf – Hamburg Hbf	22.55 Uhr
München Hbf – Hamburg Hbf	12.55 Uhr	(Der Plan gilt von Montag bis Sonntag.)	

b) Korrigieren Sie die falschen Aussagen.

1 _Nach Wien gibt es täglich nicht vier Züge, sondern ..._ _____
2 _____
3 _____
4 _____

4 Formen Sie die fett gedruckten Satzteile um und schreiben Sie so die Sätze kürzer.

1 **An den Dienstagen** ist der Eintritt frei. → *Dienstags ist der Eintritt frei.*

2 Das Museum ist **an allen Tagen** geöffnet. → *Das Museum ist täglich ...*

3 Aber **an den Montagen** ist es geschlossen. →

4 Zweimal **in jeder Woche** ist das Museum bis 20.00 Uhr geöffnet. →

5 Heute haben wir **wie jede Woche** eine Besprechung. →

6 Einmal **in jedem Monat** muss ich nach Bern. →

7 Isst du **am Mittag regelmäßig** in der Kantine? →

8 Am Montag ist unsere Konferenz. **Die haben wir jedes Jahr.** →

5 E-Mail: Herr Wentworth kommt nach Frankfurt.

Was hat Herr Wentworth vor? Was kann Herr Berger empfehlen (siehe Anzeigen im Lehrbuch, S. 20). Was muss er tun?

Antworten   Allen antworten   Nachverfolgung   A ▾

Von: wentworth@alta.com

An: berger@kolbe.com

Cc:

Gesendet: 18.05.2006 15:31

Betreff: Unser Treffen

Sehr geehrter Herr Berger,
ich komme am Montagvormittag in Frankfurt an. Von Montag bis Mittwoch muss ich vormittags täglich auf die IAA. An den Nachmittagen können wir dann unsere geplanten Gespräche führen. Um wie viel Uhr passt es Ihnen? Am letzten Abend würde ich gern mit Ihnen essen gehen. Können Sie bitte auf meinem Namen einen Tisch reservieren? Danach möchte ich noch zwei Tage privat in Frankfurt bleiben. Denn ich möchte die Stadt kennen lernen. Was soll ich mir unbedingt ansehen? Außerdem interessiere ich mich für Kunst. Können Sie mir da etwas empfehlen? Vielleicht gibt es am Abend sogar ein Konzert. Würden Sie sich dann bitte um eine Karte kümmern? Zum Abschluss möchte ich vielleicht noch ein bisschen in die Umgebung fahren. Was kann man da machen? Haben Sie eine Idee?

Mit besten Grüßen
J.R. Wentworth

	Pläne / Wünsche	Empfehlungen	To Dos
1	*Besuch der IAA*	———————	————————
2		*täglich ab 15.00 Uhr*	
3		*China Restaurant Lotus*	*Tisch reservieren*
4			
5			
6			
7			

Darf ich Sie einladen?

A1 **1** **Suchen Sie Ihr Menü im Buchstabensalat.**

1 Vorspeise: _Feldsalat_

2 Hauptgericht:

Fleisch: _____

Beilagen: _____

und _____

3 Nachtisch: _____

mit _____

4 Getränk: _____

und _____

U	R	L	E	Z	T	F	L	A	S	S	I	B	W	E
V	A	N	I	L	L	E	E	I	S	A	U	R	E	D
B	E	R	F	S	I	L	A	T	I	S	I	I	Q	E
S	J	T	P	A	N	D	U	I	O	S	N	N	L	R
C	H	T	E	W	A	S	S	E	R	D	D	D	X	A
R	O	E	S	T	K	A	R	T	O	F	F	E	L	N
D	L	C	Z	I	V	L	Y	T	P	C	R	R	B	T
B	R	O	T	K	R	A	U	T	O	I	B	S	R	O
K	A	F	H	R	O	T	W	E	I	N	R	T	Z	N
S	C	H	U	J	H	I	M	B	E	E	R	E	N	Z
E	W	O	N	T	U	N	N	S	P	I	T	A	M	I
H	Y	R	F	H	G	A	E	G	Z	D	E	K	U	E

A1 **2** **Was passt nicht? Markieren Sie.**

1 Bier – Mineralwasser – Wein – (Kaffee)
2 Rinderbraten – Putenschnitzel – Zanderfilet – Schweinekotelett
3 Himbeeren – Spinat – Sauerkraut – Karotten
4 Kartoffeln – Gemüse – Nudeln – Reis
5 Himbeeren mit Sahne – Zitroneneis – Spätzle mit Ei – Obst

A2 **3** **Wem empfehlen Sie was?**

Ergänzen Sie die Pronomen und ordnen Sie die passenden Speisen und Getränke zu.

> Butterreis · gemischten Salat · Gemüsesuppe · Kaffee · Käseplatte · Lachsfilet · Mineralwasser · Rosenkohl · Röstkartoffeln · Rote Grütze · Schweinesteak · Spinat · Weißwein

1 Herr Li, als Vorspeise empfehle ich _Ihnen_ _Gemüsesuppe_ oder einen _____.

2 Monika, als Hauptgericht empfehle ich _____ _____ oder _____.

3 Meine Damen und Herren, als Beilage empfehle ich _____ _____ oder _____.

4 Habt ihr schon das Gemüse gewählt? Ich empfehle _____ _____ oder _____.

5 Petra, als Nachtisch empfehle ich _____ die _____ oder die _____.

6 Was trinken wir? Der Ober empfiehlt _____ einen leichten _____ und _____.

7 Hans hat Kopfschmerzen? Dann empfehle ich _____ einen starken _____.

A2 **4** **Das mag ich nicht. Schreiben Sie wie im Beispiel.**

1 ich: Fisch ☹ Fleisch ☺   3 er/sie: Bier ☹ Wein ☺   5 ihr: Kaffee ☹ Tee ☺
2 du: Suppe ☹ Salat ☺   4 wir: Kartoffeln ☹ Reis ☺   6 Sie/sie: Kuchen ☹ Eis ☺

1 ▶ _Ich mag keinen Fisch._   ▶ _Dann nimm doch Fleisch._

2 ▶ _____?   ▶ _Dann nimm doch ..._

3 ▶ _____.   ▶ _Dann kann er doch ..._

4 ▶ _____.   ▶ _Dann nehmen Sie doch ..._

5 ▶ _____?   ▶ _Dann nehmt doch ..._

6 ▶ _____.   ▶ _Dann können sie doch ..._

5 **Herr Bauer und Frau Schmidt im Restaurant**

a) Ordnen Sie den Dialog. Nummerieren Sie.

b) Was sagt der Ober (O), was sagen die Gäste (G)?

☐	*G*	Und bringen Sie uns bitte die Rechnung.
☐	☐	Das freut mich, danke sehr.
☐	☐	Und was darf ich Ihnen zu trinken bringen.
☐	☐	Danke, das sieht gut aus.
1	☐	Die Speisekarte für die Dame und für Sie, mein Herr.
☐	☐	Heute empfehlen wir die Schweinshaxe.
☐	☐	Ich wünsche Ihnen guten Appetit.
☐	☐	Ja, der Rehrücken und die Schweinshaxe haben uns sehr gut geschmeckt.
☐	☐	Ein Viertel Rotwein und zwei Wasser, bitte.
☐	☐	Waren Sie zufrieden?
☐	☐	So, der Rehrücken für die Dame und die Schweinshaxe für Sie, mein Herr.
☐	☐	Ja, sofort.
☐	☐	Was können Sie uns denn heute empfehlen?
☐	☐	Bitte bringen Sie mir die Schweinshaxe, der Dame den Rehrücken und uns beiden noch einen Salat.

6 **Könnten Sie Herrn Müller bitte ...?**

Markieren Sie in den Fragen das Dativ- und Akkusativobjekt und schreiben Sie Antworten wie im Beispiel.

1 ▶ Könnten Sie Herrn Müller bitte das Salz bringen?

  ▶ *Ja, ich bringe Herrn Müller das Salz.*
  ▶ *Ja, ich bringe es Herrn Müller.*
  ▶ *Ja, ich bringe es ihm.*

2 ▶ Bitte bringen Sie den Herren die Rechnung.

  ▶ *Ja, ich bringe den Herren die Rechnung.*
  ▶ _____
  ▶ _____

3 ▶ Könnten Sie der Dame bitte den Weg erklären?

  ▶ _____
  ▶ _____
  ▶ _____

4 ▶ Bitte zeigen Sie den Besuchern die Prospekte.

  ▶ _____
  ▶ _____
  ▶ _____

7 **Verben und Ergänzungen**

a) Wen, Was, Wen / Was (Akkusativ) – Wem (Dativ)? Kreuzen Sie an.

	Akkusativ			Dativ		Akkusativ			Dativ
	Wen	Was	Wen/Was	Wem		Wen	Was	Wen/Was	Wem
anrufen	X				gratulieren				
antworten				X	helfen				
begrüßen			X		holen				
besuchen					kaufen				
brauchen					mögen				
bringen		X		X	nehmen				
einschenken					reichen				
empfangen					suchen				
empfehlen					trinken				
erklären					vorstellen				
fragen					wissen				
geben					wünschen				

b) Schreiben Sie Beispiele in Ihr Vokabelheft.

einen Freund anrufen, dem Besucher antworten, dem Kollegen die Unterlagen bringen, ...

SCHREIBEN

Terminvereinbarung I

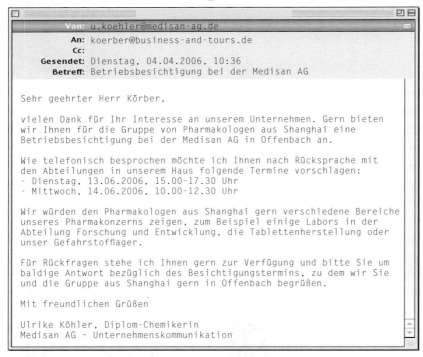

Von: u.koehler@medisan-ag.de
An: koerber@business-and-tours.de
Cc:
Gesendet: Dienstag, 04.04.2006, 10:36
Betreff: Betriebsbesichtigung bei der Medisan AG

Sehr geehrter Herr Körber,   ← Anrede

vielen Dank für Ihr Interesse an unserem Unternehmen. Gern bieten   ← Dank für Interesse
wir Ihnen für die Gruppe von Pharmakologen aus Shanghai eine   ← Gegenstand der E-Mail
Betriebsbesichtigung bei der Medisan AG in Offenbach an.

Wie telefonisch besprochen möchte ich Ihnen nach Rücksprache mit   ← Bezug auf früheren Kontakt
den Abteilungen in unserem Haus folgende Termine vorschlagen: ← Terminvorschlag
- Dienstag, 13.06.2006, 15.00-17.30 Uhr
- Mittwoch, 14.06.2006, 10.00-12.30 Uhr

Wir würden den Pharmakologen aus Shanghai gern verschiedene Bereiche   ← Einzelheiten
unseres Pharmakonzerns zeigen, zum Beispiel einige Labors in der
Abteilung Forschung und Entwicklung, die Tablettenherstellung oder
unser Gefahrstofflager.

Für Rückfragen stehe ich Ihnen gern zur Verfügung und bitte Sie um   ← Ansprechpartner bei Rückfragen
baldige Antwort bezüglich des Besichtigungstermins, zu dem wir Sie   ← Bitte um Antwort
und die Gruppe aus Shanghai gern in Offenbach begrüßen.

Mit freundlichen Grüßen   ← Grußformel

Ulrike Köhler, Diplom-Chemikerin
Medisan AG – Unternehmenskommunikation

Dank für Interesse	• vielen Dank für Ihr Interesse an … • wir freuen uns über Ihr Interesse an …
Gegenstand / Thema	• Gern bieten wir Ihnen … an. • Gern würden wir Sie in Ihrer Firma besuchen. • Wir möchten Sie zu einer Besprechung/Produktpräsentation einladen.
Bezug auf früheren Kontakt	• Wie telefonisch besprochen … • Wie in unseren früheren Gesprächen vereinbart … • Nochmals vielen Dank für das freundliche Gespräch in/bei …
Terminvorschlag	• … möchte ich Ihnen folgenden Termin/folgende Termine vorschlagen … • Unser Terminvorschlag für ein erstes Treffen wäre … • Wir würden Sie gern am … um … treffen. Würde Ihnen dieser Termin passen? • Dürfen wir Sie am … in Ihrer Firma besuchen?
Einzelheiten	• Wir würden Ihnen gern … zeigen. • Wir schlagen vor, … zu besichtigen/zu besuchen. • Bei unserem Treffen würden wir gern folgende Punkte besprechen …
Ansprechpartner bei Rückfragen	• Bei Rückfragen stehe ich/Frau …/Herr … gern zur Verfügung. • Bei Rückfragen wenden Sie sich bitte an …
Bitte um Antwort	• … und bitte Sie um baldige Antwort … • Wir freuen uns auf Ihre baldige Antwort. • Bitte lassen Sie uns möglichst bald wissen, …

1 Machen Sie einen Terminvorschlag.

Sie sind Mitarbeiter eines Touristik-Büros in Frankfurt. Der Verlag LIBROS INTERNACIONAL aus Spanien organisiert für seine Mitarbeiter eine Reise zur Frankfurter Buchmesse. Die Mitarbeiter wollen während ihres Aufenthalts einen Tag Frankfurt besichtigen. Machen Sie dem Verlag einen Terminvorschlag und Vorschläge, was die Mitarbeiter besichtigen könnten.

Frankfurter Buchmesse: 04.–08.10.2006

LIBROS INTERNACIONAL: 02.–08.10.2006 in Frankfurt

Vortrag I – Ein Programm vorstellen

1 Begrüßung und Programmüberblick

Die Besucher begrüßen

- Herzlich willkommen in/bei ... Wir freuen uns, dass Sie unsere Gäste sind.
- Ich möchte Sie herzlich zu ... begrüßen.
- Im Namen von ... darf ich Sie herzlich willkommen heißen.
- Guten Tag, meine (sehr geehrten) Damen und Herren. Schön, dass Sie bei uns sind.

Sich kurz vorstellen

- Zuerst möchte ich mich kurz vorstellen: Ich heiße ... Ich bin zuständig für ...
- Mein Name ist ... Ich bin ... bei ...
- Ich arbeite als ... in der Abteilung ...

Business&Tours

So, 11.06.	17.15 Ankunft der Gruppe mit Flug CA 921 aus Shanghai. Transfer zum Hotel Am Palmengarten.
Mo, 12.06.	9.30 Stadtführung mit Besichtigung des Kaisersaals im Römer, Besuch des Goethe-Hauses, des Historischen Museums u. a. Gemeinsames Mittagessen in Sachsenhausen, danach Zeit für Shopping, Museumsbesuche, Spaziergänge, ...
Di, 13.06.	9.00 Abfahrt vom Hotel, Besuch der Deutschen Börse und der Europäischen Zentralbank (EZB) 14.00 Abfahrt nach Offenbach, Besichtigung des Pharmaherstellers Medisan AG
Mi, 14.06.	Beginn des Internationalen Kongresses für Pharmakologie 8.30 Uhr Transfer zum Congress Center Messe Frankfurt
Do, 15.06.	Internationaler Kongress für Pharmakologie 8.30 Uhr Transfer zum Congress Center Messe Frankfurt
Fr, 16.06.	9.30 Fahrt nach Heidelberg, Besuch des Schlosses, Altstadtrundgang, Weinprobe Rückfahrt gegen 15.00 Uhr
Sa, 17.06.	9.00 Abfahrt zum Hauptbahnhof Weiterreise der Gruppe nach Basel mit ICE ab Frankfurt Hauptbahnhof 10.05, Ankunft 12.55 Uhr in Basel SBB

Ein Programm vorstellen

- Wir haben ein interessantes/abwechslungsreiches/... Programm für Sie vorbereitet.
- Heute/In den nächsten Tagen sieht unser Programm folgendermaßen aus: ...
- Wir beginnen mit .../Der erste Programmpunkt ist ...

- Heute/Morgen Vormittag/Nachmittag/Abend	haben wir ... geplant.
- Um/Ab ... Uhr	zeigen wir Ihnen ...
- Von ... bis ... Uhr	lernen Sie ... kennen.
- Morgen/Am Montag/Am ...	besuchen/besichtigen wir ...
- Anschließend/Im Anschluss daran/ Dann/Danach/Später	gehen wir in/zu ...
	fahren/reisen Sie nach ... (zurück/weiter).
	findet ... statt.
	beginnt ...
	erfahren Sie mehr über ...
	haben Sie Zeit für ...

- So viel zu unserem Programm. Wir wünschen Ihnen einen angenehmen Aufenthalt in/bei ... Viel Spaß/Erfolg!

a) Machen Sie sich Notizen zu Ihrem Vortrag für die Besucher aus Shanghai.

– Begrüßung: Guten Tag, ...
– Vorstellung: Mein Name ist ...

b) Tipps für den Vortrag: Ordnen Sie zu.

1 Sprechen Sie nicht zu leise,   a) beim Sprechen an.
2 Sprechen Sie langsam   b) Pausen.
3 Machen Sie   c) aber auch nicht zu laut.
4 Verwenden Sie kurze   d) freundlich und ruhig.
5 Sehen Sie die Zuhörer   e) und deutlich.
6 Bleiben Sie immer   f) und einfache Sätze.

c) Begrüßen Sie die Besucher aus Shanghai und stellen Sie das Programm vor.

Die anderen Kursteilnehmer hören zu und machen Notizen.
Beobachtungsaufgaben für die anderen Kursteilnehmer:

- Werden Sie freundlich begrüßt?
- Stellt sich der Sprecher vor?
- Bekommen Sie alle wichtigen Informationen?
- Hält sich der Sprecher an die Tipps für den Vortrag?

Was stellt das Unternehmen her?

1 **Branchen und Berufe. Schreiben Sie die Wörter richtig.**

1 Nahrmitungstelintriedus   _Nahrungsmittelindustrie_   4 Mabauschineningenieur _____

2 schaftergiewirtEn   _____   5 sicherVerkaufungsmann _____

3 stellerzeugFahrher   _____   6 giemessEnerniktech _____

2 **Bilden Sie Komposita.**

> Bau · Chemie · Druck · Energie · Fahr · Fahrzeug · Fernseh · Fertig · Fisch · Flug ·
> Impf · Kaffee · Kleider · Küchen · Kühl · Kunst · Maschinen · Nahrungs · Personen ·
> Pflanzenschutz · Telefon · Textil · U-Bahn · Windkraft

1 _Bau_ _____ -wirtschaft   5 _____ -industrie   9 _____ -mittel

2 _____ -anlage   6 _____ -stoff   10 _____ -bau

3 _____ -gerät   7 _____ -maschine   11 _____ -zeug

4 _____ -wagen   8 _____ -schrank   12 _____ -gericht

3 **Was ist richtig [r]? Was ist falsch [f]? Antworten Sie mithilfe der Texte im Lehrbuch, S. 29.**

a) Landgut Schloss Grafenfeld

1 Das Landgut Schloss Grafenfeld bietet seine Produkte in ganz Deutschland an. _____ [f]
2 Die Produkte des Landguts Schloss Grafenfeld kann man auch direkt beim Hersteller kaufen. __ ☐
3 Das Unternehmen stellt auch Getränke her. _____ ☐

b) Merck-Gruppe

1 Die Merck-Gruppe umfasst zwei Unternehmensbereiche. _____ ☐
2 Die Merck-Gruppe produziert und verkauft ihre Produkte auf der ganzen Welt. _____ ☐
3 Der Unternehmensbereich Pharma stellt nur rezeptpflichtige Medikamente her. _____ ☐

c) Officeline

1 Seit 15 Jahren hat Officeline über 400 Mitarbeiter. _____ ☐
2 Officeline hat in mehreren europäischen Ländern Kunden. _____ ☐
3 Das Unternehmen hat Betriebe in Deutschland, Österreich und der Schweiz. _____ ☐

4 **Worum handelt es sich bei ...?**

a) Ordnen Sie zu.

Unterbegriff	Oberbegriff
1 Tabletten	a) Produkte der Elektronikindustrie
2 HKM	b) ein Sprachlehrbuch für den Beruf
3 Drucker und Scanner	c) ein Unternehmen der Stahlindustrie
4 Unternehmen Deutsch	d) Arzneimittel
5 die Stadt Frankfurt	e) ein weltweit tätiges Unternehmen
6 Merck	f) ein wichtiges Finanzzentrum

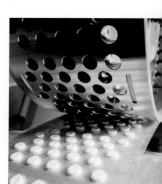

b) Schreiben Sie Sätze.

1 *Bei Tabletten handelt es sich um Arzneimittel.*

2 *Bei HKM ...*

3 _____

4 _____

5 _____

6 _____

B **5** **Wozu gehört ...?**

a) Welche Unterbegriffe im Schüttelkasten gehören zu den Oberbegriffen 1 bis 4? Ordnen Sie zu.

> ~~Pharma~~ · Brot · Drehstuhl · Fleisch · Flugzeug · Kosmetik · Milchprodukte ·
> Omnibus · Chemie · Regal · Straßenbahn · Schreibtisch

Ober-begriffe	1 Chemieindustrie	2 Nutzfahrzeuge	3 Lebensmittel	4 Büromöbel
Unter-begriffe	*Pharma*			

b) Schreiben Sie.

1 *Pharma, ...*   *und ...*   *gehören zur Chemieindustrie.*

2 _____

3 _____

4 _____

B **6** **Sätze bauen**

a) Von Merck zu Officeline. Ersetzen Sie immer ein Satzteil durch die angegebenen Teile.

Die Merck AG ist weltweit tätig.

1 allen Kontinenten: *Die Merck AG ist auf allen Kontinenten tätig.*

2 Wir: *Wir sind auf allen Kontinenten tätig .*

3 bieten unsere Produkte an: _____

4 verkaufen: _____

5 in Österreich und der Schweiz: _____

6 Officeline: _____

b) Von Officeline zu Merck. Ersetzen Sie immer ein Satzteil durch die angegebenen Teile.

Die Firma Officeline stellt in ihrem Betrieb hochwertige Büromöbel her.

1 seit vielen Jahren: *Officeline stellt seit vielen Jahren hochwertige Büromöbel her.*

2 Unsere Mitarbeiter: _____

3 Chemikalien: _____

4 entwickeln: _____

5 Merck-Gesellschaften in 52 Ländern: _____

6 für Abnehmer auf allen Kontinenten: _____

Unternehmen, Wirtschaftsbereiche, Branchen

A **1** **Leistungen und Produkte der Wirtschaftsbereiche**

> Autoreparatur · Benzin · Brötchen · Buchhandel · Digitalkameras · Druckmaschinen ·
> Einbauschränke · Fitness-Training · Gütertransport · Haftpflichtversicherungen · Kaffee ·
> Kleiderreinigung · Krankenversicherungen · Lebensmittelhandel · Lkws · Metalle · Nudeln ·
> Personenverkehr · Sportschuhe · Urlaubsreisen

1 Grundstoff- und Produktionsgüter-Industrie: *Metalle, ...*

2 Investitionsgüter-Industrie: _____

3 Konsumgüter-Industrie: _____

4 Nahrungs- und Genussmittel-Industrie: _____

5 produzierendes Handwerk: _____

6 Dienstleistungshandwerk: _____

7 Handel: _____

8 Verkehr: _____

9 Finanzdienstleistungen: _____

10 freizeitbezogene Dienstleistungen: _____

B **2** **Wirtschaftsbereiche**

a) Schreiben Sie die Angaben aus dem Text ins Diagramm rechts.

Bäckereien, Autowerkstätten und Schreinereien gehören zum Handwerk. Beim Handwerk unterscheidet man zwischen Dienstleistungshandwerk und produzierendem Handwerk. Unter produzierendem Handwerk versteht man z. B. Bäckereien und Schreinereien. Bäckereien stellen Brot und Brötchen her. Schreinereien stellen Möbel her. Autowerkstätten gehören zum Dienstleistungshandwerk. Sie reparieren Autos.

```
              1 _____

2  produzierendes Handwerk      3 _____
a) _____                a) Autowerkstätten
   • _____                 • _____
   • _____
b) _____
   • _____
```

b) Schreiben Sie einen Text wie in Aufgabe a). Benutzen Sie die Angaben aus dem Diagramm unten.

Industrie			
Grundstoff- und Produktionsgüter-Industrie	**Investitionsgüter-Industrie**	**Konsumgüter-Industrie**	**Nahrungs- und Genussmittel-Industrie**
Energiewirtschaft	**Maschinenbau**	**Textilindustrie**	**Getränkeindustrie**
• elektrischer Strom	• Druckmaschinen	• Hosen	• Bier
• Kraftstoffe	• Industrieroboter	• Anzüge	• Mineralwasser
Stahlindustrie	**Fahrzeugbau**	**Kosmetikindustrie**	**Lebensmittelindustrie**
• Baustahl	• Flugzeuge	• Tagescreme	• Schokolade
• Bleche	• Lkws	• Kosmetika	• Reis

Energiewirtschaft, Stahlindustrie, Maschinenbau, ... gehören zum Wirtschaftsbereich ...

Beim Wirtschaftsbereich Industrie ... zwischen ...

Zur Grundstoff und Produktionsgüter-Industrie gehören zum Beispiel ...

Unter ... versteht man zum Beispiel Kraftstoffe und elektrischer Strom.

Die Stahlindustrie stellt ...

▶ 3 Rechtsform und Unternehmensgröße. Schreiben Sie die passenden Begriffe in die Tabelle.

	Rechtsform	Größe
1 Klaus Schüsslers Werkstatt	*Einzelunternehmung*	
2 Schüssler & Ohlsen		*Kleinunternehmen*
3 Officeline		
4 DaimlerChrysler		

▶ 4 Wer haftet? Ordnen Sie zu.

1 Im Einzelunternehmen   a) haften die Aktionäre mit ihren Aktien.
2 In der OHG   b) haften die Gesellschafter mit dem Stammkapital.
3 In der GmbH   c) haften die Gesellschafter mit ihrem ganzen Vermögen.
4 In der Aktiengesellschaft   d) haftet der Unternehmer mit seinem ganzen Vermögen.

▶ 5 Unternehmen, Firma, Betrieb, Konzern. Ordnen Sie zu.

1 Das Unternehmen   a) produziert, prüft die Qualität, organisiert den Vertrieb.
2 Die Firma   b) kontrolliert mehrere selbstständige Unternehmen.
3 Der Betrieb/Das Werk   c) gründen und finanzieren die Unternehmer.
4 Der Konzern   d) ist der Name des Unternehmens.

▶ 6 Die Merck-Gruppe. Suchen Sie die fehlenden Angaben im Text. Ergänzen Sie.

Die Merck KGaA* ist ein weltweit tätiges Pharma- und Chemieunternehmen. Das pharmazeutische Geschäft umfasst innovative rezeptpflichtige Arzneimittel und Produkte für die Selbstmedikation. Der Unternehmensbereich Chemie konzentriert sich auf hochwertige Chemikalien wie zum Beispiel Flüssigkristalle für Displays und auf Produkte und Dienstleistungen für die gesamte Prozesskette der Pharmaindustrie. Merck-Gesellschaften in 52 Ländern garantieren unseren Kunden auf allen Kontinenten kompetenten Service und die sprichwörtliche Merck-Qualität.

* Kommanditgesellschaft auf Aktien

1 Branche: Die *Merck-Gruppe* ist ein Unternehmen der _____.
2 Betriebe/Gesellschaften: hat _____ in _____.
3 Produkte: stellt _____ her.
4 Rechtsform: ist eine _____.

▶ 7 ALDI SÜD. Die fehlenden Angaben finden Sie im Text. Ergänzen Sie.

ALDI SÜD – eine führende Marke im Lebensmittel-Einzelhandel in Deutschland

Zu der Unternehmensgruppe gehören 31 Gesellschaften mit ca. 1600 Niederlassungen in West- und Süddeutschland. Dazu kommen mehr als 25 internationale Gesellschaften mit 300 Filialen in Großbritannien und Irland und mehr als 700 in den USA. Auch in Australien ist ALDI inzwischen mit über 90 Filialen vertreten. Neben Lebensmitteln und Getränken bietet ALDI auch Konsumgüter aus dem Non-Food-Bereich an.

1 Wirtschaftsbereich:
ALDI SÜD ist ein *Handels*-Unternehmen im Bereich _____.

2 Branche:
Bei _____ um ein Unternehmen der _____-Branche.

3 Produkte:
Das Unternehmen bietet _____ an.

4 Betriebe/Niederlassungen:
_____ hat _____ Niederlassungen _____ und über 25 _____.

Wie groß ist das Unternehmen?

A 1 Wie viel? Wie hoch? Ergänzen Sie.

a) Das Unternehmen

In unseren sechs
Betrieben arbeiten
insgesamt 9850
Beschäftigte. Wir
verkaufen jedes Jahr
25000 Stück im Wert
von 280 Millionen
Euro.

1 Die Anzahl der Mitarbeiter
beträgt _9850_____.

2 Die Anzahl der Betriebe beträgt
_____.

3 Der Jahresabsatz beträgt
_____.

4 Der Jahresumsatz beträgt
_____.

5 Das Unternehmen beschäftigt
9850 _____.

6 Das Unternehmen hat
_____ Betriebe.

7 Das Unternehmen verkauft
_____ pro Jahr.

8 Das Unternehmen setzt
jährlich _____ um.

b) Der Schrank

Preis: 489,– €

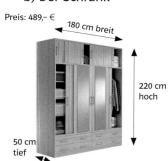

180 cm breit

220 cm hoch

50 cm tief

1 Die Breite des Schranks beträgt
_____.

2 Die Höhe _____
_____.

3 Die Tiefe _____
_____.

4 Der Preis _____
_____.

5 Der Schrank ist 180 cm
_breit_____.

6 Der Schrank ist 220 cm
_____.

7 Der Schrank _____
_____.

8 Der Schrank _____
_____.

A 2 Angabe, Frage, Antwort. Schreiben Sie.

Angabe	Frage	Antwort

1 Mitarbeiter:
1500

▶ Wie hoch _ist die Anzahl der_____
_Mitarbeiter?_____

▶ Wie viele _Mitarbeiter hat die Firma?_

▶ Die Anzahl _der Mitarbeiter beträgt 1500._
▶ Die Firma _____.

2 Regal:
180 cm breit

▶ Wie breit _____?
▶ Welche Breite _____?

▶ Das Regal _____.
▶ Die Breite _____.

3 Wohnung:
620,– € / Mon.

▶ Wie hoch _____
die Miete pro _____?

▶ Die Miete _____.
▶ Die Wohnung _____.

4 Kopiergerät:
1321,– €

▶ Wie hoch _____?
▶ Wie viel _____?

▶ Der Preis _____.
▶ Das _____.

5 Paket:
20 kg

▶ Wie hoch _____?
▶ Wie schwer _____?

▶ Das Gewicht _____.
▶ Das Paket _____.

C 3 Wie hoch ist der Anteil am Umsatz? Bilden Sie Sätze. Benutzen Sie die Verben unten.

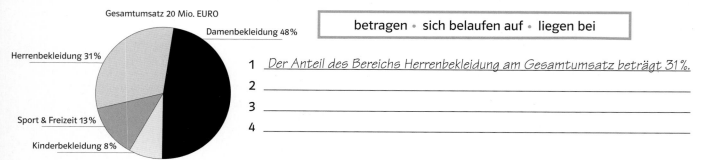

Gesamtumsatz 20 Mio. EURO

Damenbekleidung 48%

Herrenbekleidung 31%

Sport & Freizeit 13%

Kinderbekleidung 8%

betragen · sich belaufen auf · liegen bei

1 _Der Anteil des Bereichs Herrenbekleidung am Gesamtumsatz beträgt 31%._

2 _____

3 _____

4 _____

4 **ungefähr – genau, weniger – mehr als. Ordnen Sie zu.**

1 Das Gewicht beträgt 495 Gramm –		a) circa	A	zwei Meter.
2 Das Regal ist 200 cm hoch –		b) fast	B	1 300 Euro.
3 Der Praktikant bleibt 31 Tage hier –		c) genau	C	eine halbe Stunde.
4 Die Anlage kostet 1 289,50 Euro –		d) knapp	D	1,5 Millionen.
5 Die Fahrt dauert 32 Minuten –		e) mehr als	E	einen Monat.
6 Ich habe vom 1.9. bis zum 16.9. Urlaub –		f) rund	F	zwei Wochen.
7 Wien hat 1 607 000 Einwohner –		g) über	G	392.
8 Wir haben etwa 400 Mitarbeiter –		h) ungefähr	H	ein halbes Kilo.

5 **Wo bekommen Sie Antwort auf Ihre Fragen?**

1 ▶ Wie hoch   ist   der Umsatz?
  ▶ Der Vorstand kann Ihnen sagen, *wie hoch der Umsatz* _____   *ist* .

2 ▶ Wie viele Mitarbeiter   beschäftigt   das Unternehmen?
  ▶ Im aktuellen Geschäftsbericht können Sie nachlesen, *wie viele* _____   _____ .

3 ▶ Was   stellt   das Unternehmen   her   ?
  ▶ Sie können im Internet nachsehen, _____   _____ .

4 ▶ Welche Rechtsform   hat   Officeline heute?
  ▶ Informieren Sie sich im Lehrbuch, Seite 31, _____   _____ .

5 ▶ Wann   beginnt   der Kongress?
  ▶ Fragen Sie bitte Herrn Körber, _____   _____ .

6 ▶ Wie lange   dauert   die Fahrt von Wien nach Zürich?
  ▶ Im Fahrplan steht, _____   _____ .

6 **Der Dow Jones vom 8. bis zum 15. September. Schreiben Sie.**

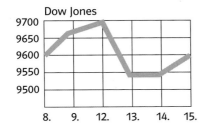

1 Am 8. hat der Kurs des Dow Jones *bei 9600 gelegen* _____ .

2 Vom 8. bis zum 9. ist er von 9 600 um 75 Punkte auf _____ .

3 Vom 9. bis zum 12. _____ .

4 Vom _____ .

5 Vom _____ .

6 Vom _____ .

7 **Wie hat sich der Preis für 100 Liter Heizöl von Januar bis Dezember verändert? Schreiben Sie.**

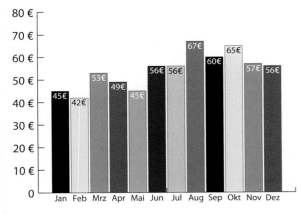

1 Im Januar hat der Preis für 100 Liter Heizöl _45 €_ betragen.

2 Im Februar _____ der Heizölpreis von _____ auf
  _____ gesunken.

3 Im März _____ der Heizölpreis um _____
  auf _____ .

4 Von März bis Mai _____
  _____ .

5 Von Mai bis Juni _____
  _____ .

6 Im Juni und Juli _____
  _____ .

7 _____ .

8 _____ .

9 _____ .

10 _____ .

Unternehmensstruktur

A **1** **Der DaimlerChrysler-Konzern**

a) Notizen zum DaimlerChrysler-Konzern. Ergänzen Sie.

> 17 800 (Freightliner L.L.C.) · Auburn Hills · Buenos Aires · DaimlerChrysler Argentina S.A. ·
> Detroit · Dienstleistungen · Dodge · EvoBus GmbH · insgesamt rund 380 000 · Lkws ·
> Motoren · Nutzfahrzeuge · smart · Stuttgart

1 Sitz: _Auburn Hills, ..._____

2 Unternehmensbereiche: _____

3 Niederlassungen: _____

4 Produkte: _____

5 Marken: _____

6 Tochterunternehmen: _____

7 Belegschaft: _____

b) Formulieren Sie die passenden Fragen. Benutzen Sie die Angaben im Lehrbuch, S. 34.

1 ▶ _Wo sind die Konzernsitze von DaimlerChrysler?_   ▶ In Stuttgart und Auburn Hills.

2 ▶ _____ ▶ Mit 66,9 Prozent.

3 ▶ _____ ▶ Er beläuft sich auf 380 Mio. Euro.

4 ▶ _____ ▶ In Europa sind es zwei.

5 ▶ _____ ▶ Im Jahr 1998.

6 ▶ _____ ▶ Zum Beispiel Chrysler und Mercedes-Benz.

B **2** **Was ist richtig r ? Was ist falsch f ? Benutzen Sie die Angaben im Lehrbuch, S. 34.**

1 DaimlerChrysler ist mit 100 Prozent an der DaimlerChrysler do Brasil beteiligt. _____ | r |

2 Die Muttergesellschaft hält einen Anteil von 70 Prozent an der P.T. DaimlerChrysler Indonesia. _ □

3 Freightliner L.L.C., Portland, ist eine 100-prozentige Tochter von DaimlerChrysler. _____ □

4 Die EvoBus GmbH ist eine 80-prozentige Tochter des DaimlerChrysler Konzerns. _____ □

5 Die DaimlerChrysler AG ist mit 100 % an der Detroit Diesel Corporation beteiligt. _____ □

6 DaimlerChrysler hält einen Anteil von 65 % an der Mitsubishi Fuso Truck and Bus Corporation. __ □

B **3** **Welche Unternehmen gehören zur Altanova-Gruppe? Wie sind die Besitzverhältnisse? Schreiben Sie.**

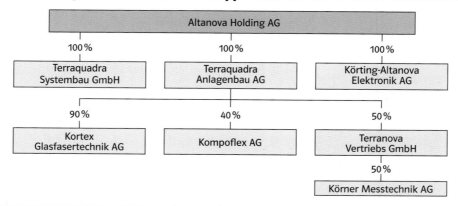

> _Die Altanova Holding AG hält einen Anteil von ... Die Terraquadra-Anlagenbau AG ist eine ..._
>
> _Die Körting-Altanova Elektronik AG gehört zu ... Prozent ..._
>
> _____

4 Sätze mit Adjektiven

a) Bilden Sie acht (oder mehr) Sätze.

- Der
- Die
- Das
- Dem
- Den

- freundliche
- freundlichen

- Mitarbeiter
- Mitarbeiterin
- Team
- Mitarbeitern
- Mitarbeiterinnen
- Teams

- ist gut informiert.
- haben uns geholfen.
- wünsche ich viel Erfolg.
- treffe ich gern.

Die freundliche Mitarbeiterin treffe ich gern.

Der freundliche Mitarbeiter ist gut informiert.

_____

b) Bilden Sie zehn (oder mehr) Sätze.

- Ein
- Eine
- Einen
- Einem
- Einer
- –

- wichtiger
- wichtige
- wichtiges
- wichtigen

- Brief
- Angebot
- Anfrage
- Briefe
- Angebote
- Anfragen
- Briefen
- Angeboten

- bearbeiten wir sofort.
- ist angekommen.
- schenken wir viel Zeit.
- sind angekommen.

Ein wichtiges Angebot ist angekommen.

Wichtigen Angeboten schenken wir viel Zeit.

_____

5 Ergänzen Sie die fehlenden Endungen.

a) Die Merck-Gruppe …

ist ein weltweit (1) tätig_es_ Pharma- und Chemieunternehmen. Das (2) pharmazeutisch_____
Geschäft umfasst (3) innovativ_____, rezeptpflichtig_____ Arzneimittel und Produkte für die
Selbstmedikation. Der Unternehmensbereich Chemie konzentriert sich auf (4) hochwertig_____
Chemikalien und Produkte für die (5) gesamt_____ Prozesskette der Pharmaindustrie. Merck-
Gesellschaften in 52 Ländern garantieren (6) unser_____ Kunden (7) kompetent_____ Service und die
(8) bekannt_____ Merck-Qualität.

b) Das Landgut Schloss Grafenfeld …

liefert (1) frisch_____ Obst, (2) frisch_____ Fleisch- und Wurstwaren aus (3) artgerecht_____ Viehhaltung
an (4) ausgesucht_____ Händler. Biologisch (5) angebaut_____ Gemüse kommt von Feldern ohne
(6) chemisch_____ Düngung. Die Produkte kommen auf (7) kurz_____ Weg zum Verbraucher. Man
kann aber (8) ofenfrisch_____ Brot, (9) würzig_____ Käse und (10) naturrein_____ Apfelsaft auch direkt
auf dem Gut kaufen.

c) Die Firma Officeline …

hat sich aus einer (1) klein_____ Werkstatt entwickelt. Dort hat Klaus Schüssler (2) exklusiv_____
Einzelstücke hergestellt. Eine (3) erfolgreich_____ Zusammenarbeit mit dem (4) jung_____ Industrie-
Designer Heinz Ohlsen führt zu einer (5) dynamisch_____ Entwicklung des (6) klein_____ Unternehmens.
Heute handelt es sich bei Officeline um ein (7) mittelständisch_____ Unternehmen mit über
400 Mitarbeitern. Sie stellen (8) hochwertig_____ Büromöbel für den (9) europäisch_____ Markt her.

Unternehmensgeschichte

1 Welches Verb passt nicht? Kreuzen Sie an: a) , b) oder c).

1	ein Produkt	a) entwickeln	b) herstellen	c) kaufen	~~d) arbeiten~~
2	ein Unternehmen	a) gründen	b) vergrößern	c) beschäftigen	d) verkaufen
3	ein Gerät	a) gründen	b) konstruieren	c) fertigen	d) reparieren
4	Mitarbeiter	a) haben	b) gehören	c) einstellen	d) beschäftigen
5	Materialien	a) beenden	b) verarbeiten	c) benutzen	d) liefern
6	moderne Technik	a) entwickeln	b) einsetzen	c) vergrößern	d) exportieren
7	einen Betrieb	a) verlegen	b) besuchen	c) schließen	d) produzieren
8	Kunden	a) beliefern	b) beraten	c) liefern	d) anrufen
9	ins Ausland	a) gehen	b) produzieren	c) liefern	d) verkaufen
10	die Qualität	a) fertigen	b) garantieren	c) prüfen	d) verbessern

2 Die Bayer AG

a) Ergänzen Sie die fehlenden Endungen.

1863 (1) gründe_ten_ der Farbstoffhändler Friedrich Bayer und der Färbermeister Johann F. Weskott
ein Unternehmen in der Waschküche eines Wohnhauses in Wuppertal. Sie (2) mach_____ synthetische
Farben. Diese Anfänge (3) führ_____ zu einer schnellen Entwicklung. Die Farben (4) wur_____
billiger, reiner, schöner. In den folgenden Jahren (5) entwickel_____ Bayer ein breites Angebot
von Chemikalien, Arzneimitteln, Kunststoffen und Pflanzenschutzmitteln. 1926 (6) fusionier_____
die Bayer AG, die Hoechst AG, die BASF AG und andere zur Interessengemeinschaft Farben AG. Die
IG Farben (7) produzier_____ auch Chemikalien für den Krieg. Nach 1945 (8) muss_____ sich die
Unternehmen der IG Farben wieder trennen. 1951 (9) gründe_____ man die Bayer AG wieder neu.
1990 (10) beschäftig_____ der Konzern 170 000 Mitarbeiter weltweit und (11) erreich_____ einen
Jahresumsatz von 41,643 Mill. DM. Anfang des Jahrtausends (12) hat_____ der Bayer-Konzern
wirtschaftliche Schwierigkeiten. Deshalb (13) verleg_____ man von 2001 bis 2005 mehrere
Geschäftsbereiche in selbstständige Gesellschaften.

b) Notieren Sie die Angaben aus dem Text.

1 Gründungsjahr: _____

2 Produkte: _____

3 Fusion mit: _____

4 nach 1945: _Trennung der Unternehmen der IG Farben_

5 1951: _____

6 1990 Belegschaft: _____

7 1990 Jahresumsatz: _____

8 2001–2005: _____

3 Markus Ziegler erzählt. Schreiben Sie die Firmengeschichte.

Mein Vater Paul Ziegler hat 1933 geheiratet. Ein
Jahr später, am 1.4.1934, hat er seine Firma in
Koblenz angemeldet. Die Schreinerei Ziegler
hat sich gut entwickelt. Schon 1936 hat er ein
großes Grundstück direkt am Rhein gekauft
und dort eine neue Werkhalle gebaut. Der Krieg
hat leider alles kaputt gemacht. Aber 1948 hat
mein Vater das Unternehmen wieder aufgebaut.
Besonders in den 50er-Jahren hat die Firma
viele große Aufträge erledigt. Das Unternehmen
hat sich schnell vergrößert. 1960 haben wir
fast 100 Mitarbeiter beschäftigt und fünf Jahre
später sind es schon 150 gewesen. Von 1985 bis
2000 haben wir oft mit der Firma Koch & Söhne
zusammengearbeitet. 2000 haben wir die Ziegler
& Koch GmbH gegründet.

1933 heiratete Paul Ziegler. Im Jahr 1934 ...

4 Modalverben: Präteritum oder Präsens? Ergänzen Sie.

1 Das _durften_ wir schon immer, das dürfen wir auch jetzt, das _____ man auch in Zukunft.

2 Das _____ ich nicht, das _____ ich noch nie, das kann ich auch in Zukunft nicht.

3 Das sollst du sofort machen, das _____ du schon gestern machen, morgen _____ du etwas anderes machen.

4 Gestern _____ wir das machen. Heute _____ ihr das machen, aber morgen müssen wieder wir das machen.

5 Das _____ ich gern machen, das _____ ich schon immer einmal machen. Oder willst du das machen?

5 Die Körner AG. Schreiben Sie.

1962	Gründung der Körner GmbH durch Wilfried Körner in Köln
	Zusammenarbeit mit seinem Bruder Karl
	Produkte der Mess- und Regeltechnik
1978	Entwicklung einer modernen elektronischen Baureihe
	Erfolgreicher Export der neuen Modelle in die europäischen Absatzmärkte
1987	25-jähriges Firmenjubiläum
	Eröffnung einer Niederlassung in Innsbruck
1990	Körner GmbH → Körner AG
1995	50-prozentige Beteiligung an der Terranova Vertriebs GmbH
2000	Verlegung des Unternehmenssitzes nach Luxemburg
2004	Zusammenarbeit mit der Lihua Engineering Group, Guangzhou / China
	Gesamtzahl der Beschäftigten weltweit 1545

1962 gründete Wilfried Körner die Körner GmbH in Köln.

Wilfried Körner arbeitete mit ...

Sie stellten ...

1978 entwickelte das Unternehmen ...

Es exportierte ...

1987 feierte ...

und eröffnete ...

1990 wurde die Körner GmbH eine ...

1995 beteiligte sich ...

Im Jahr 2000 verlegte das Unternehmen ...

2004 erfolgte die ...

In diesem Jahr beschäftigte die Körner AG ...

6 Präsens oder Präteritum? Ergänzen Sie.

1 fertigen: Seit vielen Jahren _fertigt_ die Merck KGaA Flüssigkristalle für Displays und Monitore.

2 gründen: Vor mehr als 100 Jahren _____ Bayer und Weskott einen Betrieb zur Farbenherstellung.

3 beliefern: Ab sofort _____ wir auch Abnehmer in der Slowakei und in der Tschechischen Republik.

4 haben: Von 1962 bis zum Jahr 2000 _____ das Unternehmen seinen Sitz in Köln.

5 dauern: Die Entwicklung des neuen Modells _____ bis April nächsten Jahres.

6 sein: Fünf Jahre lang _____ das alte Modell auf unseren Absatzmärkten in Europa erfolgreich.

7 wollen: In zwei Jahren _____ das Unternehmen eine neue Niederlassung in der Schweiz eröffnen.

8 liefern: Seit 1998 _____ Officeline auch Möbel nach Österreich.

Unternehmensporträt

A **1** **Was meinen Sie: Worum handelt es sich dabei?**

Sind Sie sicher oder vermuten Sie – *ich weiß, ich bin sicher, ich glaube, ich vermute, es kann sein*?
Schreiben oder sprechen Sie wie im Beispiel.

1 2000?
2 Circa 75 Milliarden Euro?
3 Detroit Diesel Corporation?
4 Gesellschaften in 52 Ländern?
5 Herr Körber und Herr Sauter?
6 Kommanditgesellschaft auf Aktien?
7 Mercedes-Benz, Maybach, smart?
8 Offenbach?
9 Österreich, die Schweiz, England, Frankreich und Italien?

> Merck KGaA · DaimlerChrysler · Siemens AG ·
> Medisan AG · Business&Tours · Officeline GmbH

> Absatzmärkte · Firmensitz · Rechtsform · Gründungsjahr
> · Jahresumsatz 2004 · Mitarbeiter · Produkte ·
> Tochterunternehmen · Unternehmensstruktur

1 *2000? Ich vermute, dass es sich dabei um das Gründungsjahr der Officeline GmbH handelt.*

2 *Circa 75 Milliarden Euro? Ich ...*

3 _____

4 _____

5 _____

6 _____

7 _____

8 _____

9 _____

B **2** **Markieren Sie die Aussagen 1 bis 8 im Organigramm.**

1 Die Kiefer GmbH hält einen Anteil von 30 % an der Alta GmbH.
2 Die Crema AG ist mit 70 % an der Alta GmbH beteiligt.
3 Die Kiefer GmbH ist mit 100 % an der Kiefer & Andres GmbH beteiligt.
4 Die Crema-Pharma GmbH mit Sitz in Leipzig ist eine 50-prozentige Tochter der Crema AG, Berlin.
5 Die Alta GmbH hat insgesamt 22 Tochterunternehmen.
6 Die meisten sind 100-prozentige Töchter.
7 14 Tochtergesellschaften der Alta GmbH haben ihren Sitz in Europa,
8 Acht Tochtergesellschaften haben ihren Sitz in anderen Kontinenten.

Organigramm:

- Kiefer GmbH Dortmund — 30 % → Alta GmbH Hamburg ← 70 % — Crema AG Berlin
- Kiefer GmbH Dortmund: 100 % ↓ Kiefer & Andres GmbH Köln
- Alta GmbH Hamburg: meist 100 % ↓ 22 Unternehmen weltweit, davon 6 in Deutschland, 8 in Europa, 4 in Asien, 3 in Amerika, 1 in Afrika
- Crema AG Berlin: 50 % ↓ Crema-Pharma GmbH Leipzig

C **3** ***steigen – fallen – gleich bleiben.* Schreiben Sie.**

Zahl der Beschäftigten	
2000	2005
3520	2980

Zwischen 2000 und 2005 ist die Zahl der Beschäftigten von 3520 um 540 auf 2980 gefallen.

Produktion	
2004	2005
100 %	126,8 %

Von ...   bis ...   ist die ...
von ...   um ...   auf ...

Absatz	
2003	2004
35 000 Stück	30 000 Stück

Von ...

Zahl der Kunden	
1980	2000
ca. 400	ca. 400

4 Vom Stichwort zum Satz

1 Gründung eines Unternehmens

Wir gründen ein Unternehmen.   *Wir haben ein Unternehmen gegründet.*   *Wir gründeten ein Unternehmen.*

2 Verlegung des Betriebs

Wir verlegen ...   _____   _____

3 Herstellung von Möbeln

_____   _____   _____

4 _____

Wir verkaufen Fahrzeuge.   _____   _____

5 Die Porsche AG. Ergänzen Sie den Text.

Die Porsche AG ist ein (1) *Unternehmen* der Fahrzeug- (2) _____.
1931 (3) _____ Ferdinand Porsche ein Konstruktionsbüro. 1938
(4) _____ er den Volkswagen. 1948 (5) _____ Porsche den
ersten Porsche-Sportwagen, den Porsche 356, vor. Heute (6) _____
Porsche (7) _____wertige Sportwagen her. (8) _____ des
(9) _____ ist Stuttgart-Zuffenhausen. Zur Porsche AG (10) _____
außerdem drei deutsche (11) _____gesellschaften, die Beratungsdienst-
leistungen anbieten. Bei ihnen (12) _____ es sich um Gesellschaften mit beschränkter
(13) _____. Von 1992/93 (14) _____ 2004/05 ist die (15) _____ von knapp
15 000 Fahrzeuge auf über 90 000 pro Jahr (16) _____. Die (17) _____ der Beschäftigten
(18) _____ von rund 7 000 um 4 900 (19) _____ rund 11 900 (20) _____.

6 Kreuzworträtsel

			1↓											2↓	
	3↓	1→	B	I	E	R	4↓				6↓	7↓			
			9↓		4→			5→							
8→															
		10→		11↓ 13↓									14↓		
		12→													
15→							16→								
			17→			19↓									
18→															
				20→											
		21→													

waagerecht (—→):
1 ein Produkt der Getränkeindustrie
4 ein bekanntes Unternehmen der Fahrzeugindustrie (Abkürzung)
5 öffentliches Verkehrsmittel
8 Damit wenden Sie sich am besten an die Information, die Fahrplanauskunft, ...
10 Abkürzung für Eurocity
11 Personalpronomen: 3. Person Singular maskulinum
12 ... mit beschränkter Haftung, Aktien...
15 eine kalte Nachspeise
16 mittelasiatisches Land
17 24 Stunden = ein ...
18 das Produkt von z. B. VW, DaimlerChrysler
20 diese Zahl ist kleiner als 1
21 die Kunden prüfen es genau

senkrecht (↓):
1 alle Mitarbeiter eines Unternehmens
2 Die Eltern haben einen Sohn oder eine ...; auch: Unternehmen eines Konzerns
3 Produktname; Mercedes-Benz ist eine ... des DaimlerChrysler-Konzerns
4 1949: ... des Firmensitzes der Siemens AG von Berlin nach München
6 öffentliches Verkehrsmittel
7 Man muss ihn beseitigen, man kann sich dagegen versichern.
9 das schnellste Verkehrsmittel der Deutschen Bahn
13 DaimlerChrysler hat einen in Stuttgart und einen in Auburn Hills.
14 der Name des Unternehmens
19 Das stellt die Industrie her.

Terminvereinbarung II

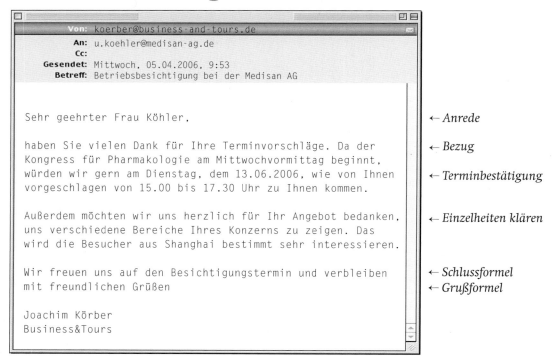

Von: koerber@business-and-tours.de
An: u.koehler@medisan-ag.de
Cc:
Gesendet: Mittwoch, 05.04.2006, 9:53
Betreff: Betriebsbesichtigung bei der Medisan AG

Sehr geehrter Frau Köhler,   ← *Anrede*

haben Sie vielen Dank für Ihre Terminvorschläge. Da der   ← *Bezug*
Kongress für Pharmakologie am Mittwochvormittag beginnt,
würden wir gern am Dienstag, dem 13.06.2006, wie von Ihnen   ← *Terminbestätigung*
vorgeschlagen von 15.00 bis 17.30 Uhr zu Ihnen kommen.

Außerdem möchten wir uns herzlich für Ihr Angebot bedanken,   ← *Einzelheiten klären*
uns verschiedene Bereiche Ihres Konzerns zu zeigen. Das
wird die Besucher aus Shanghai bestimmt sehr interessieren.

Wir freuen uns auf den Besichtigungstermin und verbleiben   ← *Schlussformel*
mit freundlichen Grüßen   ← *Grußformel*

Joachim Körber
Business&Tours

1 **Termine bestätigen oder absagen. Ordnen Sie zu.**

Es tut mir leid, aber am ... bin ich aus persönlichen / beruflichen Gründen verhindert. • Wäre es möglich, unseren Termin um zwei Stunden zu verschieben? • Ich möchte den mündlich vereinbarten Termin am ... um ... Uhr bestätigen. • Leider bin ich krank, aber meine Kollegin, Frau ..., wird mich bei unserem geplanten Treffen vertreten. • Ich komme gern zu dem von Ihnen genannten Termin. • Leider kann ich den vereinbarten Termin nicht einhalten, da ich einen Kollegen auf einer Tagung vertreten muss. Könnten wir den Termin um einen Tag vorziehen? • Der von Ihnen vorgeschlagene Termin passt mir sehr gut. • Leider muss ich Ihnen mitteilen, dass ich den geplanten Termin nicht wahrnehmen kann. • Zu unserem Bedauern müssen wir den vereinbarten Termin absagen, da das Projekt nicht zustande kommt. • Hiermit bestätige ich den von Ihnen vorgeschlagenen Termin am ... • Nächste Woche bin ich auf Geschäftsreise. Nach meiner Rückkehr melde ich mich wegen eines neuen Termins bei Ihnen. • Bedauerlicherweise muss ich Ihnen mitteilen, dass wir unser Programm ändern mussten und wir Sie deshalb nicht besuchen können. • Wie von Ihnen vorgeschlagen, kommen wir gern am ..., um ...

Einen Terminvorschlag bestätigen	Einen Termin absagen	Eine Alternative vorschlagen

2 **Leider muss Herr Körber den Termin verschieben. Schreiben Sie eine E-Mail.**

Vortrag II – Die Firmenpräsentation

1 **Präsentieren Sie Ihre Firma oder ein Unternehmen, über das Sie sich im Internet informiert haben.**

a) Planen Sie Ihre Präsentation.

1 Wie viel Zeit habe ich?
2 Wer sind meine Zuhörer?
3 Was ist wichtig für die Zuhörer?
4 Was ist unwichtig? Was kann ich weglassen?
5 Was ist mein Ziel?
6 Welche Inhalte möchte ich darstellen?
   z.B. Name, Unternehmenstyp, Standort(e), Branche/Wirtschaftsbereich, Produkte/Dienstleistungen, Absatzmärkte, Jahresumsatz, Anzahl der Mitarbeiter, Unternehmensgeschichte, ...
7 Welche Fragen könnten gestellt werden?
8 Welche Medien und Unterlagen brauche ich?

– Zeit: ...
– Zuhörer: ...
– ...

b) Begrüßen Sie die Zuhörer, stellen Sie sich kurz vor und geben Sie einen Überblick über Ihre Präsentation. Auch die Redemittel auf S. 17 können Ihnen helfen.

Einen Überblick über die Präsentation geben

- Ich möchte Sie heute über ... informieren.
- Ich werde zwei/drei/... Hauptbereiche behandeln. Erstens .../Zweitens .../Drittens ...
- Der Vortrag ist in zwei/drei/... Abschnitte gegliedert. Erstens .../Zweitens .../Drittens ...
- Ich werde ... erklären/behandeln.
- Wir werden ... betrachten.
- Sie erfahren mehr über ...
- Anschließend/Im Anschluss daran/Dann/Danach/Schließlich/ Zum Schluss/Am Ende ...
- Der Vortrag wird ungefähr ... Minuten dauern/in Anspruch nehmen.
- Bitte unterbrechen Sie mich, wenn Sie Fragen haben./Für Fragen stehe ich nach dem Vortrag gern zur Verfügung.

TIPPS

- Verwenden Sie einen Ablaufplan, z.B. am Flipchart, auf den Sie auch während des Vortrags verweisen können.
- Trainieren Sie den Anfang, schwierige Übergänge und das Ende Ihres Vortrags.
- Üben Sie die Aussprache schwieriger Wörter.
- Sprechen Sie möglichst frei und sehen Sie Ihre Zuhörer dabei an.

c) Die folgenden Redemittel helfen Ihnen bei Ihrer weiteren Präsentation. Die anderen Kursteilnehmer geben Ihnen anschließend Rückmeldung.

Übergänge

- Ich beginne mit ...
- Wie Sie wissen, ...
- Das hat zur Folge, dass ...
- Bevor ich fortfahre, betrachten wir noch einmal ...
- So weit zu ...
- Was ... angeht, ...
- Kommen wir nun zu ...
- Als nächstes ...
- Im Folgenden ...

Über die Firma informieren

- ... ist ein Kleinunternehmen / mittelständiges Unternehmen / Konzern.
- ... gehört zu ... und befindet sich in ...
- ... ist im ...bereich tätig / ein Unternehmen der ...
- ... stellt ... her/produziert .../handelt mit .../kauft .../verkauft .../ transportiert .../forscht auf dem Gebiet .../entwickelt .../berät ...
- Der Jahresumsatz beläuft sich auf ... Euro. / Letztes Jahr hatten wir einen Gewinn von ...
- ... beschäftigt ... Mitarbeiter.
- ... wurde ... gegründet.

Zum Ende kommen und sich verabschieden

- Ich fasse noch einmal zusammen: Erstens .../Zweitens .../Drittens ...
- Zusammenfassend kann man sagen, dass ...
- Damit komme ich zum Ende./Damit möchte ich schließen.
- Wir haben noch ... Minuten Zeit. Haben Sie noch Fragen?
- Ich bedanke mich für Ihre Aufmerksamkeit und wünsche Ihnen noch einen angenehmen Tag/Abend/... Auf Wiedersehen!

Name: _____

1 Lesen

Beantworten Sie die Fragen so kurz wie möglich.

1	Wann kommt die Gruppe an?	*um 9.00 Uhr*	
2	In welchen Bereich geht die Gruppe zuerst?	_____	1
3	Welche Rechtsform hat das Unternehmen?	_____	1
4	Welchen Titel hat Herr Lüthi?	_____	1
5	Wo hat die Geschäftsführung ihren Sitz?	_____	1
6	Auf wie vielen Kontinenten hat Terraquadra seine Absatzmärkte?	_____	1
7	Wann beginnt die Besichtigung?	_____	1
8	Wie viele Abteilungen hat die Gruppe besichtigt?	_____	1
9	Welche Abteilung war für Herrn Dunalewicz am interessantesten?	_____	1
10	Handelt es sich bei den Produkten um Investitions- oder um Konsumgüter?	_____	1
11	Wie viele Stunden dauert der Besuch?	_____	1

☐ **10**

Bericht: Betriebsbesichtigung

Am Donnerstag, dem 3. Dezember, haben wir die Firma Terraquadra Systembau GmbH in Köln besucht. Ein Werkbus hat uns vom Hotel abgeholt. Bei unserer Ankunft um 9.00 Uhr begrüßte uns Herr Dipl.-Ing. Lüthi. Vor Beginn der Besichtigung führte er uns zunächst in einen Vortragssaal im Verwaltungsgebäude und informierte uns über den Sitz, die Niederlassungen, die Produkte und Märkte der Firma. Terraquadra hat insgesamt fünf Standorte in drei europäischen Ländern. Die Unternehmenszentrale ist in Zürich. Terraquadra liefert seine Anlagen an führende Unternehmen in den meisten europäischen und einigen afrikanischen Ländern, außerdem nach Amerika und Asien. Seit 2004 hat das Unternehmen auch Kunden in Australien.

Gegen 10.00 Uhr sind wir dann in die Fertigung gegangen. Die Teileherstellung erfolgt mit modernen Industrierobotern. In der Montage gibt es aber viel Handarbeit, weil es sich bei den Anlagen um Einzelstücke handelt. Danach hatten wir Zeit zu Gesprächen mit den Ingenieuren in der Entwicklung. Ich persönlich habe es hier besonders interessant gefunden, denn die Mitarbeiter müssen jede Anlage einzeln nach den Wünschen und dem Bedarf des Kunden planen.
Um 13.00 Uhr haben wir uns für die Gastfreundschaft und die interessanten Gespräche bedankt und von Herrn Lüthi verabschiedet.

Pavel Dunalewicz

2 Schreiben

Schreiben Sie einen Text zur Medisan AG. Benutzen Sie alle Angaben links unten. Benutzen Sie die passenden Redemittel.

Medisan AG
Branche: Pharma-Industrie
Sitz: Offenbach
Niederlassungen: Dublin, Warschau
Gründer: Konrad Hardt / Karl H. Holt
Gründungsjahr: 1911
Mitarbeiter europaweit: 9 000
davon am Firmensitz: 6 500
Produkte:
– Schmerz- u. Rheumamittel
– pharmazeutische Wirkstoffe
Jahresumsatz 2006: 2,24 Mrd. Euro
Absatzmärkte: EU, USA, Fernost

Die Medisan AG ist ein Unternehmen der Pharma-Industrie.
_____
_____
_____
_____
_____
_____
_____
_____
_____
_____

8 x 1,5
☐ **12**

Name: _____

3 Hören

Die Wirtschaft in Bayern – acht Kurzpräsentationen, S. 30, Aufgabe A2.
Was ist richtig $\boxed{r}$? Was ist falsch $\boxed{f}$?

1 BMW hat auch ein Werk in Regensburg. _____ $\boxed{r}$
2 In Bayern haben ca. 170 Versicherungsunternehmen ihren Sitz. _____ ☐   1
3 Das Handwerk in Bayern liefert auch elektrische Energie. _____ ☐   1
4 35 Mitarbeiter stellen in 30 Sekunden einen DVD-Player her. _____ ☐   1
5 Die Rohstoffe für Porzellan braucht man auch für die Computerherstellung. _____ ☐   1
6 Die Herstellung des größten Teils von Brötchen und Brot auf dem Markt erfolgt
    im Handwerk. _____ ☐   1
7 Der Münchener Flughafen ist der wichtigste deutsche Flughafen. _____ ☐   1
8 Krauss-Maffei ist ein Unternehmen des Fahrzeugbaus. _____ ☐   1

☐ **7**

4 Grammatik

Was ist richtig? Kreuzen Sie an: a), b) oder c).

Frau Schickinger erkundigt (1) _____ (2) _____ einer Zugverbindung von Aachen

nach Basel. In Basel möchte Sie zusammen mit einem (3) _____ (4) _____ einem

Seminar für Marketing teilnehmen. Sie plant dort auch den Besuch (5) _____ Messe

Basel und (6) _____. Es gibt eine (7) _____ Verbindung gegen 9.00 Uhr (8) _____,

aber sie möchte (9) _____ fahren. Der Kundenberater empfiehlt (10) _____ gegen

14.00 Uhr. Mit (11) _____ Zug kommt sie früh genug in Basel an. Um 19.15 Uhr ist sie in

(12) _____ Hotel.

1	☐ a) ihr	☒ b) sich	☐ c) uns
2	☐ a) nach	☐ b) für	☐ c) auf
3	☐ a) Kollege	☐ b) Kollegin	☐ c) Kollegen
4	☐ a) bei	☐ b) an	☐ c) zu
5	☐ a) die	☐ b) der	☐ c) des
6	☐ a) eines Kunstmuseums	☐ b) ein Kunstmuseum	☐ c) das Kunstmuseum
7	☐ a) täglich	☐ b) tägliche	☐ c) täglicher
8	☐ a) am Morgen	☐ b) morgen	☐ c) morgens
9	☐ a) nachmittags	☐ b) den Nachmittag	☐ c) am Nachmittag
10	☐ a) ihr einen Zug	☐ b) einen Zug ihr	☐ c) ihr ihn
11	☐ a) diese	☐ b) diesem	☐ c) dieser
12	☐ a) ihrem	☐ b) ihrer	☐ c) seinem

1
1
1
1
1
1
1
1
1
1
1

☐ **11**

5 Redeintentionen

Was sagen Sie in den folgenden Situationen? Schreiben Sie.

1 Sie begrüßen Gäste auf dem Flughafen und erkundigen sich nach der Reise. Sie sagen:
    Herzlich willkommen! Wie war die Reise?

2 Sie möchten im Restaurant etwas zu essen aussuchen. Sie sagen: 2
    _____

3 Sie beenden einen Vortrag: Sie sagen: 2
    _____

4 Sie fragen nach dem Befinden eines Besuchers. Sie sagen: 2
    _____

5 Sie haben etwas nicht verstanden. Sie sagen: 2
    _____

6 Sie verabschieden Gäste mit guten Wünschen. Sie sagen: 2
    _____

☐ **10**

☐ **50**

Die Firmenorganisation

A 1 Welche Begriffe haben eine ähnliche Bedeutung? Ordnen Sie zu.

1	Abteilung	a)	Funktion
2	Fertigung	b)	Organisation
3	Führung	c)	Bereich
4	Instandsetzung	d)	Produktion
5	Kundendienst	e)	Kontrolle
6	Mitarbeiter	f)	Service
7	Zusammenbau	g)	Angestellter
8	Durchführung	h)	Reparatur
9	Prüfung	i)	Management
10	Aufgabe	j)	Montage

B 2 Meusel & Co. Tragen Sie die Angaben aus dem Text unten in das Organigramm ein.

Funktion: _____
Name: _____

_____

Funktion: _____
Name: _____

Funktion: _____
Name: _Katja Zürn_

Funktion: _____
Name: _____

_Material-
lager-_

Die Firma Meusel & Co stellt Teile für den Fahrzeugbau her. Der Betriebsleiter ist Hannes Scheck. Zum Betrieb gehört das Materiallager, die Teilefertigung und die Qualitätsprüfung. Frau Katja Zürn leitet die Verwaltung mit den Abteilungen Personal, Buchhaltung und Controlling.

Die Abteilung Marketing, der Verkauf und der Kundendienst gehören zum Vertrieb. Vertriebleiterin ist Susanne Fischer. Die Konstruktion ist der Geschäftsführung direkt zugeordnet. Diplom-Wirtschaftsingenieur Heinz Morlock leitet das Unternehmen.

C 3 Energieerzeugung

a) Lesen Sie den Text im Lehrbuch, S. 45, Aufgabe C. Tragen Sie die Stichworte in die Übersicht ein.

> Klimabelastung · Öl, Gas, Kohle · ~~Windkraftanlagen~~ · ~~fossile Energieträger~~ · ~~Stromerzeugung~~ ·
> Umweltschutz, Stabilisierung des Klimas · Warmwasserbereitung · Solaranlagen ·
> ~~Stromerzeugung~~ · ~~Sonne, Wind, Wasser~~ · erneuerbare Energien

Energieerzeugung

fossile Energieträger _____

_____ _Sonne, Wind, Wasser_

Nachteil: _____ Vorteile: _____

Windkraftanlagen _____

Stromerzeugung _____

b) Fassen Sie die Angaben schriftlich zusammen.

> *Bei der Energieerzeugung unterscheidet man zwischen ... und ... Zu den ... gehören ...*
> *Der Nachteil der ... ist, dass ... Die Vorteile ... Windkraftanlagen kann man zur ... benutzen.*
> *Solaranlagen ...*

4 **Was ist richtig r ? Was ist falsch f ? Was steht dazu im Text im Lehrbuch, S. 45, Aufgabe C?**

Im Lehrbuch, S.45, steht dazu:

1 In der Luft sind viele Schadstoffe._____ r   *Die Atmosphäre wird mit Schadstoffen belastet.*
2 SolVent-Anlagen entlasten die Atmosphäre. ____ ☐   _____
3 SolVent hat Abnehmer in vielen Ländern._____ ☐   _____
4 Die Solarmodule erwärmen nur Wasser. _____ ☐   _____
5 Die Firma SolVent bleibt eine GmbH. _____ ☐   _____

5 **Fragen und Antworten in der Tablettenherstellung. Die Partizipien im Schüttelkasten helfen.**

> granuliert • verpackt • gewogen • lackiert • gepresst

1 ▷ Wo wiegt man die Rohstoffe? In der Tablettenherstellung?
   ▷ *Ja, das Wiegen der Rohstoffe erfolgt in der Tablettenherstellung.*
   ▷ *Aha, die Rohstoffe werden in der Tablettenherstellung gewogen.*

2 ▷ Wo granuliert man das Pulver? Im Granulierbehälter?
   ▷ *Ja, das Granulieren ...*
   ▷ *Aha, das Pulver wird im ...*

3 ▷ Wie presst man das Granulat? Unter hohem Druck?
   ▷ *Ja, ...*
   ▷ *Aha, ...*

4 ▷ Wo lackiert man die Tabletten? In der Tablettenmaschine?
   ▷ _____
   ▷ _____

5 ▷ Womit verpackt man die Tabletten? Mit der Verpackungsmaschine?
   ▷ _____
   ▷ _____

6 **Wo sind die Mitarbeiter tätig? Was wird da gemacht? Schreiben Sie Sätze.**

1 Herr Thieme – Qualitätssicherung – Bauteile und Geräte prüfen
   Herr Thieme ist in der Qualitätssicherung tätig. Da werden Bauteile und Geräte geprüft.
2 Herr Winkelmann – Personalabteilung – neue Mitarbeiter einstellen, Mitarbeiter fortbilden
   Herr Winkelmann leitet die Personalabteilung. Da ...
3 Herr Knoop – Bereich Betrieb – Produkte herstellen
   _____
4 Herr Lohmann – Kundendienst – Anlagen warten und instand setzen
   _____
5 Frau Schmidt – Vertrieb – Kunden betreuen
   _____
6 Herr Kraus – Montage – Anlagen montieren
   _____
7 Frau Breuer – Konstruktion – neue Produkte entwickeln
   _____

Wofür sind Sie zuständig?

A 1 **Wer ...? Was ...? Wo ...? Welche ...? Wofür ...? Wozu ...?**

Betrachten Sie den Lageplan im Lehrbuch, S. 46, und ordnen Sie zu.

1 Wer ist der Leiter des Betriebs?	a) In Halle 1.
2 Wofür ist Frau Lattmann zuständig?	b) Karla Zoller.
3 Wo ist die Betriebsleitung untergebracht?	c) Betriebsleiter ist Heiko Knoop.
4 Wozu gehört die Personalabteilung?	d) Herr Winkelmann.
5 Wer ist der Vorgesetzte von Frau Süßlin?	e) Dafür ist der Kundendienst zuständig.
6 Wie heißt die Leiterin des Versands?	f) Für das Controlling.
7 Wo werden die Bewerbungsgespräche geführt?	g) Im Marketing und Vertrieb.
8 Welche Abteilungen sind Herrn Knoop unterstellt?	h) Zur Verwaltung.
9 Wo ist Michaela Schmidt tätig?	i) In der Personalabteilung.
10 Welche Abteilung ist für die Anlagenwartung zuständig?	j) Die Teilefertigung und Montage.

B 2 *Darüber, davor, ... – ergänzen Sie. Der Text unten hilft Ihnen dabei.*

1 Frau Süßlin fängt bei SolVent an. _Darüber_ freut sich Herr Winkelmann.

2 Herr Winkelmann stellt sie in den Abteilungen vor. _____ nimmt er sich viel Zeit.

3 Gute Zusammenarbeit mit allen ist für Frau Süßlin wichtig. _____ möchte Herr Winkelmann sorgen.

4 Sie muss die Kollegen und das Unternehmen gut kennen lernen. _____ kümmert er sich persönlich.

5 Der Vertrieb macht die Werbung und verkauft die Produkte. _____ ist Frau Schmidt zuständig.

6 Der Kundendienst wartet die Anlagen und setzt sie instand. _____ handelt es sich um technische Aufgaben.

7 Herr Knoop leitet den Bereich Betrieb. _____ gehören die Konstruktion und die Fertigung mit der Montage und der Qualitätssicherung.

8 In der Konstruktion wird eine neue Anlage entwickelt. _____ arbeiten Frau Breuer und Herr Schnittger.

9 Das Projekt muss pünktlich in Produktion gehen. In zwei Monaten müssen sie _____ fertig sein.

10 Die beiden arbeiten zu lange am Bildschirm. _____ warnt sie Frau Süßlin.

11 Sie sollen regelmäßig Pausen machen. _____ sollen sie achten.

12 Frau Süßlin will die Arbeitssicherheit und den Umweltschutz verbessern. _____ freuen sich die Mitarbeiterinnen und Mitarbeiter in den Abteilungen.

Herr Winkelmann freut sich darüber, dass Frau Süßlin endlich bei SolVent anfängt. Er nimmt sich viel Zeit für die Vorstellung von Frau Süßlin in den verschiedenen Abteilungen. Er möchte für eine gute Zusammenarbeit mit allen Abteilungen und Mitarbeitern sorgen. Das ist für die neue Arbeitssicherheits- und Umweltschutzbeauftragte wichtig. Deshalb kümmert er sich persönlich um die Einweisung von Frau Süßlin. Sie muss die Kollegen und das Unternehmen gut kennen lernen. Der Verwaltung ist die Personalabteilung, der Vertrieb, das Controlling und auch der Kundendienst unterstellt. Die Vertriebsleiterin, Frau Schmidt, ist für die Werbung und für den Verkauf zuständig. Der Vertrieb kümmert sich um die Kunden, bis die Anlage das Haus verlässt. Dann ist der Kundendienst dafür zuständig, dass die Anlagen gewartet und instand gesetzt werden. Es handelt sich beim Kundendienst um technische Aufgaben. Aber aus organisatorischen Gründen ist er zur Verwaltung gekommen.

Betriebsleiter Knoop begrüßt die neue Mitarbeiterin. Zu seinem Bereich gehören die Konstruktion und die Fertigung mit der Montage und der Qualitätssicherung. In der Konstruktion arbeiten Frau Breuer und Herr Schnittger an einer neuen Anlage. In zwei Monaten müssen sie mit dem Projekt fertig sein. Frau Süßlin warnt sie vor zu langen Arbeitszeiten am Bildschirm. Das ist nicht gut für die Augen. Sie sollen auf regelmäßige Pausen achten.

Die Mitarbeiterinnen und Mitarbeiter in den Abteilungen freuen sich auf die Verbesserungen in der Arbeitssicherheit und im Umweltschutz.

B **3** **Person und Sache. Ergänzen Sie die Antworten rechts.**

1 ▶ Wer ist für mich zuständig?　　　　　　▶ _Für dich ist_ die Personalabteilung _zuständig_.

2 ▶ Wer erkundigt sich nach den Terminen?　▶ _Danach erkundige_＿＿＿＿＿＿＿ ich mich.

3 ▶ Wer wartet auf die Lieferung?　　　　　▶ ＿＿＿＿＿＿＿＿＿＿＿＿ die Officeline GmbH.

4 ▶ Wer ist für Tom und Uwe verantwortlich?　▶ ＿＿＿＿＿＿＿＿ ihre Eltern ＿＿＿＿＿＿＿.

5 ▶ Wer ist für den Versand zuständig?　　　▶ ＿＿＿＿＿＿＿ Frau Zoller ＿＿＿＿＿＿＿.

6 ▶ Wer ist für die Begrüßung verantwortlich?　▶ ＿＿＿＿＿＿＿ der Chef ＿＿＿＿＿＿＿.

7 ▶ Wer kümmert sich um Frau Süßlin?　　　▶ ＿＿＿＿＿＿＿＿＿＿＿ Herr Winkelmann.

8 ▶ Wer kümmert sich um ihre Einweisung?　▶ ＿＿＿＿＿＿＿＿＿ auch Herr Winkelmann.

9 ▶ Wer wartet auf die Reisegruppe?　　　　▶ ＿＿＿＿＿＿＿＿＿＿＿＿＿＿ Herr Körber.

E **4** **Herr Winkelmann stellt Frau Süßlin Herrn Homberg vor. Ordnen Sie den Dialog.**

1 Das ist gut. Herzlich willkommen bei SolVent. Ich freue mich auf die Zusammenarbeit.

2 Frau Süßlin kümmert sich in Zukunft um besseren Arbeits- und Unfallschutz bei uns.

3 Interessant! Ich bin die neue Beauftragte für Arbeitssicherheit.

4 Herr Homberg ist schon fast zehn Jahre im Lager tätig.

5 Darauf freue ich mich auch.

6 Bis bald.

7 Angenehm.

8 Guten Tag. Darf ich Ihnen ~~Frau Süßlin~~ vorstellen?

9 Mein Name ist Homberg. Ich leite hier das Lager.

Herr W: _Guten Tag. Darf ich Ihnen Frau Süßlin vorstellen?_ ＿＿＿＿＿

Herr H: ＿＿＿＿＿＿＿＿＿＿＿＿＿＿＿＿＿＿＿＿＿＿＿＿＿＿＿

Frau S: ＿＿＿＿＿＿＿＿＿＿＿＿＿＿＿＿＿＿＿＿＿＿＿＿＿＿＿

Herr W: ＿＿＿＿＿＿＿＿＿＿＿＿＿＿＿＿＿＿＿＿＿＿＿＿＿＿＿

Frau S: ＿＿＿＿＿＿＿＿＿＿＿＿＿＿＿＿＿＿＿＿＿＿＿＿＿＿＿

Herr W: ＿＿＿＿＿＿＿＿＿＿＿＿＿＿＿＿＿＿＿＿＿＿＿＿＿＿＿

Herr H: ＿＿＿＿＿＿＿＿＿＿＿＿＿＿＿＿＿＿＿＿＿＿＿＿＿＿＿

Frau S: ＿＿＿＿＿＿＿＿＿＿＿＿＿＿＿＿＿＿＿＿＿＿＿＿＿＿＿

Herr H: ＿＿＿＿＿＿＿＿＿＿＿＿＿＿＿＿＿＿＿＿＿＿＿＿＿＿＿

F **5** **Silbenrätsel: Rund um die Firmenorganisation**

> ab • ar • auf • be • be • bei • bor • den • dienst • ein • fer • ga • ga • ge • ge • gen • ger • gramm • gung • ieur • in • kun • la • la • loh • lung • mann • mit • mon • nal • ni • or • per • sand • schutz • sen • setz • so • statt • sung • ta • te • tei • ter • ti • trieb • um • ver • vor • we • wei • welt • werk

1 Welche ... hat Frau Breuer bei SolVent?
2 Hier wird konstruiert und gefertigt.
3 Dort bekommt man Teile und Material.
4 Holger ... ist für den Kundendienst zuständig.
5 Dieser Bereich ist für die Wartung und Instandsetzung der Anlagen zuständig.
6 Neue Mitarbeiter brauchen eine ...
7 Hier arbeiten Chemiker.
8 das Personal, die Beschäftigten, die ...
9 Dieser Beruf ist bei SolVent wichtig.
10 Von hier gehen die Produkte zu den Kunden.
11 Das ... gibt eine Übersicht über die Organisation.
12 der Betrieb, der Bereich, die ...
13 Er wird weltweit immer wichtiger.
14 Hier wird repariert.
15 Herr Knoop ist der ... von Kai Kraus.
16 Hier wird hergestellt und zusammengebaut.
17 die Personalabteilung oder das ...
18 Sie gehört zur Fertigung.

1	A U F G A B E
2	
3	
4	
5	
6	
7	
8	
9	
10	
11	
12	
13	
14	
15	
16	
17	
18	

Senkrecht: ORGANISATION

Betrieblicher Arbeits- und Umweltschutz

1 Kommentieren Sie die Abbildungen.

Abwasser in Fluss leiten

mit Gefahrstoffen arbeiten

Lasten tragen

am Bildschirm arbeiten

Schadstoffe in die Luft leiten

in großer Höhe arbeiten

1 _Hier wird Abwasser in den Fluss geleitet._
   Man muss darauf achten, dass das Abwasser gereinigt wird.

2 _Hier wird ..._ _____

3 _____

4 _____

5 _____

6 _____

> Schutzhelm tragen •
> richtig heben •
> ~~Abwasser reinigen~~ •
> Pausen machen •
> Schutzkleidung tragen •
> für saubere Luft sorgen

2 Was passt nicht? Kreuzen Sie an: a), b) oder c).

1	warnen vor	a) Gefahren	b) Risiken	⊠ Arbeitspausen	d) Krankheiten
2	einweisen in	a) den Arbeitsplatz	b) die Tätigkeit	c) die Aufgabe	d) den Mitarbeiter
3	beachten	a) das Abwasser	b) die Regeln	c) die Vorschriften	d) die Anleitung
4	vermeiden	a) Erkrankungen	b) Kollegen	c) Störungen	d) Fehler
5	achten auf	a) die Hinweise	b) den Verkehr	c) die Vermutung	d) gute Leistung
6	wünschen	a) viel Erfolg	b) kurze Pause	c) viel Glück	d) guten Umsatz
7	sorgen für	a) die Aufgabe	b) Arbeitspausen	c) den Mitarbeiter	d) den Umweltschutz

3 Ergänzen Sie die Sätze 1 bis 5. Benutzen Sie das Schaubild zur Bildschirmarbeit im Lehrbuch, S. 48.

1 Bei der Bildschirmarbeit unterscheidet man zwischen _Befindlichkeitsstörungen_ und
   _____.

2 Unter Befindlichkeitsstörungen versteht man _____, _____
   und _____.

3 Bei den _____ handelt es sich um _____,
   _____, _____ und _____.

4 Schon nach weniger als vier Stunden Bildschirmarbeit pro Tag haben _____
   der Mitarbeiter Konzentrationsstörungen.

5 Nach mehr als vier Stunden Bildschirmarbeit pro Tag haben _____
   Konzentrationsstörungen.

4 Wodurch bekommt man ...? Was tun?

a) Ordnen Sie zu.

Was bekommt man ...	... wodurch	vermeiden/beachten
1 Hauterkrankungen	a) falsches Heben	A mit Ohrenschutz arbeiten
2 Bandscheibenschäden	b) belastete Luft	B Kontakt mit Schadstoffen
3 Atemwegserkrankungen	c) großer Lärm	C Pausen machen
4 Rückenschmerzen	d) Schadstoffe	D schwere Lasten zu zweit tragen
5 Augenschäden	e) Tragen von schweren Lasten	E Sport treiben
6 Schwerhörigkeit	f) Bildschirmarbeit ohne Pausen	F schwere Arbeit in belasteter Luft

b) Geben Sie Ratschläge.

Hauterkrankungen bekommt man durch Schadstoffe. Vermeiden Sie also den Kontakt mit Schadstoffen.

Bandscheibenschäden ... Denken Sie also daran, dass ...

5 Einweisen, Anweisungen geben, Regeln formulieren

Formulieren Sie Sätze wie im Beispiel.

a) 1 Die Last möglichst körpernah heben.

2 Heben Sie die Last möglichst körpernah.

3 Man muss die Last möglichst körpernah heben.

4 Die Last wird möglichst körpernah gehoben.

b) 1 *Das Abwasser vor dem Einleiten in den Fluss reinigen.*

2 _____

3 _____

4 _____

c) 1 _____

2 *Schließen Sie zuerst das Netzkabel an.*

3 _____

4 _____

d) 1 _____

2 _____

3 _____

4 *Bei der Arbeit in der Werkhalle wird immer ein Schutzhelm getragen.*

6 Wie heißt das Kompositum? Ergänzen Sie.

1 Für unsere Konstruktion suchen wir einen Entwicklungs*ingenieur*_____.

2 Für sehr schwere Lasten benutzt man technische Transport_____.

3 SolVent plant die Umwandlung des Unternehmens in eine Aktien_____.

4 Vermeiden Sie Beschwerden und Erkrankungen an der Wirbel_____.

5 Frau Breuer arbeitet an einem Computer_____.

6 Tragen Sie Lasten nur in aufrechter Körper_____.

7 Bei großem Lärm tragen die Mitarbeiter einen Ohren_____.

8 Die Anlagen und Geräte wartet der Kunden_____.

9 Öl und Gas sind fossile Energie_____.

10 Machen Sie nach jeder Stunde Bildschirmarbeit eine Arbeits_____.

11 In der Luft und im Wasser sind immer mehr Schad_____.

-arbeitsplatz •
-dienst •
-gesellschaft •
-haltung •
-ingenieur •
-mittel •
-pause •
-säule •
-schutz •
-stoffe •
-träger

Unterweisung: Einzelteile, Funktionsweise, Arbeitsschutz

A ▶ 1 Bilden Sie Komposita.

> Drehzahl · Drehzahl · Drucker · Elektro · Haupt · Netz · Schreib ·
> Telefon · Temperatur · Verbrennungs · Wähl · Wärme

1 a) *Wähl*
   b) _____ | -tastatur

3 a) _____
   b) _____ | -messer

5 a) _____
   b) _____ | -schalter

2 a) _____
   b) _____ | -regler

4 a) _____
   b) _____ | -kabel

6 a) _____
   b) _____ | -motor

A ▶ 2 Verb – Nomen

Verb	Vorgang	Ergebnis / Sache
1 die Temperatur regeln	das Regeln der Temperatur	die Regelung der Temperatur
2 das Gerät anschließen	das _____	der Anschluss des Geräts
3 den Kopierer bedienen	das _____	die _____
4 _____	das Messen der Drehzahl	die _____
5 _____	_____	der Verkauf der Waren
6 _____	_____	die Produktion von Gütern
7 den Text drucken	_____	der _____
8 _____	das Speichern von Daten	_____
9 das Auto reparieren		

A ▶ 3 Erklären Sie die Wörter.

1 *Ein Drehzahlmesser ist ein Gerät zum Messen der Drehzahl.* _____

2 *Ein Wärmemesser ist ...* _____

3 *Ein Temperaturregler ist ...* _____

4 *Eine Bohrmaschine ist ...* _____

5 *Druckmaschinen ...* _____

6 *Ein Schalthebel ...* _____

7 *Ein Druckeranschlusskabel ist ...*   zum ...   des ...

8 *Ein Schutzhelm ...*   des Kopfes.

B ▶ 4 Das Telefon: Einzelteile und Verwendungszweck

Ordnen Sie zu und schreiben Sie.

> Wähltastatur ·
> Hörer ·
> Wahlwiederholung ·
> Speichertasten ·
> Telefonkabel

> Rufnummer automatisch wiederholen ·
> Gespräch führen · Telefonnummer wählen ·
> ans Telefonnetz anschließen ·
> Rufnummern speichern

Ein Telefon besteht aus dem Telefonkabel, der ... und dem ... _____

Das Telefonkabel dient zum Anschluss des Telefons ans Telefonnetz.

Die Wähltastatur ... _____

_____

5 **Sechs Schritte zur Installation des neuen Druckers**

a) Was macht man? Wie macht man es? Ordnen Sie die Stichpunkte zu.

b) Schreiben Sie Sätze mit *indem*, wie in Beispiel 1.

> Drucker mit dem PC verbinden • Am roten Ende der Folie ziehen • Drucker einschalten •
> CD-ROM ins Laufwerk einlegen und den Anweisungen auf dem Bildschirm folgen •
> Netzschalter links unten drücken • Drucker ans Netz anschließen •
> Sie fest eindrücken • Drucker-Software installieren • Schutzfolie von der Druckerpatrone entfernen •
> Druckerpatrone einsetzen • Stecker an der Rückseite des Druckers einstecken •
> Druckerkabel in den PC und den Drucker einstecken

1 Was: _Drucker ans Netz anschließen._

Wie: _Stecker an der Rückseite des Druckers einstecken._

Schließen Sie den Drucker an, indem Sie den Stecker an der Rückseite einstecken.

2 Was: _____

Wie: _____

_____

3 Was: _____

Wie: _____

_____

4 Was: _____

Wie: _____

_____

5 Was: _____

Wie: _____

_____

6 Was: _____

Wie: _____

_____

6 **Entschuldigen Sie, können Sie mir sagen, wie ...?**

Schreiben Sie oder sprechen Sie mit einem Partner.

Beispiel:

Gerät einschalten? ▷ Entschuldigen Sie, können Sie mir sagen, wie man das Gerät einschaltet?

roten Knopf drücken ▷ Sie müssen den roten Knopf drücken.
Drücken Sie den roten Knopf.
Indem Sie den roten Knopf drücken.

1 Temperatur einstellen? → den Temperaturregler drehen

2 die Telefonnummer von Herrn Blocher in Essen bekommen? → die Auskunft anrufen

3 zum Bahnhof kommen? → die U-Bahn-Linie 8 nehmen

4 Informationen über die Stadt Hannover erhalten → an den Hannover Tourismus Service schreiben

Frau Breuer wird krankgeschrieben

A **1** **Der Körper. Notieren Sie die Körperteile.**

der Fuß

A **2** **Was sind Beschwerden, Erkrankungen, Befindlichkeitsstörungen?**

> Augenschmerzen · Bauchschmerzen · Bronchitis ·
> Entzündung · Erkältung · Erschöpfung · Fieber · Herzbeschwerden ·
> Husten · Infektion · Konzentrationsstörungen · Kopfschmerzen · Schlafstörungen ·
> Schwerhörigkeit · Schwindel

Beschwerden	Erkrankungen	Befindlichkeitsstörungen
Augenschmerzen	*Bronchitis*	*Erschöpfung*

A **3** **Welches Wort passt nicht? Kreuzen Sie an a), b) oder c).**

1. Ich habe   a) Kopfschmerzen.   b) Fieber.   ☒ übel.   d) schlecht geschlafen.
2. Ist euch   a) übel?   b) weh?   c) schlecht?   d) der Wein nicht bekommen?
3. Wir haben   a) der Bauch weh.   b) Husten.   c) Bronchitis.   d) Kopfschmerzen.
4. Ihr tut   a) das Bein weh.   b) nicht gut.   c) der Kopf weh.   d) die Hand weh.
5. Mir geht es   a) sehr gut.   b) schlecht.   c) krank.   d) nicht gut.
6. Frau Breuer ist   a) erschöpft.   b) krank.   c) müde.   d) Augen weh.
7. Ihm ist   a) gut.   b) übel.   c) schlecht.   d) der Flug nicht bekommen.
8. Tom geht es   a) nicht gut.   b) schlecht.   c) schwindlig.   d) wieder besser.

B **4** **Termin bei Dr. Dusmann. Ordnen Sie das Telefongespräch. Nummerieren Sie.**

☐ Ist es dringend? Haben Sie Schmerzen?
☐ Geht es nächste Woche Mittwoch, gleich am Morgen um 8 Uhr?
☐ Guten Tag, hier ist Kraus. Ich hätte gern einen Termin.
☐ Bitte sehr, Herr Kraus. Auf Wiederhören.
☐ Ja, das geht. Also Mittwoch, den 19. Juli, um 8 Uhr. Vielen Dank.
☐ Nein, das nicht. Aber ich habe Schlafstörungen und manchmal Herzbeschwerden.
☐ 1 Praxis Dr. Dusmann, mein Name ist Annette Möhl, guten Morgen.

5 In welcher Praxis möchte der Patient einen Termin bekommen?

1 Ich habe große Schmerzen. Ich glaube, mit meiner Bandscheibe ist etwas nicht in Ordnung.

Praxis: _Dr. Kautsky_
Facharzt für Orthopädie

2 Ich habe eine schwere Grippe und habe Fieber. Ich liege im Bett und kann nicht zur Arbeit.

Praxis: _____
_____

3 Ich brauche dringend einen Termin. Mir tut ein Zahn sehr weh.

Praxis: _____
_____

4 Dr. Hager schickt mich zu Ihnen. Ich habe Herzbeschwerden.

Praxis: _____
_____

5 Das Lesen ist für mich sehr anstrengend und manchmal bekomme ich Kopfschmerzen.

Praxis: _____
_____

6 Mein Hals tut sehr weh und ich habe starken Husten.

Praxis: _____
_____

Borchert Friedrich HNO-Facharzt Schützenstr. 17 433450	**Kautsky Vaclav Dr.** Facharzt für Orthopädie und Unfallchirurgie Am Markt 5 44644
Dussmann H. J. Dr. med Internist Lindenstr. 12 252963	**Michaelis Tanja Dr. med** Facharzt für Augenheilkunde Steinstr. 16 566264
Hager Michael Dr. Arzt für Allgemeinmedizin Guttmannstr. 24 121120	**Schmidt Melanie Dr.** Zahnarzt Hauptstr. 3b 52289

6 Herrn Gonski geht es nicht gut.

Was berichtet Frau Gonski dem Kollegen? Was fragt der Kollege Herrn Gonski? Schreiben Sie.

Herr Gonski erzählt:
Es geht mir schon seit einer Woche schlecht. Ich habe Grippe und hohes Fieber. Der Hals tut mir auch weh und meine Nase ist entzündet. Der Arzt hat mich krankgeschrieben. Ich muss im Bett bleiben. Aber ich schlafe kaum noch und habe Kopfschmerzen. Ich nehme Nasentropfen und Tabletten. Ich bin müde und erschöpft.

1 Frau Gonski berichtet einem Arbeitskollegen:

Meinem Mann geht es … Er hat …

2 Der Kollege ruft bei Herrn Gonski an:

Deine Frau hat mir erzählt, dass es dir … Sie sagt, dass … Ist es richtig, dass …?

7 Welche Beschwerden, welche Therapie bei welcher Diagnose?

a) Füllen Sie die Tabelle aus.

> Fieber · heißen Tee trinken · Husten, Halsschmerzen ·
> ~~Rückenschmerzen~~ · Tabletten nehmen · Übungen machen

Diagnose:	1 Bandscheibenschaden	2 Infektion	3 Bronchitis
Beschwerden:	_Rückenschmerzen_		
Therapie:			

b) Schreiben Sie.

Diagnose	**Therapie**	**Beschwerden**
Bei …	muss man …	gegen …

8 Was geschieht wann? Ordnen Sie zu.

1 Sie haben schon lange Magenbeschwerden.
2 Sie können zwei Wochen nicht zur Arbeit.
3 Sie sehen schlecht.
4 Sie haben Fieber und Halsschmerzen.
5 Sie sind müde und erschöpft.
6 Sie haben sich ein Bein gebrochen.
7 Der Arzt verschreibt Ihnen Tabletten.

a) Sie bekommen ein Rezept.
b) Sie brauchen eine Brille.
c) Sie müssen sich ausruhen.
d) Sie haben wahrscheinlich eine Grippe.
e) Sie müssen zum Internisten gehen.
f) Sie werden krankgeschrieben.
g) Sie müssen zum Röntgen.

Drei Krankenversicherungssysteme

1 je, pro, mindestens, höchstens – was bedeuten die fett gedruckten Ausdrücke: a), b) oder c)? Kreuzen Sie an.

1 Dazu kommt ein Betrag von 300 Franken **je Versichertem**.
Das heißt: a) Jeder Versicherte muss den Betrag zahlen.
b) Nur ein Versicherter muss den Betrag zahlen.
c) Einige Versicherte müssen den Betrag zahlen, einige nicht.

2 **Je Medikament** zahlt der Patient mindesten 5 Euro.
Das heißt: a) Bei drei Medikamenten zahlt der Patient mindestens 5 Euro.
b) Bei drei Medikamenten zahlt der Patient mindestens 15 Euro.
c) Der Patient bezahlt die Gebühr nur für ein Medikament.

3 Familie Bucher zahlt 540 Franken **pro Monat**.
Das heißt: a) Familie Bucher zahlt ihren Versicherunsgbeitrag am Monatsanfang.
b) Familie Bucher zahlt einmal in jedem Monat 540 Franken.
c) Familie Bucher zahlt nur einen Monat lang 540 Franken.

4 In der Schweiz zahlen Familien **pro Erwachsenem** höchstens 700 Franken zusätzlich.
Das heißt: a) Die Erwachsenen in der Familie Bucher zahlen zusammen höchstens 700 Franken zusätzlich.
b) Nur ein Erwachsener in der Familie zahlt höchstens 700 Franken zusätzlich.
c) Herr und Frau Bucher zahlen höchstens 1400 Franken zusätzlich.

5 Der Patient zahlt **mindestens** 5 Euro pro Medikament.
Das heißt: a) Er zahlt nicht weniger als 5 Euro.
b) Er zahlt nicht mehr als 5 Euro.
c) Er zahlt nur 5 Euro.

6 Der Patient zahlt **höchstens** 10 Euro pro Medikament.
Das heißt: a) Er zahlt immer 10 Euro.
b) Er zahlt nicht weniger als 10 Euro
c) Er zahlt nicht mehr als 10 Euro.

2 Suchen Sie die Antworten in den Texten zu Aufgabe B, C und D im Lehrbuch, S. 54/55.

In welchem Land / In welchen Ländern ...

		D	A	CH
1	muss der Patient beim Arztbesuch eine Gebühr zahlen? ____	X		
2	kann der Versicherte seine Krankenversicherung selbst wählen? ____			
3	zahlt der Arbeitgeber einen Teil des Versicherungsbeitrags? ____			
4	brauchen auch Kinder eine eigene Krankenversicherung? ____			
5	meldet die Firma den Mitarbeiter bei der Krankenversicherung an? ____			
6	zahlen die Versicherten zwischen 5 und 10 Euro je Medikament? ____			
7	übernimmt die Versicherung alle Behandlungskosten? ____			
8	erfolgt die Endabrechnung mit der Krankenversicherung am Ende des Jahres? ____			
9	zahlt man zum monatlichen Versicherungsbeitrag einmal pro Jahr 10 Euro? ____			
10	kann man durch die Arztwahl Geld sparen? ____			

3 Was steht in den Texten B bis D im Lehrbuch, S. 54/55? Kreuzen Sie an: a) oder b).

1 a) Frau Kraus hat eine eigene Krankenversicherung.
b) Frau Kraus ist in der Krankenversicherung Ihres Mannes mitversichert.

2 a) Frau Zöhrer muss ins Krankenhaus.
b) Frau Zöhrer muss Tabletten nehmen.

3 a) Die gesetzliche Krankenversicherung bezahlt Frau Kraus auch eine neue Brille.
b) Die gesetzliche Krankenversicherung bezahlt Frau Kraus nur die ärztliche Untersuchung.

4 a) Die Versicherung der Familie Bucher bezahlt nur Untersuchungen bei Ärzten für Allgemeinmedizin.
b) Die Versicherung der Familie Bucher bezahlt auch Untersuchungen bei Internisten oder anderen Fachärzten.

5 a) Frau Zöhrer zahlt etwa 3,75 Prozent Ihres Bruttogehalts an die Krankenversicherung.
b) Frau Zöhrer zahlt etwa 7,5 Prozent Ihres Bruttogehalts an die Krankenversicherung.

6 a) Herr Kraus konnte seine Krankenversicherung selbst wählen.
b) Der Arbeitgeber von Herrn Kraus hat die Versicherung von Herrn Kraus ausgewählt.

4 **Wie heißt das in Deutschland, in Österreich und in der Schweiz?**

Deutschland	Österreich	Schweiz
1 _____	_E-Card_	_Versicherungskarte_
2 _Arbeitgeber_	_____	_Arbeitgebender_
3 _Krankenhaus_	_____	_Spital_
4 _____	_Versicherungsbeitrag_	_____
5 _Krankenhaustagegeld_	_____	___

5 **Nomen: n-Deklination, Partizipien als Nomen**

a) Schreiben Sie die Endungen in die Lücken.

Herr Bucher hat Magenbeschwerden und sucht einen (1) Spezialist_en___. Ein (2) Orthopäd____ ist
nicht der richtige Arzt für ihn. Er braucht einen (3) Internist_____. Ein (4) Versichert_____ geht in der
Schweiz am besten in eine Gruppenpraxis. Das ist für den (5) Patient_____ billiger.
Frau Süßlin ist (6) Beauftragt_____ für Arbeitsschutz. Ihr (7) Vorgesetzt_____ ist Jörg Winkelmann.
Herr Winkelmann weist jeden neuen (8) Angestellt_____ in das Unternehmen ein. Zusammen gehen
beide in die Abteilungen und sprechen dort mit den (9) Beschäftigt_____. Im Büro des
(10) Kundendienstleiter_____ trinken sie einen Kaffee.

b) Ergänzen Sie die Übersicht.

der Mitarbeiter	der Patient	der Angestellte / ein Angestellter
das Büro des _Mitarbeiters_	die Versicherung des _____	die Aufgaben des _____
dem _____ helfen	dem _____ helfen	dem _____ helfen
Hilfe für den _____	Hilfe für den _____	Hilfe für den _____
das Büro der _Mitarbeiter_	die Versicherung der _____	die Aufgaben der _____
den _____ helfen	den _____ helfen	den _____ helfen
Hilfe für die _____	Hilfe für die _____	Hilfe für die _____

6 **Suchen und notieren Sie die Wörter 1 bis 18.**

1 In der Schweiz muss jeder eine _Krankenversicherung_ haben.

2 Der medizinische Name für Entzündung ist _____.

3 Er liegt mit 38° _____ im Bett.

4 _____ für Chirurgie, Orthopädie usw.

5 Eine „Befindlichkeitsstörung": _____

6 Ein Arbeitsunfall mit schweren _____

7 Sie braucht eine Brille, ihr tun die _____ weh.

8 Nehmen Sie dreimal täglich eine _____.

9 Vor der Therapie braucht man eine richtige _____.

10 Husten und Fieber? Da haben Sie eine _____.

11 Die Ursache für Hauterkrankungen ist oft eine _____.

12 Gegen Augenbeschwerden gibt es _____.

13 Trainieren und stärken Sie Ihre _____.

14 Tropfen und Tabletten sind _____.

15 Wo tut es Ihnen weh? – Ich habe _____.

16 Bei einem _____ ...

17 hat er sich das linke _____ ...

18 und den rechten _____ gebrochen.

M	E	D	I	K	A	M	E	N	T	E	R	E	N
E	I	N	E	R	N	G	E	B	E	R	L	A	G
T	R	I	T	A	N	G	I	E	S	S	E	L	A
W	E	R	K	N	E	R	T	I	S	C	H	L	E
I	N	F	E	K	T	I	O	N	S	H	I	E	R
R	E	I	N	E	R	P	E	H	L	Ö	D	R	O
B	R	E	V	N	O	P	F	E	R	P	I	G	T
E	L	B	E	V	P	E	I	N	E	F	A	I	U
L	S	E	R	E	F	I	B	R	A	U	G	E	N
S	A	R	L	R	E	Q	E	M	T	N	N	O	F
Ä	U	K	E	S	N	S	I	A	N	G	O	L	A
U	B	E	G	I	N	N	T	V	O	N	S	E	L
L	E	F	A	C	H	A	R	Z	T	Z	E	L	L
E	R	H	O	H	L	T	A	B	L	E	T	T	E
F	E	I	N	E	I	R	G	U	N	G	S	A	G
A	B	V	E	R	L	E	T	Z	U	N	G	E	N
R	A	S	T	U	A	I	N	F	R	E	T	I	S
M	A	G	E	N	S	C	H	M	E	R	Z	E	N
O	B	O	R	G	A	H	N	G	E	N	E	H	M

Unfall-, Krankmeldung

Ich wollte mit der Bohrmaschine ein Werkstück bearbeiten. Ich habe den Bohrer an das Werkstück herangeführt. Dabei ist der Bohrer gebrochen; vielleicht war der Bohrdruck zu hoch. Und ich habe mich am Bruchstück des Bohrers an der rechten Hand verletzt. Frau Mai (Besucherempfang) hat mich zum Arzt gefahren. Der Arzt hat die Verletzung untersucht, gesäubert und verbunden. Ich bin für eine Woche krankgeschrieben.

← *Absicht*
← *Aktivität*
← *Ereignis*

← *Folge*

← *Maßnahmen / erste Hilfe*
← *Diagnose / Behandlung*

1 **Schreiben Sie Unfall-/Krankmeldungen wie im Beispiel oben. Die Redemittel unten helfen Ihnen.**

Absicht	• Ich wollte … • Ich war damit beschäftigt, …	mit Bohrmaschine Werkstück bearbeiten • mit dem Servicewagen Kunden in … besuchen • schweres Bauteil heben • bei Ladearbeiten im Versand helfen • …

Aktivität	• Ich habe … • Ich bin …	Bohrer ans Werkstück herangeführt • an der Kreuzung Bahnhofstraße / Karlstraße in … gehalten • Gewicht nicht richtig eingeschätzt und das Bauteil ruckartig angehoben • auf den LKW gestiegen • …

Ereignis	• Dabei/Da … • Ich habe nicht aufgepasst, deshalb …	Bohrer gebrochen • Auto von hinten auf Firmenfahrzeug aufgefahren • beim Anheben starker Schmerz im unteren Rückenbereich • vom LKW auf den Boden gefallen • …

Folge	• … und … • Dadurch/Deshalb/Daher … • Dabei … • Danach … • So …	rechte Hand verletzt • mit dem Kopf gegen die Scheibe gestoßen, starke Kopfschmerzen und Übelkeit • konnte nicht mehr stehen / laufen • rechtes Knie verletzt, Bein gebrochen • …

Maßnahme / erste Hilfe	• Frau/Herr … hat/ist … • Ich habe/bin … • Ich wurde … • Geholfen hat mir … Sie/Er …	mich zum Arzt gefahren • mit dem Unfallwagen ins Krankenhaus gebracht • Wirbelsäule in der Praxis Dr. … geröntgt • Dr. …, Facharzt für Orthopädie und Unfallchirurgie gerufen, ins Krankenhaus eingeliefert • …

Diagnose / Behandlung	• Ich wurde … • Ich bekam … • Ich muss/musste … • Der Arzt hat … • Im Krankenhaus/Dort wurde … • Es wurde/wurden … • Dabei hat/wurde …	Verletzung untersucht / gesäubert / verbunden, eine Woche krankgeschrieben • Kopf untersucht, 14 Tage Bettruhe verschrieben • schweren Bandscheibenschaden festgestellt, Krankengymnastik verschrieben • zur stationären Behandlung ins Krankenhaus • …

Vortrag III – Fragen und Einwände

Frau Süßlin hält einen Vortrag über Maßnahmen zum Arbeitsschutz:

Herzlich willkommen zu diesem kleinen Treffen. Unser Thema heute: Die Arbeitssicherheit bei SolVent. ...

Das Arbeitsumfeld der SolVent-Mitarbeiter darf nicht krank machen. Das ist nicht nur für das Firmenimage wichtig, sondern auch für die Zufriedenheit unserer Mitarbeiter und damit für die Effizienz und Qualität der Arbeit. Daran müssen wir immer denken. Ich kann sagen: Der aktuelle Stand ist durchaus zufrieden stellend – gute Bedingungen also für ein paar Verbesserungen. Dazu möchte ich Ihnen einige Maßnahmen mitteilen. Sie betreffen sowohl die Büros, einschließlich der Konstruktion, als auch die Fertigung und hier besonders die Montage. In den Büros müssen wir vor allem Augenschäden vermeiden. Dazu werden die Computerarbeitsplätze mit modernen LCD-Flachbildschirmen ausgestattet. Die Geschäftsführung hat diesem Vorschlag schon zugestimmt. Das wird innerhalb der nächsten drei Wochen erledigt. Nun zur Montage. Dort wird mit sehr schweren Lasten gearbeitet. Von Herrn Kraus weiß ich, dass es gerade dort immer wieder zu Ausfallzeiten wegen Bandscheibenschäden kommt, weil die Mitarbeiter die notwendigen Vorsichtsmaßregeln nicht beachten. Abteilungsleiter, Meister und Vorarbeiter müssen regelmäßig vor Schäden an der Wirbelsäule warnen und auf das richtige Heben und Tragen von Lasten hinweisen. Ich habe dazu ein einfaches Merkblatt gemacht. Das bekommen alle Mitarbeiter. Sie, meine Damen und Herren, kontrollieren bitte, dass die Regeln eingehalten werden. Aber das genügt natürlich nicht. Die Mitarbeiter müssen in die richtigen Techniken eingewiesen werden, und danach müssen sie regelmäßig geübt werden. Mein Vorschlag: In den nächsten drei Monaten wird das wöchentlich eine halbe Stunde gemacht. Das kostet Zeit. Aber langfristig ist das eine gute Investition. Übrigens klagen auch die Mitarbeiter im Büro über Rückenschmerzen. Deshalb arbeiten Betriebsrat und Geschäftsführung an einer Betriebsvereinbarung. Der Plan: Nach einer Stunde Arbeit am Bildschirm gibt es fünf Minuten Pause. Alle Vorgesetzten sollen dann darauf achten, dass diese Regelung eingehalten wird.

1 **Nicht alle Mitarbeiter stimmen Frau Süßlin zu. Welche Fragen und Einwände haben die Mitarbeiter? Wie reagiert Frau Süßlin?**

a) Sammeln Sie mögliche Fragen und Einwände und überlegen Sie, wie Frau Süßlin darauf reagieren könnte.

Fragen und Einwände	Reaktion

b) Spielen Sie Frau Süßlin und Mitarbeiter.

Fragen stellen und Einwände äußern

- Ich hätte eine Frage zu ...
- Könnten Sie ... bitte genauer erläutern?
- Als Sie ... erwähnten, meinten Sie damit ...?
- Was ist aber mit ...?
- Sollte man nicht bedenken, dass ...?
- Wie wäre es, wenn ...?
- Ich könnte mir vorstellen, dass ...
- Den Punkt ... möchte ich doch noch einmal zur Diskussion stellen.
- Vorhin wurde gesagt, dass ... Ich möchte aber zu bedenken geben, dass ...
- Es scheint mir fraglich, ob ...
- Ich bin der Meinung/Ansicht, ...
- Meiner Meinung/Ansicht nach ...
- Meines Erachtens ...

Auf Fragen und Einwände reagieren

- Das ist eine gute Idee. Vielleicht könnte man sogar ...
- Sie haben Recht, das sollte berücksichtigt werden. Ich werde das noch einmal mit der Arbeitsgruppe *Arbeitsschutz* besprechen.
- Gut, dass Sie das ansprechen.
- Ich kann Ihren Einwand nachvollziehen. Arbeitsrechtlich ist es aber so, dass ...
- Diesen Punkt haben wir sehr genau geprüft und sind zu dem Schluss gekommen, dass ...
- Wenn Sie aber bedenken, dass ..., sieht die Sache schon wieder ganz anders aus.
- Ich glaube eher, dass ...
- Ich halte es für problematisch, ...
- Da kann ich Ihnen nicht zustimmen. Ich habe die Erfahrung gemacht, dass ...

KAPITEL 4

VON HAUS ZU HAUS MIT ...

Wie machen wir das?

A **1** **Ordnen Sie zu.**

a) 1 Typ   a) 7,5 Tonnen   b) 1 Typ   a) 140 km/h
2 Nutzlast   b) 1,50 €   2 Sitzplätze   b) 90 €/Tag
3 Geschwindigkeit c) MAN L 200   3 Geschwindigkeit c) MB Vito
4 Kosten/km   d) 70 km/h   4 Mietpreis   d) 9 Personen

A **2** **Vergleichen Sie die Aussagen 1 bis 6 mit den Angaben im Lehrbuch, S. 60, Aufgabe A.**

a) Was ist richtig ⨀r⨀? Was ist falsch ⨀f⨀?

1 Fünf Fahrzeuge stehen zur Verfügung. _____ ⨀f⨀
2 Der Mercedes Sprinter hat eine Nutzlast von 2 400 kg. _____ ☐
3 Von Würzburg nach Linz sind es circa 400 Kilometer. _____ ☐
4 Die Fahrzeugkosten von Stuttgart nach Ulm mit dem MAN L 2000 betragen 95 Euro. _____ ☐
5 Firma Kögel muss zuerst beliefert werden. _____ ☐
6 Die Fahrt von Linz nach Stuttgart mit dem Sprinter kostet insgesamt
(Kilometer und Fahrer) etwa 630 Euro. _____ ☐

b) Schreiben Sie Ihre Lösungen auf.

1 *Die Aussage „Fünf Fahrzeuge stehen zur Verfügung." ist falsch. Nicht fünf Fahrzeuge, sondern vier*
   Fahrzeuge stehen zur Verfügung.

2 *Es ist richtig, dass ...* _____

3 _____

4 _____

5 _____

6 _____

A2 **3** **Suchen Sie die passenden Formulierungen im Lehrbuch, S. 60, Aufgabe A2, und schreiben Sie.**

1 Der Mercedes Sprinter fährt 100 km/h.
   Die Geschwindigkeit des Mercedes Sprinter beträgt 100 km/h.

2 Wir haben verschiedene Fahrzeuge in unserem Fuhrpark.
   Unser Fuhrpark ... _____

3 Ein Kilometer mit dem Taxi kostet ungefähr zwei Euro.
   Die Kosten pro ... _____

4 Für den Kundenservice haben wir täglich 24 Stunden lang fünf Mitarbeiter.
   Für den Kundendienst stehen täglich 24 Stunden ... _____

5 Von Nürnberg nach Stuttgart sind es 204 Kilometer.
   Die ... _____

6 Wir müssen an die Firma Plastec zwischen 12.00 und 17.00 Uhr liefern.
   Die Firma Plastec ... _____ *und 17.00 Uhr.*

7 Die Fahrt von Stuttgart nach Nürnberg dauert zwei Stunden.
   Die ... _____

4 **Vorschriften für Lkw-Fahrer. Ordnen Sie zu.**

1 Man darf nicht länger als 90 Stunden fahren,
2 Wenn man neun Stunden am Tag gefahren ist,
3 Man muss 45 Minuten Pause machen,
4 Wenn zwei Fahrer 30 Stunden im Fahrzeug sind,
5 Man muss mindestens dreimal neun Stunden schlafen,

a) darf man nicht mehr weiterfahren.
b) wenn man eine Arbeitswoche unterwegs ist.
c) müssen sie in 30 Stunden je acht Stunden schlafen.
d) wenn man zwei Wochen unterwegs ist.
e) wenn man vier Stunden und 30 Minuten gefahren ist.

5 *Wenn Sie ... wollen, dann müssen Sie ... Schreiben Sie fünf Sätze.*

1 Lärmschwerhörigkeit vermeiden → Ohrenschutz tragen
2 sich gegen Hauterkrankungen schützen → Kontakt mit Schadstoffen vermeiden
3 die Wirbelsäule entlasten → technische Transportmittel benutzen
4 Bandscheibenschäden beheben → Sport treiben

1 *Wenn Sie Lärmschwerhörigkeit vermeiden wollen, dann müssen Sie einen Ohrenschutz tragen.*

2 _____

3 _____

4 _____

6 **Drei Kundendienstaufträge. Schreiben Sie die Diskussion über die Arbeitspläne auf.**

Die Aufträge:
- Wartung des Kopierers bei der DUCA OHG (Arbeitszeit ca. 45 Minuten)
- Überprüfung der Telefonanlage bei Officeline, Beseitigung von Störungen (Arbeitszeit ca. 2 Stunden)
- Installation der neuen PC-Arbeitsplätze bei Transko (Arbeitszeit ca. 4 Stunden)

Planung A	Planung B
08.00–09.00 DUCA OHG	09.00–10.00 DUCA OHG 09.00–13.00 Transko
09.15–12.15 Officeline	10.15–13.15 Officeline
Mittagspause	
13.00–Feierabend Transko	Mittagspause, beide Mitarbeiter zurück in die Firma, Erledigung von Kundenaufträgen in der Werkstatt
Herr Müller, ein Servicefahrzeug	Herr Müller und Herr Mayer, zwei Servicefahrzeuge

1 Herr Müller alle Aufträge erledigen   → brauchen nur ein Servicefahrzeug
2 Aber   → die PC-Arbeitsplätze bei Transko erst am Nachmittag installieren können
3 zwei Mitarbeiter die Aufträge erledigen   → schon am Vormittag zu Transko fahren können
4 Aber   → kein Mitarbeiter mehr in der Werkstatt
5 Herr Mayer in der Werkstatt bleiben   → den ganzen Tag in der Werkstatt arbeiten können
6 Aber   → Herr Müller vielleicht nicht fertig werden
7 Auftrag bei Transko länger dauern   → am nächsten Tag noch einmal zu Transko fahren müssen
8 Aber   → Herr Müller einfach später Feierabend machen können

▶ *Wenn Herr Müller alle Aufträge erledigt, dann brauchen wir nur ein Servicefahrzeug.*

▶ *Aber wenn Herr Müller alle Aufträge allein erledigt, dann können wir erst am Nachmittag die neuen PC-Arbeitsplätze bei Transko installieren.*

Wenn aber ...   , dann ...

▶ *Aber wenn zwei ...*

Wenn aber ...

▶ *Aber wenn Herr Mayer in der Werkstatt bleibt, ...*

Wenn aber ...

▶ *Aber wenn der Auftrag ...*

▶ *Gut, du hast Recht, dann bleibt Herr Mayer in der Werkstatt.*

So machen wir das

A ▶ 1 Eine Tourenplanung

a) Stellen Sie Fragen zum Tourenplan.

Zielort: _Berlin_
Firma: _Siemens_
Frachtgut: _Feinblechstahl_
Gewicht: _8 t_
Fahrzeug: _MAN 12-Tonner_
Fahrer: _Hannes Speiser_
Abfahrt: _9. 10., 8.00 Uhr_
Rückkehr: _10. 10., 18.00 Uhr_

1 _Wohin geht die Tour?_
2 _An wen ..._
3 _Was wird ..._
4 _____
5 _____
6 _____
7 _____
8 _____

b) Ergänzen Sie die Information über die Tour.

Es handelt sich um die Fahrt nach (1) _Berlin_. Wir liefern (2) _____ Tonnen

(3) _____ an (4) _____. Wir fahren mit dem (5) _____.

Der (6) _____ ist Hannes Speiser. Er fährt am (7) _____ um

(8) _____ ab und kommt (9) _____ zurück.

c) Schreiben Sie eine Information über die Tourenplanung mithilfe der folgenden Daten.

> Passau • Strobl KG • 200 Kartons Fruchtjogurt • 1,2 t-Kleintransporter •
> Erika Feld • Dienstag, 9.00 – Dienstag, 16.00 Uhr

Es handelt sich ... Wir liefern ... _____
_____
_____

B ▶ 2 Bilden Sie Komposita.

Welche Wörter passen zu den Wortgruppen 1 bis 9? Wie heißen die Artikel?

> disposition • einsatz • Fern • kosten • Liefer • Netto • Nutz • plan • zeit

1 d_er_ | Strecken- / Einsatz- / Stunden- | _plan_

4 d_ie_ | Fahr- / Arbeits- / Ruhe- | _____

7 d___ / d_as_ / d___ | _____ | -preis / -gehalt / -gewicht

2 d___ | Fahrer- / Strecken- / Fahrzeug- | _____

5 d___ / d___ / d___ | _____ | -last / -fahrzeug / -pflanze

8 d___ | Personal- / Fahrzeug- / Material- | _____

3 d___ / d___ / d___ | _____ | -menge / -gewicht / -termin

6 d___ | Personal- / Geräte- / Fahrzeug- | _____

9 d___ / d___ / d_er_ | _____ | -fahrer / -gespräch / -verkehr

B **3** **Relativsätze: Wir suchen ein … Haben Sie ein …?**

1 ▶ Ja, wir haben eine schnelle Lösung. Aber die kostet viel Geld.

   ▶ Wir wollen aber keine Lösung, _die viel Geld kostet._ _____

2 ▶ Ja, wir haben einen Mitarbeiter mit Spanischkenntnissen. Aber der kommt erst am Montag aus dem Urlaub.

   ▶ Ein Mitarbeiter, _____, hilft uns nicht.

3 ▶ Ja, wir haben eine Schneidemaschine. Aber die wird gerade repariert.

   ▶ Mit einer Schneidemaschine, _____, können wir nicht arbeiten.

4 ▶ Ja, wir haben ein paar Lösungsvorschläge. Aber die sind kompliziert und brauchen viel Zeit.

   ▶ Wir brauchen aber Vorschläge, _____.

5 ▶ Ja, wir haben ein Fahrzeug mit drei Tonnen Nutzlast. Aber das ist noch drei Tage unterwegs.

   ▶ Ein Fahrzeug, _____, löst unser Problem nicht.

C **4** **Beschreiben Sie: Was für ein … brauchen Sie?**

Schreiben Sie Relativsätze wie im Beispiel.

1 Wir brauchen einen Fahrer: zuverlässig, mit viel Berufserfahrung – fährt auch lange Strecken

   Wir brauchen einen zuverlässigen Fahrer mit viel Berufserfahrung, der auch lange Strecken fährt.

2 Wir möchten eine Wohnung: groß, mit vier Zimmern – muss man nicht renovieren

   _____

3 Ich bestelle ein Gericht: vegetarisch, mit viel frischem Gemüse – macht nicht dick

   _____

4 Ich suche eine Stelle: gut bezahlt, in einer IT-Firma – bietet gute berufliche Entwicklungsmöglichkeiten

   _____

5 Wir sind ein Team: erfolgreich, aus erfahrenen Spezialisten – arbeitet schon lange gut zusammen

   _____

6 Wir planen eine Konferenz: wichtig, zum Thema Kundendienst – soll zwei Tage dauern

   _____

7 Der Chef sucht einen Mitarbeiter: interessiert, mit guten Polnischkenntnissen – ihn auf seiner Geschäftsreise nach Warschau begleitet

   _____

D **5** **Von Aschaffenburg nach Regensburg und München**

Füllen Sie das Formular rechts aus. Die Aufgaben im Lehrbuch, S. 60, helfen Ihnen.

Wir planen eine Tour von Aschaffenburg über Würzburg nach Regensburg und München. Wir liefern an Elektro-Hiller in Regensburg Elektroschalter, die 600 kg wiegen. Aber wir brauchen ein Fahrzeug, das mindestens zwei Tonnen Nutzlast hat, denn das Goethe-Institut in München erwartet 1,3 Tonnen Bücher. Abfahrt in Aschaffenburg ist um 7.00 Uhr. Bis nach Regensburg sind es 280 km. Dort dauert das Ausladen eine Stunde.
Die 120 km nach München kann der Fahrer bis 12.30 Uhr schaffen. Für das Ausladen planen wir wieder eine Stunde. Nach einer weiteren Stunde kann der Fahrer zurückfahren und bis 18.30 Uhr wieder in Aschaffenburg sein.

1	Zielorte:	Regensburg	
2	Firmen:		
3	Frachtgüter:		
4	Gewicht:		
5	Fahrzeug:		
6	Entfernung:		
7	Fahrtzeit:		
8	Abfahrt:		
9	Ankunft:		
10	Ruhezeit:	von	bis
11	Rückkehr:		

Holen Sie die Personen bitte um 10.00 Uhr ab!

1 Anrufe bei Funktaxi Tröger: Wie viele und was für Leute, wohin, wann, wo?

a) Ordnen Sie zu.

	Stichpunkte:	Das sagt der Anrufer:
1 Anrufer:	a) am Besucherempfang, Poststr. 10	A zum Flughafen fahren?
2 wie viele Personen:	b) Besucher aus Polen	B Könnten Sie bitte sieben
3 was für Leute:	c) in zwei Stunden	C Bitte holen Sie sie in zwei Stunden
4 wohin:	d) Schmidt, SolVent GmbH	D am Besucherempfang, Poststr. 10, ab.
5 wann:	e) sieben	E Besucher aus Polen
6 wo abholen:	f) zum Flughafen	F Hier ist Schmidt, SolVent GmbH.

b) Formulieren Sie die Anrufe.

1 Anrufer: Praxis Dr. Hager, Rosemarie Schlüter   _Hier ist ..._ _____

wie viele Personen: einen _____

was für Leute: Patient _____

wohin: nach Hause, in die Schlüterstr. 12 _____

wann: jetzt

wo abholen: Praxis, Guttmanstr. 24

2 Anrufer: Kastrup, Hotel Clarissa   _Hier spricht ..._ _____

wie viele Personen: 14 _____

was für Leute: Seminarteilnehmer _____

wohin: Messe Nürnberg _____

wann: Montag, 8.30 Uhr

wo abholen: vor dem Hotel

2 Formulieren Sie Aufforderungen und Bitten wie im Beispiel.

1 ▶ _Hol bitte die Leute ab._   ▶ _Könntest du bitte die Leute abholen?_

   ▶ _Holen Sie bitte die Leute ab._   ▶ _Könnten Sie bitte die Leute abholen?_

2 ▶ _Ruf bitte bei Herrn Winkelmann an._   ▶ _____

   ▶ _____   ▶ _____

3 ▶ _____   ▶ _____

   ▶ _____   ▶ _Könnten Sie mir bitte einen Kaffee bringen?_

4 ▶ _____   ▶ _____

   ▶ _Wiederholen Sie bitte Ihre Telefonnummer._   ▶ _____

5 ▶ _____   ▶ _Könntest du bitte nachsehen, wo der Brief ist?_

   ▶ _____   ▶ _____

3 Bitte ... – Könnten Sie bitte ...? – Sie soll ... Schreiben Sie zwei Dialoge wie im Beispiel.

Beispiel:

▷ Herr Müller, bitte reservieren Sie den Raum.
Frau Schuler, könnten Sie bitte die Getränke bestellen?

▶ Und was soll Frau Finck machen?

▷ Sie soll die Seminarpapiere vorbereiten.

Stichpunkte:

1 Gäste begrüßen – ins Hotel bringen
– Programm vorstellen
2 Seminar eröffnen – Papiere verteilen
– Mittagessen organisieren

4 Welche Ergänzungen haben die Verben? Kreuzen Sie an.

	Nominativ (Wer/Was)	Akkusativ (Wen/Was)	Dativ (Wem/Was)		Nominativ (Wer/Was)	Akkusativ (Wen/Was)	Dativ (Wem/Was)
1 kommen	X			6 schicken			
2 erwarten	X	X		7 liefern			
3 bringen	X	X	X	8 kennen			
4 besichtigen				9 gratulieren			
5 haben				10 besuchen			

5 Tragen Sie die Relativpronomen ein.

a) Welcher Kunde?

   1 Der Kunde, _den_ wir um 11.00 Uhr erwarten.

   2 Der Kunde, ＿＿ uns morgen erwartet.

   3 Der Kunde, ＿＿ wir die Ware bringen müssen.

b) Welches Unternehmen?

   1 Das Unternehmen, ＿＿ uns das Material liefert.

   2 Das Unternehmen, ＿＿ wir Material liefern.

   3 Das Unternehmen, ＿＿ man weltweit kennt.

c) Welche Firma?

   1 Die Firma, ＿＿ wir ein Angebot schicken.

   2 Die Firma, ＿＿ hier einen Betrieb hat.

   3 Die Firma, ＿＿ wir heute besichtigen.

d) Welche Kollegen?

   1 Die Kollegen, ＿＿ heute Geburtstag haben.

   2 Die Kollegen, ＿＿ wir deshalb gratulieren.

   3 Die Kollegen, ＿＿ wir besuchen.

6 Hauptsatz + Hauptsatz → Hauptsatz + Relativsatz. Schreiben Sie wie im Beispiel.

1 Die Besucher kommen aus der Tschechischen Republik. Sie treffen heute unseren Geschäftsführer.

   Die Besucher, die heute unseren Geschäftsführer treffen, kommen aus der Tschechischen Republik.

2 Die Firma Elektro-Berg erwartet uns vor 17.00 Uhr in Würzburg. Wir liefern ihr 600 kg Bauteile.

   Die Firma Elektro-Berg, der wir ...

3 Unsere Kunden findet man in ganz Europa. Ihnen liefern wir unser Büromöbel-Programm.

   ＿＿＿＿＿＿＿＿＿＿＿＿＿＿＿

4 Der Sprinter hat eine Nutzlast von 2,4 Tonnen. Wir benutzen ihn für kleinere, dringende Transporte.

   ＿＿＿＿＿＿＿＿＿＿＿＿＿＿＿

5 Ich möchte Ihnen Frau Süßlin vorstellen. Sie ist bei uns für Arbeits- und Umweltschutz zuständig.

   ＿＿＿＿＿＿＿＿＿＿＿＿＿＿＿

6 Der Kundendienst wartet heute unsere Bürogeräte. Sie sollen ihm die Probleme mit dem Kopierer erklären.

   ＿＿＿＿＿＿＿＿＿＿＿＿＿＿＿

7 Ablehnung, bedingte Zustimmung

a) Was sind Begründungen, was sind Bedingungen? Ordnen Sie zu.

> ~~Ich bin krank.~~ • ~~Es dauert nicht zu lange.~~
> Kein anderer Kollege hat Zeit. • Ich habe einen Termin. • Ich kann das morgen machen.
> Ich habe keine Zeit. • Jemand hilft mir. • Ich habe das noch nie gemacht.
> Ich bin auf einer Geschäftsreise • Ich muss dafür meinen Urlaub nicht verschieben.

Begründung: Ich kann nicht, weil ...	Bedingung: Ich kann eventuell, (aber nur) wenn ...
Ich bin krank.	*Es dauert nicht zu lange.*

b) Schreiben Sie Ablehnungen und bedingte Zustimmungen.

Tut mir leid, das kann ich nicht machen, weil ich krank bin.

Ja, das kann ich machen, aber nur wenn es nicht zu lange dauert.

Mit wem spreche ich am besten?

1 **Ordnen Sie die Sätze a) bis d) den Punkten 1 bis 4 zu.**

1 sich verbinden lassen
2 sich die Durchwahl geben lassen
3 eine Nachricht hinterlassen
4 sich einen Zeitpunkt für einen neuen
   Anruf geben lassen

a) Wann ist Herr Dr. Koch wieder am Platz?
b) Bitte richten Sie Herrn Kraus aus, dass der Termin morgen passt.
c) Welche Nummer hat bitte der Apparat von Herrn Thieme?
d) Könnte ich bitte mit Frau Breuer in der Konstruktion sprechen?

2 **Welcher Ablauf A bis C passt zu welchem Telefongespräch 1 bis 3?**

Ablauf A: Gespräch _____
• sich melden, grüßen
• Partner nicht zuständig
• zuständiger Gesprächspartner nicht anwesend
• sich Zeitpunkt für neuen Anruf sagen lassen

Ablauf B: Gespräch _____
• sich melden, grüßen
• Gesprächspartner zuständig
• Gespräch führen
• danken, Gespräch beenden

Ablauf C: Gespräch _____
• sich melden, grüßen
• Partner nicht zuständig
• Leitung des zuständigen Gesprächspartners belegt
• Nachricht hinterlassen
• danken, Gespräch beenden

1 ► Taxiruf 333, Schierke, guten Tag.
  ► Hotel Clarissa, Maihofer, guten Tag. Können Sie uns ein Taxi schicken?
  ► Jetzt sofort?
  ► Ja, bitte. Vielen Dank.
  ► Nichts zu danken. Geht in Ordnung. Tschüss.

2 ► Firma Plastec, Scheid, guten Tag.
  ► Körber AG, Gül, guten Tag. Könnte ich mit Ihrem Versand sprechen?
  ► Frau Huber spricht gerade. Wollen Sie warten?
  ► Ach nein. Sagen Sie ihr, ich bitte um ihren Rückruf.
  ► Das richte ich ihr aus.
  ► Vielen Dank, auf Wiederhören.

3 ► Elektro-Hiller, Silvia Bucher, guten Tag. Was kann ich für Sie tun?
  ► Hier spricht Koller, SolVent Solar- und Windenergie. Könnte ich mit Herrn Hiller sprechen?
  ► Herr Hiller ist in dieser Woche nicht im Haus. Kann ich ihm etwas ausrichten?
  ► Vielen Dank, aber ich möchte selbst mit ihm sprechen. Wann ist er denn wieder da?
  ► Ab nächsten Montag. Am besten rufen Sie am Montagnachmittag wieder an.
  ► In Ordnung und vielen Dank. Auf Wiederhören.

3 **Schreiben Sie den Dialog nach dem Ablauf unten links.**

> Danke für Ihr Verständnis. Auf Wiederhören. • Das macht nichts, aber vielen Dank für die Nachricht. • Feinkost Moser Groß- und Einzelhandel, mein Name ist Christoph Scherzinger. Grüß Gott. • Moment, ich verbinde Sie. • Hauser, Wareneingang und Lager, guten Tag. • Auf Wiederhören. • Guten Tag, hier ist Spedition Transko Logistik, Lorenzo. Könnte ich mit Ihrem Wareneingang sprechen? • Tag, Herr Hauser. Hier ist Lorenzo, Transko Logistik, Nürnberg. Es tut mir leid, unsere Lieferung verspätet sich. Der Wagen steht im Stau.

Ablauf:
sich melden, grüßen
Gesprächspartner nicht zuständig/
sich verbinden lassen
Gesprächspartner zuständig
Gespräch führen
danken, Gespräch beenden

► *Feinkost Moser Groß- und Einzelhandel, mein Name ist Christoph Scherzinger. Grüß Gott.*
► _____
► _____
▷ _____
► _____
▷ _____
► _____
▷ _____

4 Die neue Transko-Lagerhalle

a) Suchen Sie im Text und kreuzen Sie an: Was macht Transko? Was machen andere?

Was	Transko	andere
1 Lagerung bis zur Eröffnung des Neubaus	☐	☒
2 Entwicklung der Lagerabläufe	☒	☐
3 technische Planung	☐	☐
4 Bauarbeiten	☐	☐
5 Überwachung der Bauarbeiten	☐	☐
6 Entwicklung der Lager-EDV	☐	☐
7 Installation der EDV	☐	☐
8 Entwicklung neuer Programme	☐	☐
9 neue Kantine	☐	☐
10 Kantinen-Service	☐	☐

Die Spedition Transko Logisitik, die sich in den letzten Jahren zu einem führenden Transportunternehmen entwickelt hat, muss ihre Anlagen und Gebäude erweitern und modernisieren. Das Auslieferungslager ist zu klein geworden. Wo jetzt noch das alte Lager steht, wird eine neue, größere Halle gebaut. Bis sie fertig ist, werden die Transportgüter bei einer Partnerfirma angeliefert, gelagert und ausgeliefert.
Die Abläufe für den Warenverkehr im neuen Lager hat das Transko-Team selbst entwickelt. Die technische Planung des Projekts hat das Ingenieurbüro Nussbaum + Partner übernommen. Den Auftrag für die Bauarbeiten, die auch von Nussbaum + Partner überwacht werden, hat ein örtliches Bauunternehmen bekommen.

Die notwendige Lager-EDV hat Transko schon. Erst kürzlich hat das Unternehmen ein modernes elektronisches System entwickelt, das man auch im neuen Lager benutzen kann. Die Elektrofirma H&S installiert das System. Nur einige Software-Programme passen nicht mehr zu den Abläufen im neuen Lagerhaus. Das Nürnberger Systemhaus SysServe arbeitet schon an der Entwicklung der Programme, die dafür gebraucht werden.
Die Belegschaft freut sich auf eine neue Kantine, die Transko für Mitarbeiter und Fahrer der Partnerunternehmen in der neuen Halle unterbringt. Den Kantinenservice soll ein Fachbetrieb übernehmen. Die Geschäftsführung sucht dafür noch Interessenten.

b) Was lässt Transko Logistik machen? Schreiben Sie Sätze. Benutzen Sie dabei die Wörter links.

1 lagern: _Transko Logistik lässt die Transportgüter bei einer Partnerfirma lagern, bis die neue Halle fertig ist._

2 technisch planen: _Transko lässt Nussbaum + Partner das Projekt ..._

3 überwachen: _____

4 machen: _____

5 installieren: _____

6 entwickeln: _____

7 organisieren: _____

5 Welche Bedeutung hat *lassen* in den Sätzen 1 bis 12: a), b), c) oder d)?

a) überlassen: etwas jemand anderen machen lassen
b) hinterlassen: zurücklassen, nicht mitnehmen
c) unterlassen: etwas nicht machen
d) zulassen: erlauben

1 Das lasse ich meine Mitarbeiter entscheiden. _____ **d**
2 Den Pullover brauche ich nicht. Den lasse ich hier. _____ ☐
3 Lassen Sie das sein. Das ist verboten. _____ ☐
4 Funktioniert es nicht? Lass mich mal probieren. _____ ☐
5 Ich habe meine Schlüssel zu Hause gelassen. _____ ☐
6 Jetzt lassen wir die Diskussionen und entscheiden sofort. _____ ☐
7 Die Unterlagen lassen wir den Praktikanten kopieren. _____ ☐
8 Wir haben nicht genug Zeit: Den Museumsbesuch lassen wir. _____ ☐
9 Wir lassen alle Geräte regelmäßig überprüfen. _____ ☐
10 Ich lasse die Leute jetzt eine Pause machen. _____ ☐
11 Herr Nüssli war nicht da, aber ich habe eine Nachricht da gelassen. _____ ☐
12 Kaufen Sie die Möbel und lassen Sie sie dann bringen. _____ ☐

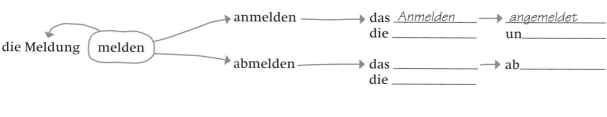

Kommunikation ja – aber wie?

A **1** **Verben und ihre Ergänzungen**

a) Welches Verb passt? Kreuzen Sie an: a), b), c) oder d).

1 einen Auftrag	a) bestellen	**b) erteilen** ✗	c) verspäten	d) verkaufen
2 ein Gespräch	a) beraten	b) hinterlassen	c) führen	d) diskutieren
3 zur Verfügung	a) stehen	b) geben	c) übernehmen	d) auffordern
4 einen Termin	a) einladen	b) unternehmen	c) begrüßen	d) vereinbaren
5 ein Medikament	a) erteilen	b) verschreiben	c) schützen	d) aufsetzen
6 das Risiko	a) bekommen	b) schützen	c) drücken	d) vermeiden
7 instand	a) setzen	b) stellen	c) machen	d) bringen

b) Welche Ergänzung passt nicht? Kreuzen Sie an: a), b), c) oder d).

1 führen	a) Verhandlungen	b) ein Gespräch	**c) ein Problem** ✗	d) eine Diskussion
2 erteilen	a) Auskunft	b) die Erlaubnis	c) Unterricht	d) Arbeit
3 geben	a) Bescheid	b) Nachricht	c) Anweisungen	d) Vereinbarung
4 verschieben	a) die Entscheidung	b) den Termin	c) die Bedingungen	d) die Konferenz
5 sich verabreden	a) zum Flughafen	b) zum Essen	c) am Bahnhof	d) um 10.00 Uhr
6 einweisen	a) in die Einladung	b) in den Betrieb	c) in die Tätigkeit	d) in den Arbeitsplatz
7 machen	a) einen Fehler	b) einen Brief	c) Notizen	d) einen Besuch

B **2** **Vier Dialoge. Was wollen die Leute sagen? Kreuzen Sie an: a), b), oder c).**

1 ▷ Ich möchte Herrn Harter sprechen.
  ▷ Tut mir leid, Frau Kunz, Sie haben wieder kein Glück.

Das bedeutet:
a) Die Anruferin ist falsch verbunden.
b) Der gewünschte Gesprächspartner ruft zurück.
c) Der gewünschte Gesprächspartner ist nicht da. ✗

2 ▷ Herr Sawatzki möchte Sie sprechen.
  ▷ Was? Wir haben doch keinen Termin. Na ja, wenn er schon mal da ist ...

Das bedeutet: Er freut sich ...
a) über den Besuch und empfängt ihn.
b) nicht über den Besuch, aber empfängt ihn.
c) nicht über den Besuch und empfängt ihn nicht.

3 ▷ Wir würden ja gern unsere Transporte mit Ihnen abwickeln. Aber dazu brauche ich ein ausführliches Angebot.

Das bedeutet:
a) Er hat kein Angebot bekommen.
b) Er will kein Angebot mehr haben.
c) Er bedankt sich für das Angebot.

4 ▷ Ich wollte Sie anrufen, wenn ich den Termin auf 11.00 Uhr hätte verschieben müssen. Aber das war ja nicht nötig.

Das bedeutet:
a) Sie hat den Termin verschoben.
b) Sie hat vergessen, dass er anrufen wollte.
c) Sie musste den Termin nicht verschieben.

B **3** **Wortfamilien. Tragen Sie die fehlenden Wörter ein.**

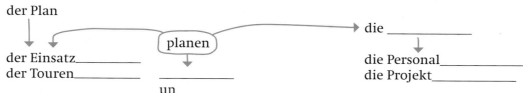

die Meldung — melden → anmelden → das _Anmelden_ → _angemeldet_
die _____ un_____
melden → abmelden → das _____ → ab_____
die _____

der Plan
der Einsatz_____
der Touren_____ → planen → die _____
_____ die Personal_____
un_____ die Projekt_____

4 Was würden Sie machen?

> den Kundendienst anrufen • ihm eine E-Mail schicken • ihn besuchen •
> ihn erledigen • nachfragen • um Entschuldigung bitten • sie reklamieren

1 Sie können Herrn Harter telefonisch nicht erreichen. → *Ich würde ihm eine E-Mail schicken.*

2 Die Kamera ist schon nach zwei Monaten kaputt. → _____

3 Der Kopierer ist defekt. → _____

4 Sie haben einen Fehler gemacht. → _____

5 Um sechs ist noch ein dringender Auftrag gekommen. → _____

6 Der Interessent hat auf unser Angebot nicht geantwortet. → _____

7 Die Lieferung ist noch nicht da. → _____

5 Das war leider nicht möglich. Antworten Sie.

1 ▷ Wolltest du nicht kommen? ▶ *Ich wäre gern gekommen,* aber ich konnte nicht.

2 ▷ Wollten Sie nicht teilnehmen? ▶ _____, aber das hat nicht geklappt.

3 ▷ Wollte Herr Müller nicht anrufen? ▶ _____, aber er hatte keine Zeit.

4 ▷ Wollten die Leute nicht länger bleiben? ▶ _____, aber sie mussten weg.

5 ▷ Wolltet ihr nicht mitfahren? ▶ _____, aber es gab keine Plätze mehr.

6 ▷ Wollte sie das nicht organisieren? ▶ _____, aber sie war krank.

7 ▷ Wolltest du nicht spazieren gehen? ▶ _____, aber ich hatte zu viel zu tun.

6 Wie würde man das im Allgemeinen machen? Wie ist es diesmal? Warum?

1 sich verspäten – im Allgemeinen: anrufen – diesmal: SMS schicken –
niemand ans Telefon gegangen

Ich verspäte mich. Im Allgemeinen würde ich anrufen. Aber diesmal

schicke ich eine SMS, weil niemand ans Telefon gegangen ist.

Ich hätte angerufen, wenn jemand ans Telefon gegangen wäre.

2 dringend ein Taxi brauchen – im Allgemeinen: anrufen – diesmal:
auf der Straße suchen – keine Zeit haben

Herr Strauß .... _____ *. Im Allgemeinen würde er*

... _____ *. Aber diesmal ...* _____ *,*

weil .... _____

3 einen Kunden zur Zahlung auffordern – im Allgemeinen: einen Brief
schreiben – in diesem Fall: ihn besuchen – schon lange Probleme mit diesem Kunden

Frau Werner ... _____

4 den Auftrag bestätigen – im Allgemeinen: eine schriftliche Bestätigung schicken – in diesem Fall:
telefonisch bestätigen – nur ein kleiner Auftrag

Wir ... _____

5 nach Hamburg fahren – im Allgemeinen: den Zug nehmen – diesmal: mit dem Auto fahren – viel
Gepäck und Unterlagen

Frau Breuer und Herr Schnittger ... _____

Guten Tag, hier spricht der Anschluss von ...

▶ **1** **Nomen mit der Endung -er. Zu welcher Gruppe gehören sie: zu 1 oder 2?**

> ~~Anbieter~~ • ~~Anrufbeantworter~~ • Auftraggeber • Behälter •
> Besucher • Dienstleister • Drehzahlmesser • Auftragnehmer • Drucker •
> Firmengründer • Gepäckanhänger • Käufer • Lautsprecher • Lehrer • Mitarbeiter • Roboter •
> Schalter • Apotheker • Temperaturregler • Telefonhörer

1 Personen, Berufe, Funktionsträger	**2 Sachen, Geräte, Geräteteile**
Anbieter/Anbieterin	Anrufbeantworter

▶ **2** **Textbausteine für den Anrufbeantworter**

a) Wie ist die richtige Reihenfolge der Abschnitte A bis D? Nummerieren Sie. Welche Überschrift passt?

> Anweisung geben • ~~beenden~~ • sich melden • Situation erklären

☐ A *beenden*
- Vielen Dank für Ihren Anruf.
- Bitte sprechen Sie jetzt.
- Sprechen Sie nach dem Signalton. Auf Wiederhören.

☐ B _____
- In dringenden Fällen wenden Sie sich bitte an die Praxis Dr. Wendt, Telefon 069/66280.
- Nach dem Signalton können Sie Ihre Telefonnummer hinterlassen. Wir rufen dann zurück.
- Wir freuen uns auf Ihren Anruf während unserer Öffnungszeiten montags bis freitags von 9.30 bis 18.00 Uhr.

☐ C _____
- Herzlich willkommen bei der Firma Officeline Bürmöbel GmbH.
- Hier ist der Anschluss des Landguts Schloss Grafenfeld, 0957/319-0.
- Sie haben die Nummer der Zahnarztpraxis Dr. Schmidt gewählt.

☐ D _____
- Unser Büro ist zurzeit nicht besetzt.
- Wir haben Urlaub vom 21. Juli bis zum 15. August.
- Leider rufen Sie uns nach Dienstschluss an.

b) Bauen Sie aus den Bausteinen zwei Texte für den Anrufbeantworter.

_____
_____
_____

3 Bedienungsanleitung: Einrichten einer Dreierkonferenz auf Ihrer Telefonanlage

Options- / Menütaste

Rückfrage

OK-Taste

1 Verbindung mit dem Gesprächspartner herstellen.
2 Rückfragetaste drücken.
3 Die Optionstaste drücken.
4 Drücken der OK-Taste wiederholen.
5 Nummer des weiteren Partners wählen.
6 Der weitere Partner meldet sich. Noch einmal Optionstaste drücken.
7 Im Display die Option *Partner in Konferenz* auswählen.

8 Die OK-Taste drücken. Die Konferenz ist eingerichtet.
9 Sie wollen sehen, wer an der Konferenz teilnimmt? – Options- und OK-Taste drücken.
10 Sie wollen nicht weiter an der Konferenz teilnehmen? – Hörer auflegen. Die beiden anderen Partner können das Gespräch fortsetzen.

a) Formulieren Sie Anweisungen im Imperativ.

1 *Stellen Sie als Erstes die Verbindung mit dem Partner her.* _____

2 *Drücken Sie als Zweites ...* _____

3 *Als Drittes ...* _____

4 _____

5 _____

6 *Drücken Sie ...*   *,wenn ...* _____

7 _____

8 *Wenn Sie ...* _____

9 *Wenn Sie ...*   *, dann drücken ...* _____

10 *Wenn ...* _____

b) Passiv: Was wird gemacht? Schreiben Sie.

> *Zuerst wird die Verbindung mit dem Gesprächspartner hergestellt. Danach ...*
> *Dann wird ... Als nächstes wird ...*
> *Zum Schluss ...*

4 Schreiben Sie das passende Wort in die Lücken: dreimal *während*, dreimal *wenn*, dreimal *indem*.

1 *Wenn* _____ man mit dem ersten Gesprächspartner verbunden ist, wählt man die Nummer des weiteren Partners.

2 _____ der Konferenz kann man sehen, wer an der Konferenz teilnimmt, _____ man die Options- und die OK-Tase drückt.

3 _____ die Kursteilnehmer eine Partnerübung machen, hilft und korrigiert der Kursleiter.

4 Schützen Sie Ihre Augen, _____ Sie eine Schutzbrille tragen.

5 _____ Sie die OK-Taste noch einmal drücken, ist die Konferenz eingerichtet.

6 _____ Sie _____ des Wochenendes Hilfe brauchen, können Sie mich erreichen, _____ Sie anrufen oder mir eine E-Mail schicken.

Anfrage

B&T Business&Tours GmbH · Hanauer Landstr. 322 · 60385 Frankfurt a.M.

Tröger Bustouristik & Funktaxi
Johannisstr. 109
90419 Nürnberg

Anfrage
                                                    25.11.2007

Sehr geehrte Damen und Herren,

wir sind ein Dienstleistungsunternehmen im Bereich Tourismus, das   ← *Vorstellung*
Besuchergruppen, Geschäftsreisende und Messebesucher empfängt und betreut. ← *Absicht/Plan*
Wir planen die Gründung einer Niederlassung im Raum Nürnberg – Fürth –
Erlangen und suchen dafür Logistikpartner zur Zusammenarbeit bei Transfer
und anderen Fahrten für unsere Kunden.

Deshalb interessieren wir uns für Ihren Taxi- und Busservice. Wären Sie   ← *Interesse*
an einer langfristigen Zusammenarbeit interessiert? Dann bitten wir   ← *Anliegen/Bitte*
Sie um Zusendung von Informationsmaterial über Ihren Fuhrpark und Ihre
Leistungen. Bitte schicken Sie uns auch Informationen über Ihre Preise und
Tarife. Wir freuen uns auf Ihre Antwort.   ← *Abschluss*

Mit freundlichen Grüßen

Körber
Joachim Körber
Business&Tours

1 **Schreiben Sie eine Anfrage. Die Redemittel unten helfen Ihnen.**
Denken Sie an Absender, Empfänger und Anschrift, Datum, Grußformel.

Vorstellung

• Ich bin	selbstständiger Handwerker ...	der ...
	Mitarbeiter bei/in ...	die ...
	Mitarbeiterin bei/in ...	das ...
• Wir sind	ein Unternehmen der ...industrie ...	
	ein ...unternehmen ...	
	eine Firma des/der ...	
	ein Hersteller von ...	

Absicht/
Plan

- Ich plane/suche .../würde gern ...
- Wir planen/suchen .../würden gern ...

> die Gründung einer Niederlassung in ... •
> Ihre Produkte gern in unser Programm
> aufnehmen • nach einem Lieferanten für ... •
> neue Lieferfirmen für ... • ...

Interesse

- Ich bin/Wir sind an ... interessiert.
- Ich interessiere mich für ...
- Wir interessieren uns für ...

> Ihr Produktprogramm • Ihr Büromaterial •
> Ihre Angebote/Leistungen im Bereich ... •
> eine Zusammenarbeit im Bereich ... •
> Ihre neusten Modelle • ...

Anliegen/
Bitte

- Schicken Sie mir/uns bitte ...
- Könnten Sie mir/uns bitte ... schicken?
- Ich bitte/Wir bitten um Zusendung ...
- Wir bitten um ...

> Informationen/Unterlagen über ... •
> Prospekte • Musterkollektion •
> Ihren Katalog • Preisliste •
> persönliche Beratung • Warenprobe •
> Allgemeine Geschäftsbedingungen • ...

Abschluss

- Für Ihre Antwort danke ich/danken wir Ihnen im Voraus.
- Ich freue mich auf Ihre Antwort.
- Wir freuen uns auf Ihre Antwort.

Telefonieren I

Sich melden →

- Firma ..., (Abteilung ...,) (mein Name ist) ..., guten Tag.

Falsch verbunden sein

- Entschuldigung, ich habe mich verwählt.

Den Grund für den Anruf nennen, Zuständigkeit erfragen

- Es handelt sich / geht um ...
- Ich rufe wegen ... an. Wer ist dafür zuständig? Können Sie mich bitte verbinden?
- Ich habe eine Frage zu ... Können Sie mir helfen oder können Sie mich weiterverbinden?

Namen und Firma nennen
← →

- Guten Tag, hier ist / spricht ... (von der Firma ...).

Den gewünschten Gesprächspartner nennen

- Könnte ich bitte (mit) Frau / Herrn ... sprechen?
- Ich würde gern mit jemandem aus Ihrer Marketingabteilung / ... sprechen.
- Ich hätte gern mit jemandem gesprochen, der mir etwas über ... sagen kann.

Gesprächspartner nicht zuständig

- Einen Moment bitte. Ich verbinde Sie mit der zuständigen Kollegin, Frau ... / dem zuständigen Kollegen, Herrn ... Bleiben Sie bitte am Apparat.

Rückfragen stellen, Anrufer weiterverbinden

- Darf ich fragen, worum es geht?
- Wie war Ihr Name bitte?
- Einen Moment bitte, ich verbinde Sie / ich stelle Sie durch.

Gewünschter Gesprächspartner nicht erreichbar

- Tut mir leid, Frau / Herr ... ist gerade nicht erreichbar / (bis etwa Uhr) in einer Besprechung.
- Tut mir leid, Frau / Herr ... ist heute nicht im Haus / ist erst wieder ab dem ... im Haus.

Gewünschter Gesprächspartner nicht erreichbar

- Tut mir leid, Frau / Herr ... ist gerade nicht erreichbar / (bis etwa ... Uhr) in einer Besprechung.
- Tut mir leid, Frau / Herr ... ist heute nicht im Haus / ist erst wieder ab dem ... im Haus.

Hilfe anbieten, eine Nachricht aufnehmen

- Kann Frau / Herr ... Sie zurückrufen? (Unter welcher Telefonnummer und wie lange sind Sie erreichbar?)
- Können Sie später / um ... Uhr / morgen / ... noch einmal anrufen? Die Durchwahl lautet ...
- Kann ich Frau / Herrn ... etwas ausrichten?

GESPRÄCH
(Unter Umständen vorher: sich melden, grüßen, den Grund für den Anruf nennen)

Um Hilfe bitten, eine Nachricht hinterlassen

- Können Sie mir ihre / seine Durchwahl geben? Dann versuche ich es später noch einmal.
- Würden Sie Frau / Herrn ... bitte ausrichten, dass sie / er mich zurückrufen möchte? (Es ist dringend / eilig / wichtig.) Meine Telefonnummer lautet ... Ich bin bis ... Uhr erreichbar.
- Würden Sie Frau / Herrn ... bitte ausrichten, dass ...?

Danken, sich verabschieden

- Vielen Dank (für das Gespräch / für Ihren Anruf). Auf Wiederhören.

1 **Rollenspiel: Spielen Sie mit Ihrem Partner mögliche Situationen am Telefon durch.**

> **TIPP**
> Nachfragen, wenn man etwas nicht verstanden hat:
> - Tut mir leid, das habe ich nicht verstanden. Könnten Sie das bitte noch einmal wiederholen?
> - Könnten Sie bitte etwas lauter / langsamer sprechen?

TEST

Name: _____

1 Lesen

Was ist richtig? Kreuzen Sie an: a), b) oder c).

Anna ist die Tochter von Kai Kraus, dem Leiter der Montage-Abteilung von SolVent. Sie ist neun Jahre alt. Kai Krause ist Mitglied der gesetzlichen Krankenversicherung. Anna ist in der Krankenversicherung ihres Vaters mitversichert. Vor ein paar Tagen war sie wegen eines starken Hustens beim Kinderarzt. Die Kosten für die Behandlung hat die Krankenkasse gezahlt. Weil sie noch nicht 18 Jahre alt ist, hat sie auch keine Praxisgebühr gezahlt. Herr Kraus selbst ist zurzeit beim Internisten in Behandlung. Sein Hausarzt hat ihn untersucht und dann zum Internisten geschickt. Mit einer Bescheinigung vom Hausarzt braucht er dort die Praxisgebühr nicht noch einmal zu bezahlen. Außerdem hat er sich beim Zahnarzt zur regel-

mäßigen Kontrolluntersuchung angemeldet. Dort muss man normalerweise auch die Gebühr bezahlen. Aber die Kosten für die regelmäßige Überprüfung der Zähne, die so genannte Vorsorgeuntersuchung, übernimmt die Versicherung, und der Arzt muss dafür auch keine Praxisgebühren kassieren. Herr Kraus lässt sich die jährliche Vorsorgeuntersuchung in einem Serviceheft bestätigen. Das ist günstig für ihn, wenn er zum Beispiel Zahnersatz braucht. Der ist sehr teuer und die Krankenversicherung übernimmt nur einen Teil der Kosten. Aber wenn er regelmäßig die Vorsorgeuntersuchung gemacht hat, zahlt ihm die Versicherung einen größeren Teil der Kosten. Solche Regelungen gibt es auch in anderen Bereichen.

1 Anna war beim ...
a) Internisten.
b) Kinderarzt. (angekreuzt)
c) Zahnarzt.

2 Kinder zahlen ... **1,5**
a) keine Praxisgebühr.
b) die Praxisgebühr, wenn sie über 18 Jahre alt sind.
c) die Praxisgebühr, wenn sie unter 18 Jahre alt sind.

3 Anna ...
a) hat eine eigene Krankenversicherung.
b) ist nicht versichert.
c) braucht keine eigene Krankenversicherung.

4 In letzter Zeit ... in Behandlung. **1,5 + 1,5**
a) war Herr Kraus bei zwei Ärzten
b) war Anna bei zwei Ärzten
c) waren beide bei zwei Ärzten

5 Herr Kraus hat die Praxisgebühr ...
a) einmal gezahlt.
b) zweimal gezahlt.
c) gar nicht gezahlt.

6 Vorsorgeuntersuchungen beim Zahnarzt **1,5 + 1,5**
a) sind für die Versicherten sehr teuer.
b) kosten nicht viel.
c) haben für die Versicherten finanzielle Vorteile.

7 Die Kosten für Zahnersatz ...
a) übernimmt die Krankenversicherung.
b) bezahlt der Patient.
c) muss der Patient zum Teil bezahlen.

8 Vorsorgeuntersuchungen sind ... **1,5 + 1,5**
a) nur beim Zahnarzt möglich.
b) nur beim Internisten möglich.
c) bei verschiedenen Ärzten möglich.

☐ **10,5**

2 Grammatik

Was ist richtig? Kreuzen Sie an: a), b) oder c).

➤ Wir brauchen noch ein Fahrzeug, (1) _____ die Lieferung nach Stuttgart bringen kann.

➤ Wenn wir die Lieferung nach Stuttgart zusammen mit der Lieferung nach Würzburg (2) _____, dann (3) _____ das Problem gelöst. Dann hätten wir auch einen Fahrer frei, (4) _____ wir mit nach Linz fahren lassen könnten. Und (5) _____ wir zwei Fahrer hätten, (6) _____ wir die Tour nach Linz in einem Tag machen.

➤ Gut. Die Aufträge nach Würzburg und Stuttgart (7) _____ zusammen (8) _____. Die Lieferung nach Linz machen wir an einem Tag, (9) _____ wir zwei Fahrer nehmen.

1	☐ a) der	☐ b) die	☒ c) das	
2	☐ a) würden liefern	☐ b) liefern würden	☐ c) liefern werden	**1**
3	☐ a) wäre	☐ b) war	☐ c) hätte	**1**
4	☐ a) der	☐ b) den	☐ c) dem	**1**
5	☐ a) indem	☐ b) dann	☐ c) wenn	**1**
6	☐ a) könnte	☐ b) könnten	☐ c) konnten	**1**
7	☐ a) würden	☐ b) werden	☐ c) wird	**1**
8	☐ a) ausliefern	☐ b) ausliefert	☐ c) ausgeliefert	**1**
9	☐ a) indem	☐ b) dass	☐ c) wenn	**1**

☐ **8**

Name: _____

3 Schreiben

Schreiben Sie einen Bericht über den Transportauftrag. Erwähnen Sie alle Punkte.

Zielort: *Dresden*
Firma: *Volkswagen AG*
Frachtgut: *Fahrzeugteile*
Liefertermin: *Montag 12.00*
Fahrzeug: *MAN F-AK*
Fahrer: *Anton Faber*
Abfahrt: *Montag, 6.00 Uhr*
Rückkehr: *Montag, 19.00 Uhr*

Anton Faber hat ... _____
_____
_____
_____
_____
_____
_____

7 x 1,5
☐ 10,5

4 Redeintentionen

Wie fragt man? Schreiben Sie die Fragewörter in die Lücken.

1 ▶ _Wie weit_ ist es von Wien nach München?   ▶ 435 km.

2 ▶ _____ kommt die Lieferung an?   ▶ Um 11.30 Uhr.   1

3 ▶ _____ ist die Nutzlast des Mercedes Vario?   ▶ 3,8t.   1

4 ▶ _____ kostet eine Fahrkarte von Basel nach Hamburg?   ▶ 118,– €.   1

5 ▶ _____ Mitarbeiter stehen zur Verfügung?   ▶ Fünf.   1

6 ▶ _____ muss man nach 4,5 Stunden Lenkzeit Pause machen?   ▶ 45 Minuten.   1

7 ▶ _____ Kunden beliefern wir zuerst?   ▶ Firma Graf.   1

8 ▶ _____ fährt Herr Anders heute mit dem MAN?   ▶ Nach Essen.   1

9 ▶ _____ sind die Kosten für eine Lieferung von Zürich nach Genf? ▶ 250 Franken.   1

☐ 8

5 Wortschatz

Was ist richtig? Kreuzen Sie an: a), b) oder c).

Die SolVent GmbH (1) _____ aus den zwei Bereichen Betrieb und (2) _____. Zum
Betrieb (3) _____ die Teilefertigung und die Montage. Die Teilefertigung ist in Halle 1
(4) _____. (5) _____ für die Teilefertigung ist Herr Küster. Herrn Küsters (6) _____
ist der Betriebsleiter. Dem Betrieb ist auch die Konstruktion (7) _____, die Frau Breuer
(8) _____. In der Konstruktion ist auch Herr Schnittger (9) _____. Frau Breuer und
Herr Schnittger sind dafür (10) _____, dass die Pläne für die neue Windkraft-
(11) _____ pünktlich fertig sind. SolVent-Produkte werden in viele Kontinente
(12) _____. Sie (13) _____ Strom und (14) _____ zur Warmwasserbereitung.

1 ☐ a) gehört	☒ b) besteht	☐ c) beteiligt
2 ☐ a) Verwaltung	☐ b) Besucherempfang	☐ c) Konstruktion
3 ☐ a) bestehen	☐ b) passen	☐ c) gehören
4 ☐ a) unterstellt	☐ b) beschäftigt	☐ c) untergebracht
5 ☐ a) Zuständig	☐ b) Beteiligt	☐ c) Geleitet
6 ☐ a) Mitarbeiter	☐ b) Vorgesetzter	☐ c) Kollege
7 ☐ a) zuständig	☐ b) untergebracht	☐ c) unterstellt
8 ☐ a) macht	☐ b) leitet	☐ c) bedient
9 ☐ a) zuverlässig	☐ b) belegt	☐ c) tätig
10 ☐ a) interessiert	☐ b) verantwortlich	☐ c) erfolgreich
11 ☐ a) Anlage	☐ b) Maschine	☐ c) Gerät
12 ☐ a) verlegt	☐ b) gekauft	☐ c) geliefert
13 ☐ a) fertigen	☐ b) erzeugen	☐ c) montieren
14 ☐ a) dienen	☐ b) bestehen	☐ c) führen

1
1
1
1
1
1
1
1
1
1
1
1
1

☐ 13
☐ 50

Profitex hat das Komplett-Angebot

A1 1 Welche Werbeaussagen a) bis f) passen zu den Branchen 1 bis 6? Ordnen Sie zu.

1 Möbelherstellung	a) Ihre Gesundheit ist unsere Aufgabe.
2 Maschinenbau	b) Kaufen? Wirtschaftlicher ist Mieten!
3 Textil/Bekleidung	c) Zuverlässig im Einsatz, einfach in der Bedienung, präzise in der Funktion
4 Leasing	d) Unser Profil: elegant – sportlich – modisch
5 Werbung	e) Wir machen Ihnen den Weg zum Kunden frei.
6 Pharma/Chemie	f) Das Komplettangebot – vom Schreibtisch bis zum Kleiderschrank

B 2 Der Brief an Herrn Möckel im Lehrbuch, S. 76. Was ist richtig ⌐r⌐? Was ist falsch ⌐f⌐?

1 Profitex hat dem Interessenten Informationen geschickt. _____ r
2 Der Interessent möchte keine persönliche Beratung von Profitex bekommen. _____ ☐
3 Der Interessent bekommt die Arbeitskleidung für die Mitarbeiter von einer Leasing-Firma. _____ ☐
4 Der Interessent ist mit der jetzigen Situation nicht zufrieden. _____ ☐
5 Die Mitarbeiter des Interessenten sollen in Zukunft Privatkleidung tragen. _____ ☐
6 Der Interessent möchte seinen Kunden ein positiveres Firmenbild präsentieren. _____ ☐

B 3 Komparativ. Schreiben Sie das passende Wort bzw. die richtige Endung in die Lücken.

1 Mein Laptop ist schwerer als dein Laptop. Ich hätte gern einen leicht*eren* Laptop.

2 Mein Pullover ist nicht so schön wie dein Pullover. Ich hätte gern einen schön_____.

3 Dieses Gerät ist zu teuer. Das da ist billig_____. Ich hätte gern das _____.

4 Meine Wohnung ist klein. Deine Wohnung ist größ_____. Ich suche mir auch eine _____.

5 Das Gemüse hier ist nicht frisch. Wir gehen in ein Geschäft mit frisch_____ Gemüse.

6 Mein Job ist langweilig. Dein Job ist viel interessant_____. Ein _____ Job wäre schön.

7 Unsere Arbeitskleidung ist nicht praktisch. Die Arbeitskleidung von Profitex ist praktisch_____.
So bekommen wir jetzt eine _____ Arbeitskleidung.

8 Früher hatten wir längere Pausen. Jetzt sind unsere Pausen kurz. Ab nächsten Monat haben wir
noch _____ Pausen.

9 Mein PC ist schon alt und langsam. Deiner ist noch _____ und noch _____.
Wir brauchen beide einen neu_____ und schnell_____ PC.

10 Ihre Lieferung war unpünktlich. Früher waren Ihre Lieferungen pünktlich. Wir erwarten in
Zukunft _____ Lieferungen.

B 4 Der Ist-Zustand ist schlecht. Unser Ziel ist ...

a) Schreiben Sie die fehlenden Adjektive in die Lücken.
b) Schreiben Sie wie im Beispiel.

	Ist	Soll	
1 Kosten	*hoch*	niedriger	*Wir haben hohe Kosten. Unser Ziel sind niedrigere Kosten.*
2 Qualität	_____	besser	*Wir haben ...*
3 Kunden	unzufrieden	_____	
4 Absatzmarkt	klein	_____	
5 Rechtsform	_____	passender	
6 Produkte	unbekannt	_____	

5 Besucher kommen. Der Abteilungsleiter verteilt die Aufgaben.

a) Wen lässt er was machen? Schreiben Sie.

- Programm schreiben (Inge Probst)
- Besprechungsraum vorbereiten (Besucherdienst)
- Getränke bereitstellen (Kantinenpersonal)
- Tisch im Restaurant „Turm" reservieren (Sekretärin)
- 8.45 Besucher am Flughafen abholen (Fahrer)
- 10.00 Besucher empfangen (Alicia Lang)
- Einzelgespräche führen (10.15–12.30 Uhr) (Alicia Lang, Kurt Mende)
- 14.30 das neue Modell präsentieren (Axel Brant)

1 *Inge Probst lässt er das Programm schreiben.*

2 *Den Besucherdienst lässt er den ...*

3 *Das Kantinenpersonal ...*

4 _____

5 _____

6 _____

7 _____

8 _____

b) Wer macht was? Der Abteilungsleiter informiert die Mitarbeiter über die Planung.

1 *Das Programm wird von Inge Probst geschrieben.* _____

2 *Der Besprechungsraum wird vom ...* _____

3 *Die Getränke ...* _____

4 _____

5 _____

6 _____

7 _____

8 _____

6 Füllen Sie das Rätsel aus. Die Silben im Schüttelkasten helfen Ihnen.

> an • ar • be • bei • ber • con • den • dukt • dung • fach • gar • gen • gung • keit • klei • la • lea •
> mel • mit • ner • ni • ni • pro • pro • rei • rei • sam • schä • sau • sche • schliess • schutz • sing •
> soll • stand • tai • ter • ter • tur • un • wä • zu

1 Profitex kümmert sich auch um ... und Hygiene am Arbeitsplatz.

2 Dort werden die schmutzigen Garnituren gereinigt.

3 Das wird jedem Mitarbeiter angeboten, damit die Kleidung wirklich passt.

4 Die Kleidung ist nicht nur bequem, sie bietet auch ...

5 Auf der Post liegen dort Briefe und Pakete, auf der Bank Geld und wichtige Dokumente, der Mitarbeiter findet dort seine saubere Garnitur: ...

6 Früher hat das Unternehmen die Arbeitskleidung gekauft, jetzt will sie es damit versuchen: ...

7 Die hat das Unternehmen dem Interessenten zur Information geschickt: ...

8 Dort findet der Profitex-Service am Ende der Woche die schmutzige Garnitur.

9 Profitex kontrolliert die Garnituren auf ... und repariert sie.

10 Die ... in der Fertigung bekommen Overalls.

11 Profitex kümmert sich um die Arbeitskleidung im Unternehmen, ist aber kein Hersteller von ...

12 Jetzt haben wir den Ist-Zustand, das Ziel ist ein besserer ...

13 Für den wöchentlichen Wechsel braucht jeder Mitarbeiter mehr als eine ...

14 Während Garnitur 2 vom Mitarbeiter getragen wird, ist Garnitur 1 bei Profitex zur ...

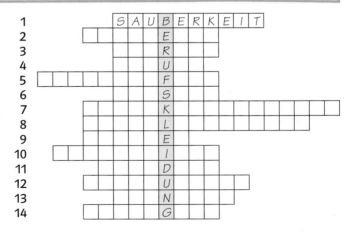

Crossword grid:
1 S A U B E R K E I T
2 (E)
3 (R)
4 (U)
5 (F)
6 (S)
7 (K)
8 (L)
9 (E)
10 (I)
11 (D)
12 (U)
13 (N)
14 (G)

Wir suchen die beste Lösung

B1 **1 Kommunikation am Arbeitsplatz.**

Ordnen Sie zu. Oft sind mehrere Antworten möglich.

1 eine Nachricht auf dem
 Anrufbeantworter
2 eine SMS
3 ein Gespräch
4 einen Brief
5 mit dem Partner persönlich
6 einen Kunden
7 Verhandlungen
8 eine E-Mail
9 einen Termin

a) abschicken
b) anrufen
c) lesen
d) verschieben
e) empfangen
f) schreiben
g) führen
h) absagen
i) abhören
j) sprechen
k) bestätigen

B2 **2 Welcher Punkt ist das? Schreiben Sie den passenden Begriff zu den Aussagen.**

> Fracht · ~~Kosten~~ · Liefertermin · Lieferzeit · Produktpalette · Rabatt · Service · Zusatzleistungen

1 Das Gesamt-Paket ist günstiger als der Kauf von Einzelleistungen. _Kosten_

2 drei Wochen

3 Abholen, Reinigen, Reparieren von beschädigten Garnituren

4 Ausstattung der Overalls mit Firmenlogo und Namensschild

5 Wir berechnen keine Versandkosten.

6 2,5 Prozent, wenn Sie mindestens 50 Stück kaufen.

7 Mittwoch, 16.07., zwischen 14.00 Uhr und 17.00 Uhr

8 Unser Angebot umfasst Latzhosen, Arbeitsanzüge und Overalls.

B2 **3 Herr Möckel berät Frau Ziemsen.**

Was bedeuten die gedruckten Sätze? Kreuzen Sie an: a), b) oder c).

1 Herr Möckel sagt: Sie mussten sich bisher um alles kümmern. **Das bindet Personal und Kapital.**
 Das bedeutet hier: a) Personal und Kapital stehen nicht für andere Aufgaben zur Verfügung.
   b) Dafür hat man kein Geld und keine Mitarbeiter.
   c) Das kann man auch mit viel Mitarbeitern und Kapital nicht lösen.
2 Herr Möckel sagt: Wir reinigen, kontrollieren und reparieren die Kleidung. **Damit haben Sie nichts mehr zu tun.**
 Das bedeutet hier: a) Die Kleidung reinigt, kontrolliert und repariert der Kunde selbst.
   b) Die Kleidung wird nicht mehr gereinigt, kontrolliert und repariert.
   c) Die Kleidung reinigt, kontrolliert und repariert die Service-Firma für den Kunden.
3 Herr Möckel sagt: **Für Sie kommen Arbeitsanzug, Latzhose und Overall in Frage.**
 Das bedeutet hier: a) Ich frage Sie, ob Sie den Arbeitsanzug, die Latzhose oder den Overall möchten.
   b) Alle drei Modelle können bei AWA verwendet werden.
   c) Es ist nicht klar, ob der Arbeitsanzug, die Latzhose oder der Overall am besten ist.
4 Herr Möckel sagt: **Die flexibelste Lösung ist vielleicht der Arbeitsanzug.**
 Das bedeutet hier: a) Ich bin sicher, dass der Arbeitsanzug für Ihre Belegschaft am besten ist.
   b) Den Arbeitsanzug empfehle ich Ihnen wahrscheinlich nicht.
   c) Ich meine, dass der Arbeitsanzug in allen Abteilungen passt.
5 Herr Möckel sagt: Befragen Sie Ihre Mitarbeiter. **Die Lösung wird dann viel besser mitgetragen.**
 Das bedeutet hier: a) Dann sind die Mitarbeiter mit der Lösung zufriedener.
   b) Dann passt den Mitarbeitern die Kleidung besser.
   c) Dann wird die Lösung schneller gefunden.

B3 **4** *ob, welch-, wie hoch, wie weit, wie viel-. Ergänzen Sie.*

1 ▶ Können Sie mir sagen, _wie hoch_ die Kosten sind?   ▶ Niedriger als bisher.

2 ▶ Sagen Sie mir bitte, _____ Sie Fracht berechnen.   ▶ Nein, die ist im Preis enthalten.

3 ▶ Mein Chef fragt nach, _____ Service Sie bieten.   ▶ Abholung, Reinigung und Reparatur.

4 ▶ Mich interessiert, _____ Sie Zusatzleistungen anbieten.   ▶ Ja, natürlich.

5 ▶ Darf ich fragen, _____ das sind?   ▶ Wir bringen z.B. Ihr Firmenlogo an.

6 ▶ Sagen Sie mir doch bitte, _____ Sie möchten.   ▶ 15 Stück.

7 ▶ Frau Ziemsen fragt, _____ der Gesamtbetrag ist.   ▶ Das teilen wir ihr schriftlich mit.

8 ▶ Weißt du schon, _____ du morgen kommst?   ▶ Leider noch nicht.

9 ▶ Könnten Sie mir bitte sagen, _____ es zum Bahnhof ist?   ▶ Etwa zwei Kilometer.

B3 **5** **Wissen Sie, ...? Formulieren Sie die Frage zur Antwort.**

1 ▶ Wissen Sie, _wie ich zum Bahnhof komme_ ?   ▶ Zum Bahnhof? Immer geradeaus.

2 ▶ Wissen Sie, _____?   ▶ Der Wein? 6,98 Euro die Flasche.

3 ▶ Wissen Sie, _____?   ▶ Meine Ankunft morgen? Um 12.30 Uhr.

4 ▶ Wissen Sie, _____?   ▶ Frau Ziemsen? Aus Singen am Bodensee.

5 ▶ Wissen Sie, _____?   ▶ Die Frachtkosten? Fünf Prozent vom Warenwert.

6 ▶ Wissen Sie, _____?   ▶ Herr Möckel? Nein, der ist nicht da.

B3 **6** **Sie wissen es auch nicht. Antworten Sie.**

1 ▶ Wie weit ist es zum Bahnhof?   ▶ Tut mir leid, _ich weiß auch nicht, wie weit es zum Bahnhof ist._

2 ▶ Kommt Frau Ziemsen morgen?   ▶ Tut mir leid, _____.

3 ▶ Ist die Medisan-Aktie gestiegen?   ▶ Tut mir leid, _____.

4 ▶ Wie viele Mitarbeiter hat Siemens?   ▶ Tut mir leid, _____.

5 ▶ Worüber haben die Leute gesprochen?   ▶ Tut mir leid, _____.

6 ▶ Warum ist Frau Breuer nicht da?   ▶ Tut mir leid, _____.

7 ▶ Musste sie zum Arzt?   ▶ Tut mir leid, _____.

8 ▶ Wird sie krankgeschrieben?   ▶ Tut mir leid, _____.

9 ▶ Wozu dient dieser Hebel?   ▶ Tut mir leid, _____.

D1 **7** **Komparativ und Superlativ. Tragen Sie die Endungen ein.**

1 ▶ Haben Sie ein schön_eres_ Kleid?   ▶ Ich zeige Ihnen das schön_ste_ , das wir haben.

2 ▶ Haben Sie einen stärk_____ Wagen?   ▶ Ich zeige Ihnen den stärk_____ , den wir haben.

3 ▶ Haben Sie keine billig_____ Kamera?   ▶ Ich zeige Ihnen die billig_____ , die wir haben.

4 ▶ Der etwas schnell_____ Drucker ist zu schwer.   ▶ Hier ist der leicht_____ Drucker, den es gibt.

5 ▶ Das etwas ält_____ Gerät ist zu langsam.   ▶ Hier ist das schnell_____ Gerät, das da ist.

6 ▶ Die etwas preiswert_____ Anlage ist zu unmodern.   ▶ Hier ist die modern_____ Anlage, die wir haben.

7 ▶ Gibt es hier keinen schön_____ Ort?   ▶ Ich bringe Sie zum schön_____ Ort in der Region.

8 ▶ Ich möchte zu einer interessant_____ Veranstaltung.   ▶ Ich bringe Sie zur interessant_____ Veranstaltung.

9 ▶ Ich möchte in einem größ_____ Geschäft einkaufen.   ▶ Später kaufen wir im größ_____ Geschäft der Stadt ein.

Der Service-Auftrag

A 1 Wir wollen eine neue Büroeinrichtung.

Ergänzen Sie die Vorschläge zum Projekt.

1 neue Büroeinrichtung: Ich schlage vor, dass wir _unsere Büros neu einrichten._

2 Anschaffung neuer Büromöbel: Ich glaube, wir müssen _____.

3 Austausch der Rechner: Es wäre nicht schlecht, wenn wir dabei auch _____.

4 Installation einer Teeküche: Wie wäre es, wenn wir _____?

5 Entscheidung über den Plan bis zum 15. Juli: Ich mache den Vorschlag, dass _____
   _____.

B 2 Entnehmen Sie dem Kaufvertrag die Angaben 1 bis 8.

1 Auftraggeber:

_____

2 Auftragnehmer:

_____

3 Vertragsgegenstand:

_____

4 Liefermenge:

_____

5 Preis:

_____

6 Liefertermin:

_____

7 Zusatzleistungen:

_____

8 Zahlungsweise:

_____

KAUFVERTRAG

zwischen

Verkäufer: Autohaus Jäger
Adresse: Poststr. 12, Köln

Käufer: Karl Klose
Adresse: Hauptstr. 24a, Hürth

über: 1 Opel Corsa, Kilometerstand 00024, metallicblau, fabrikneu

Kaufpreis: * 13.899,- zzgl. MwSt.
(in Worten: dreizehntausendachthundertneunundneunzig)

Lieferung: ab Autohaus Jäger, Köln, 14.08.06

Garantie: 24 Monate ab Lieferung

Der Verkäufer verpflichtet sich, das Fahrzeug vor der Lieferung anzumelden und die Kosten dafür zu übernehmen.

Zahlung: Anzahlung von € 5.000,– vor Lieferung;
ab September 06 monatlich € 247,20

Köln, den 12.07.06

i. A. F. Berger
Autohaus Jäger (Auftragnehmer)

K. Klose
(Auftraggeber)

C 3 Was haben die Vertragspartner vereinbart?

1 Was hat Herr Klose beschlossen? (Er kauft einen Opel Corsa beim Autohaus Jäger.)
   Herr Klose hat beschlossen, beim Autohaus Jäger einen Opel Corsa zu kaufen.

2 Wozu hat sich das Autohaus Jäger verpflichtet? (Es liefert bis zum 14. August 2006.)

_____

3 Was bietet das Autohaus Jäger zusätzlich an? (Es meldet das Fahrzeug an.)

_____

4 Was hat Herr Klose dem Autohaus Jäger zugesagt? (Er zahlt monatlich einen Betrag von 247,20 Euro.)

_____

5 Was gehört zu den Pflichten des Verkäufers? (Er liefert die Ware pünktlich.)

_____

4 **Infinitiv + *zu* oder *dass*-Satz?**

a) Was ist möglich? Nur *dass*-Satz (1) oder *dass*-Satz und Infinitiv + *zu* (2)? Kreuzen Sie an.

		1	2
1	Wir bitten ihn: Er soll am Montag kommen. _____	☐	X
2	Ich habe gehört: Frau Ziemsen kommt morgen. _____	X	☐
3	AWA hat mit Profitex vereinbart: Schließfach-Schränke werden aufgestellt. _____	☐	☐
4	AWA hat vereinbart: Profitex bringt das AWA-Logo an den Latzhosen an. _____	☐	☐
5	Ich schlage vor: Der Einkauf kümmert sich sofort um Angebote für die neuen Büromöbel. __	☐	☐
6	Transko Logistics hat beschlossen: Das Unternehmen baut eine neue Lagerhalle. _____	☐	☐
7	Die Konstruktion teilt mit: Die Pläne für die neue Anlage sind fertig. _____	☐	☐
8	Wir haben vor: Wir besichtigen die Stadt und gehen am Abend ins Theater. _____	☐	☐
9	Leider müssen wir Ihnen sagen: Die letzte Lieferung ist viel zu spät angekommen. _____	☐	☐
10	Wir bitten Sie: Liefern Sie dieses Mal pünktlich. _____	☐	☐

b) Schreiben Sie die *dass*-Sätze und die Sätze mit Infinitiv + *zu*.

> *Wir bitten ihn, dass er am Montag kommen soll.* _____
>
> *Wir bitten ihn, am Montag zu kommen.* _____
>
> *Ich habe gehört, dass ...* _____
>
> _____

5 **Bilden Sie Sätze aus den Satzteilen.**

1 abzuholen / bitten Sie, / die Gäste / um 10.30 Uhr / vom Bahnhof / Wir

   Wir bitten Sie, die Gäste um 10.30 Uhr vom Bahnhof abzuholen. _____

2 dass / Der Chef / fährt / Herr Müller / mit dem 12-Tonner / morgen / nach Wien / schlägt vor,

   _____

3 von Arbeitskleidung / AWA plant, / zu sprechen / über die Lieferung / mit Profitex

   _____

4 haben ... beschlossen, / eine GmbH / und / Heinz Ohlsen / im Jahr 2000 / zu gründen / Klaus Schüssler / und / weiter zusammenzuarbeiten

   _____

5 ab nächstem Jahr / das Unternehmen / dass / den Mitarbeitern / der Produktion / Die Geschäftsführung / einen Teil / ins Ausland / teilt ... mit, / verlegt

   _____

6 **Gründung einer neuen Niederlassung. Schreiben Sie einen Text über dieses Projekt.**

planen:	Niederlassung gründen
nötig sein:	verschiedene Standorte prüfen
vorhaben:	Entscheidung in drei Monaten treffen
beschlossen:	Gebäude bauen / nicht mieten
hoffen:	noch dieses Jahr mit den Bauarbeiten beginnen können
jetzt anfangen:	Mitarbeiter einstellen
festgelegt:	Niederlassung mit einer Party eröffnen

> *Wir planen, eine neue Niederlassung zu ...*
>
> *Als Erstes ist es nötig, ...*
>
> *Wir haben vor, ...*
>
> _____

Probleme, Ärger, Missverständnisse

A **1** *Wenn ..., dann ..., damit ...* **Schreiben Sie wie im Beispiel.**

1 Das Gerät ist defekt. – Wir reklamieren. → Geld zurückbekommen

   Wenn das Gerät defekt ist, dann reklamieren wir, damit wir das Geld zurückbekommen.

2 Wir brauchen Kopierpapier. – Wir kaufen sehr viel. → günstigen Preis bekommen

   Wenn wir ...

3 Ich besuche einen Kunden. – Ich melde mich schriftlich an. → ihn nicht verärgern

4 Die Ware hat Fehler. – Wir nehmen sie zurück. → Kunde zufrieden ist

5 Sie verspäten sich. – Rufen Sie bitte an. → wir Bescheid wissen

6 Ihnen geht es nicht gut. – Gehen Sie ins Bett. → nicht krank werden

B **2** **Suchen Sie die passenden Verben in den Mitteilungen 1 bis 3 im Lehrbuch, S. 82, Aufgabe B.**

1 Wir bestätigen Ihnen, dass der Rechnungsbetrag bei uns _eingegangen_ ist und danken Ihnen für die pünktliche Zahlung.

2 Der Rechnungsbetrag war 145,– €. Bei uns ist ein Betrag von 245,– € eingegangen. Wir schlagen vor, den Betrag von 100,– € mit Ihrer nächsten Bestellung zu _____.

3 Wie vereinbart, wollten wir den Rechnungsbetrag von 250,40 € _____. Ihre Bank teilte uns aber mit, dass es das angegebene Konto nicht gibt. Bitte nennen Sie uns Ihre richtige Kontonummer.

4 Sie haben mein Konto mit 545,– € _____. Der Rechnungsbetrag beläuft sich aber nur auf 440,– €. Bitte erstatten Sie den Betrag von 105,– €.

5 Sie beziehen sich auf Ihre Reklamation vom 12.10. d. J. und kündigen an, den Rechnungsbetrag um 20 Prozent zu _____. Damit sind wir nicht einverstanden und fordern Sie auf, den vollen Rechnungsbetrag zu zahlen.

6 Der Rechnungsbetrag war 145,– €. Sie haben 245,– € überwiesen. Wir _____ Ihnen den zu viel bezahlten Betrag von 100,– €.

B **3** **Drei Mitteilungen an AWA**

a) In welcher Mitteilung 1 bis 3 im Lehrbuch, S. 82, Aufgabe B, steht das?

AWA soll ...
- das Problem mit dem Konto klären. _2_
- sich schriftlich melden. _____ ☐
- kein Geld mehr überweisen. _____ ☐

Profitex möchte ...
- die Angelegenheit mit dem Kunden klären. ___ ☐
- unnötige Arbeit vermeiden. _____ ☐
- entsprechend dem Vertrag liefern. _____ ☐

b) Formulieren Sie Sätze mit *denn* und mit *damit*.

AWA soll das Problem mit dem Konto klären. Denn Profitex möchte entsprechend dem Vertag liefern.

AWA soll das Problem mit dem Konto klären, damit Profitex entsprechend dem Vertag liefern kann.

4 Wozu braucht man das?

1 ▶ *Wozu braucht man den Augenschutz?*
  ▶ *Den Augenschutz braucht man, um Augenverletzungen zu vermeiden.*

2 ▶ *Wozu braucht man den Hauptschalter?*
  ▶ *...   , um die Anlage ein- und ...*

3 ▶ *...   den Schutzanzug? ...:*
  ▶ *...   Verbrennungen ...*

4 ▶ *...   den Temperaturregler?*
  ▶ *...   die Temperatur ...*

5 ▶ *...   den Schutzhelm?*
  ▶ *...   Kopfverletzungen ...*

6 ▶ *...   den Schalthebel?*
  ▶ *...   den Getriebegang ...*

5 Nur *damit* oder auch *um ... zu ...*?

a) Welche Sätze kann man auch mit *um ... zu ...* ausdrücken? Kreuzen Sie an.

1 Die Firma schafft neue Arbeitskleidung an, damit sie ein positiveres Bild vermittelt. _____ [X]
2 AWA soll kein Geld mehr überweisen, damit Profitex unnötige Arbeit vermeidet. _____ ☐
3 Tragen Sie bei der Arbeit Handschuhe, damit Sie Ihre Hände schützen. _____ ☐
4 Der Kundendienst kommt regelmäßig, damit unsere Geräte zuverlässig funktionieren. _____ ☐
5 Wir rufen unsere Kunden an, damit wir ihre Meinung über unsere Leistungen kennen lernen. ____ ☐
6 Wählen Sie den Getriebegang 2, damit Sie mit der richtigen Drehzahl arbeiten können. _____ ☐
7 Ich nehme den Zug, damit ich während der Fahrt noch die Post erledigen kann. _____ ☐
8 Nehmen Sie ein schnelleres Fahrzeug, damit die Lieferung noch vor 12.00 Uhr beim Kunden ist. ___ ☐

b) Welche Sätze haben Sie angekreuzt? Schreiben Sie.

Die Firma schafft neue Arbeitskleidung an, um ein positiveres Bild zu vermitteln.

Um ein positiveres Bild zu vermitteln, schafft die Firma neue Arbeitskleidung an.

6 Beantworten Sie die Fragen mithilfe des Textes rechts. Wozu ...

1 ... das Werkstück auf dem Bohrtisch ausrichten?
  Um das Werkstück an der richtigen Stelle anzubohren,
  richtet man es auf dem Bohrtisch aus.

2 ... am Getriebegangschalter die Stufe 2 einschalten?
  Um ...

3 ... den Hauptschalter drücken?
  Um ...

4 ... mit dem Drehzahlregler die Drehzahl einstellen?
  Um ...

5 ... den Vorschubhebel nach unten drücken?
  Um ...

6 ... Kühlmittel in die Bohrung geben?
  Um ...

> Das Werkstück wird auf dem Bohrtisch ausgerichtet, damit es an der richtigen Stelle angebohrt wird. Das Werkstück wird mit 1200 Umdrehungen gebohrt. Wir müssen also am Getriebegangschalter die Stufe 2 einstellen. Jetzt wird die Maschine eingeschaltet. Dazu drücken wir den Hauptschalter. Der Drehzahl-messer zeigt 1400 Umdrehungen. Wir müssen also die Drehzahl etwas herunterfahren, indem wir mit dem Drehzahlregler die gewünschte Drehzahl einstel-len. Jetzt wird der Bohrer vorsichtig ans Werkstück herangeführt, indem der Vorschubhebel nach unten gedrückt wird. Man muss immer mal einen Tropfen Kühlmittel in die Bohrung geben. So wird der Bohrer geschont.

Zahlungsverkehr

A **1** **Was braucht man? Wozu braucht man das?**

a) Ordnen Sie zu.

Man braucht ...
1 eine Geheimnummer,
2 eine TAN,
3 Münzen und Banknoten,
4 ein Girokonto,
5 eine PIN,

a) damit man Geld überweisen kann.
b) damit man am Online-Banking teilnehmen kann.
c) damit man am PC eine Überweisung machen kann.
d) damit man am Automaten einen Fahrschein kaufen kann.
e) damit man im Supermarkt mit EC-Karte bezahlen kann.

b) Schreiben Sie Ihre Lösungen aus der Aufgabe a) auf. Bilden Sie dazu Sätze mit *um ... zu*.

1 _Um im Supermarkt mit einer EC-Karte bezahlen zu können, braucht man eine Geheimnummer._
2 _____
3 _____
4 _____
5 _____

A **2** *zahlen* oder *bezahlen* – was passt besser?

1 Kann ich mit meiner Kreditkarte _bezahlen_____?
2 Wenn Sie innerhalb von 14 Tagen _____, bekommen Sie 2 % Skonto.
3 Ich glaube, wir haben das Kopierpapier noch nicht _____.
4 Möchten Sie bar _____? – Nein, ich _____ per Überweisung.
5 Das Abendessen können Sie zusammen mit der Hotelrechnung _____.
6 Für diesen schönen Wagen habe ich nur 12 000 Euro _____.
7 Die Wohnungsmiete wird im Allgemeinen am Monatsende _____.
8 Hast du die Rechnung _____? – Nein, da steht eine Flasche Wein drauf.
   Die _____ ich nicht, die habe ich nicht bestellt.

B **3** **Füllen Sie die Einzugsermächtigung aus.**

Transko Logistics Nürnberg,
Kubistraße 89,
90455 Nürnberg, hat der
Telekom am 12.08.2004 eine
Einzugsermächtigung für
die monatliche Zahlung der
Telefonrechnung erteilt.
Die Kundennummer der
Spedition bei Telekom ist
137 034 3989, ihre Bank-
verbindung ist:
Citibank Nürnberg,
BLZ 300 209 00,
Kontonummer 0120 674 413.

Einzugsermächtigung
Hiermit ermächtigen wir Sie, bis auf Widerruf von unten genanntem Konto die
monatlichen Telefongebühren einzuziehen.

Kunden-Nummer (bitte unbedingt angeben)!
|__|__|__|__|__|__|__|__|__|__|__|

Firma
_____

Niederlassung
_____

Postleitzahl / Ort
_____

Datum / Ort
_____

Geldinstitut in Deutschland
_____

Konto-Nr. (bitte kein Sparkonto angeben)
|__|__|__|__|__|__|__|__|__|__|__|

Bankleitzahl
|__|__|__|__|__|__|__|__|

Unterschrift
_____

4 Carla Rivera

a) Sie freut sich. Aber vieles stimmt nicht. Markieren Sie die Stellen, die falsch sind, und korrigieren Sie sie mithilfe des Textes im Lehrbuch, S. 85, Aufgabe C 1.

Carla Rivera war erfreut, als sie ihren Kontoauszug bekam. Ihre Bank hatte ihrem Konto einen Betrag von 420,45 € gutgeschrieben. Auftraggeber per Telefon-Banking war ein Warenversandhaus. Dort hatte sie etwas bestellt und auch eine Lieferung bekommen. Sie rief sofort bei der Bank an und bedankte sich für diese Gutschrift auf ihrem Kontoauszug. Die Mitarbeiterin der Bank erteilte ihr sofort Auskunft. Die Bank erklärte, dass das Versandhaus den Überweisungsauftrag schriftlich erteilt und mit seiner Unterschrift bestätigt hatte. Jetzt wunderte sich Frau Rivera. Denn das Versandhaus hatte ihr Konto inzwischen wieder mit dem Betrag belastet. Sie wollte das nicht und lehnte die Belastung ihres Kontos ab. Da kam plötzlich ein Schreiben des Versandhauses: „Wir haben festgestellt, dass Sie tatsächlich nicht die Empfängerin dieser Zahlung waren. Zu der Fehlbuchung ist es durch den bedauerlichen Irrtum in unserer Buchhaltung gekommen. Wir möchten uns hiermit für das Versehen entschuldigen."

> erfreut → geschockt
>
> ihrem Konto einen Betrag von 420,45 € gutgeschrieben → ...

b) Carla Rivera erzählt.

> Ich war geschockt, als ich ... Da kam plötzlich ein Schreiben der Bank.
>
> Sie teilte mir mit, dass sie festgestellt hat, dass ich ...

5 Wörter aus dem Zahlungsverkehr. Bilden Sie Komposita und ergänzen Sie die Artikel.

Bank- • Bar- • Benutzer- • Einzugs- • Geheim- • Giro- • Kenn- • Konto- • Kredit- • Spar- • Telefon- • Überweisungs-	-auszug • -banking • -ermächtigung • -formular • -geld • -karte • -konto • -konto • -name • -note • -nummer • -wort

1 die Banknote

2 _____

3 _____

4 _____

5 _____

6 _____

7 _____

8 _____

9 _____

10 _____

11 _____

12 _____

6 Bilden Sie Gegensatzpaare.

Ankunft • anwesend • Arbeitstag • Auftraggeber • Bankeinzug • Barzahlung • Belastung • Einzelpreis • Ist-Zustand • komfortabel • kostengünstig • Leasing • Nachteil • Sparkonto • Verkäufer • Vertragsbeginn	abwesend • Kauf • kostspielig • Soll-Zustand • Vorteil • Abfahrt • Überweisung • Gutschrift • Vertragsende • Gesamtpreis • Käufer • bargeldlose Zahlung • Girokonto • Auftragnehmer • Feiertag • unbequem

1 Ankunft ≠ Abfahrt

2 _____

3 _____

4 _____

5 _____

6 _____

7 _____

8 _____

9 _____

10 _____

11 _____

12 _____

13 _____

14 _____

15 _____

16 _____

Bilanz: Wie war es? Wie ist es heute?

B4 **1** **Früher – heute: Verben im Präteritum und im Präsens**

Früher …   Heute …

1 _trug_____ man im Büro ein Jackett.   _trägt_____ man im Büro auch einen Pullover.

2 _____ man eine Krawatte wichtig.   _findet____ man Krawatten nicht so wichtig.

3 _fuhr_____ man mit der Straßenbahn zur Arbeit. _____ man mit dem Auto zur Arbeit.

4 _____ man sehr viel Fleisch.   _____ man mehr Gemüse.

5 _____ man häufiger ins Theater.   _____ man häufiger ins Kino.

6 _____ man auf harten Bürostühlen.   _____ man auf komfortablen Bürostühlen.

2 **Regelmäßige Verben**

Tragen Sie die Verben in die Tabelle ein. Manchmal sind zwei Zuordnungen möglich.

> dauern • arbeiten • präsentieren • einloggen • berücksichtigen •
> faxen • stärken • feiern • outsourcen • fordern • kündigen • kürzen • bestätigen •
> leasen • verlängern • liefern • managen • sich bemühen • beschäftigen • montieren • sich einigen •
> organisieren • probieren • säubern • sich wundern • begründen •
> sorgen für • vergrößern • definieren • beauftragen

Verben von Nomen	Verben von Adjektiven	Verben aus dem Englischen
arbeiten		

Verben auf -ieren	Verben auf -igen	Verben auf -ern

3 **Einige unregelmäßige Verben in der 3. Person Singular Präsens, Perfekt und Präteritum**

Wie heißen die Verbformen? Wissen, raten oder Wörterbuch benutzen.

Infinitiv	3. Pers. Sing. Präsens	3. Pers. Sing. Präteritum	3. Pers. Sing. Perfekt
1 lassen	_er lässt_	_er ließ_	_er hat gelassen_
2 beraten			
3 essen			
4 lesen			
5 anrufen			
6 bleiben			
7 überweisen			
8 heben			
9 anbieten			
10 nehmen			
11 sprechen			
12 sinken			
13 finden			

4 Gemischte Verben: Wie heißen die drei Formen?

Infinitiv	3. Pers. Sing. Präsens	3. Pers. Sing. Perfekt	3. Pers. Sing. Präteritum
1 kennen	*kennt*	*hat gekannt*	*kannte*
2 denken			
3 wissen			
4 verbrennen			
5 senden			

5 Für welche Verben treffen die Aussagen 1 bis 9 zu: für die regelmäßigen (1), die unregelmäßigen (2), die gemischten (3) oder alle Verben (4)? Kreuzen Sie an.

Diese Verben ...

                                                     1 2 3 4

1 bilden das Perfekt mit *haben* oder *sein*. _____ ☐ ☐ ☐ ☒

2 bilden das Präteritum und Perfekt, indem sie den so genannten Stammvokal ändern. _ ☐ ☐ ☐ ☐

3 haben im Partizip die Endung -*t*. _____ ☐ ☐ ☐ ☐

4 ändern in der 2. und 3. Pers. Sing. Präsens manchmal den Stamm von *e* zu *i*/von *a* zu *ä*. ☐ ☐ ☐ ☐

5 haben im Präteritum die Endsilbe -*te(-st/-n/-t)*. _____ ☐ ☐ ☐ ☐

6 haben sehr oft im Partizip die Vorsilbe *ge-*. _____ ☐ ☐ ☐ ☐

7 bilden das Präteritum durch Änderung des Stammvokals und mit der Endsilbe -*te*. _____ ☐ ☐ ☐ ☐

8 haben im Partizip kein *ge-*, wenn sie eine nicht trennbare Vorsilbe haben. _____ ☐ ☐ ☐ ☐

9 haben -*ge*- zwischen Vorsilbe und Stamm, wenn sie eine trennbare Vorsilbe haben. _____ ☐ ☐ ☐ ☐

6 Aus dem Leben der Familie Schröder

a) Setzen Sie die Verben ein.

> anbieten • anfangen • beenden • beginnen • bekommen • bleiben • einladen • entscheiden • finden • gehen • heiraten • können • kümmern • kündigen • treffen • ~~werden~~

Herr Schröder (1) *wurde* 1959 in Bonn geboren. Dort (2) _____ er auch zur Schule. 1976 (3) _____ er eine dreijährige Ausbildung zum Speditionskaufmann, die er 1979 erfolgreich (4) _____ . 1980 (5) _____ er eine Stelle in Köln. In Köln (6) _____ er auch seine spätere Frau Ruth. 1988 (7) _____ die beiden. 1990 (8) _____ sie ihr erstes Kind. Frau Schröder (9) _____ ihre Stelle und (10) _____ zu Hause. Bis 2002 (11) _____ sie sich um den Haushalt und die Familie. Im Jahr 2002 (12) _____ Transko Logistik Herrn Schröder eine Stelle als Leiter der Disposition _____ . Die Schröders (13) _____ sich also, nach Nürnberg zu gehen. Dort (14) _____ auch Ruth Schröder wieder _____ , Arbeit zu suchen. Ein großes Unternehmen (15) _____ sie zu einem Bewerbungsgespräch _____ . Schon zwei Wochen später (16) _____ sie dort anfangen.

b) Herr Schröder erzählt. Schreiben Sie den Text neu.

> *Ich wurde 1959 in Bonn geboren. Dort bin ich auch zur Schule gegangen.*
> *1976 habe ich eine Ausbildung zum Speditionskaufmann ...*

Störungen, Probleme, Richtigstellungen

_3_

Überweisung vom 03.07.06

Sehr geehrte Frau Ziemsen,

wir bestätigen Ihnen den Eingang Ihrer o. g. Überweisung in Höhe von € 804,52. Es handelt sich dabei um die Zahlung unserer Rechnung für die Kalenderwochen 23 bis 26.

Allerdings haben wir in unserer Vereinbarung vom 11.05.06. Zahlung per Bankeinzug vereinbart. Wir haben also Ihr Konto schon entsprechend belastet.

Bitte zahlen Sie in Zukunft nicht mehr per Überweisung, damit wir unnötigen Verwaltungsaufwand vermeiden. Die Überzahlung können wir Ihnen erstatten oder mit der nächsten Zahlung verrechnen.

Vielen Dank für Ihr Verständnis.

Mit freundlichen Grüßen

_3_

Unsere Vereinbarung vom 11.05. d. J.

Sehr geehrte Frau Ziemsen,

wir beziehen uns auf Ihre Nachricht vom 11.09. Sie fordern uns darin auf, Ihnen die Mietkleidung zukünftig ohne Namensschilder zu liefern. Sie wollen den Rechnungsbetrag um diesen Posten kürzen.

Wir haben allerdings am 11.05. d. J. Lieferung mit Namensschildern vereinbart. Innerhalb der dreijährigen Grundlaufzeit können wir Ihrem Wunsch deshalb leider nicht entsprechen.

Wir bitten Sie, die o. g. Vereinbarung einzuhalten oder uns eine kurze Stellungnahme zu schicken, um die Angelegenheit abschließend klären und Sie weiterhin wie vereinbart beliefern zu können.

Wir freuen uns auf eine weitere gute Zusammenarbeit.

Mit freundlichen Grüßen

---

1 **Wo stehen die folgenden Punkte in den beiden Schreiben oben? Tragen Sie die Nummern ein.**

1 Anrede	3 Betreff	5 Schlussformel	7 Vorgang/Bezug
2 Absicht/Zweck	4 Gegenstand	6 Störung/Problem	8 Vorschlag/Aufforderung

2 **Schreiben Sie ähnliche Nachrichten. Berücksichtigen Sie die Punkte 1 bis 8 sowie die Redemittel unten.**

Fall 1: Firma AWA	Fall 2: Sparkasse Fulda	Fall 3: Büroversand ProPlus
Mitteilung von Firma AWA vom 12.09.: nicht mehr per Bankeinzug; sondern per Überweisung zahlen. Problem: dann kein Rabatt mehr für AWA. Vorschlag: Zahlungsweise wie bisher. Absicht: höhere Kosten für beide Seiten vermeiden.	Kontoauszug Juli d. J.: Abbuchung von € 253,20, Empfänger: Autoreparatur-Werkstatt Rapid-Service. Problem: Empfänger unbekannt, keine Leistungen in Anspruch genommen. Aufforderung: Betrag wieder auf Ihr Konto (66125410) buchen.	Lieferung vom 12.10.07: 12 Besucherstühle geliefert wie bestellt (09.10.07). Problem: Lieferschein lautet auf 15 Stück. Aufforderung: Korrektur Lieferschein, richtige Liefermenge bei Rechnungsstellung berücksichtigen. Absicht: Missverständnisse vermeiden.

- ich bestätige/wir bestätigen Ihnen den Eingang Ihres/Ihrer ...
- ich beziehe mich/wir beziehen uns auf Ihr/Ihre/Ihren ...
- ich habe/wir haben Ihr/Ihre ... bekommen/erhalten ...

▼

- Es handelt sich dabei um ...
- Wie in Ihrem Schreiben erläutert, ...
- Sie fordern mich/uns darin auf, ...
- Darin teilen Sie mir/uns mit, dass ...
- Sie schreiben mir/uns, dass Sie ...
- Er/Sie/Es enthält ...
- Sie haben mir/uns, wie verabredet, ... geliefert.

▼

- Allerdings haben wir ...
- Allerdings bin ich/sind wir nicht einverstanden, dass ...
- Leider muss ich/müssen wir Ihnen mitteilen, dass ...
- Leider habe ich/haben wir festgestellt, dass ...

▼

- Ich bitte/Wir bitten Sie deshalb, ..., damit/um ... zu ...
- Ich fordere/Wir fordern Sie deshalb auf, ..., damit/um ... zu ...
- Ich schlage/Wir schlagen Ihnen vor, ..., damit/um ... zu ...

Projektplanung und -präsentation

1 **Die Firma AWA überlegt sich, ihre Arbeitskleidung zu leasen. Sie sind im Projektteam von Frau Ziemsen und diskutieren darüber.**

> schmutzige Arbeitskleidung regelmäßig austauschen • die gewaschene Kleidung pünktlich liefern •
> Probleme im Ablauf lösen • nicht nur waschen, auch pflegen und reparieren • auf Qualität achten •
> sich (nicht) um alles selbst kümmern • praktische und bequeme Modelle aussuchen •
> preiswerte Kleidung auswählen • Arbeitskleidung mit Corporate Identity abstimmen •
> die Kosten senken • das beste Preis-Leistungs-Verhältnis auswählen • die Mitarbeiter befragen •
> genaue Leistungen vereinbaren • mehrere Angebote prüfen •
> nach einem Jahr Bilanz ziehen und gegebenenfalls neu entscheiden • ...

Argumentieren

- Tatsache ist, dass ...
- Wir müssen darauf achten, dass ...
- Wir müssen bedenken, dass ...
- Ich könnte mir vorstellen, dass ...
- Ich schlage vor, ..., weil ...
- Es scheint mir fraglich, ob ...
- Ich halte es für (un)problematisch, ...
- Wir müssen uns genauer darüber informieren, ob ...
- Der Vorteil/Nachteil ist, dass ...
- Einerseits ... Andererseits ...
- ... ist wesentlich wichtiger als ...
- Ich bin der Meinung/Ansicht, ...
- Meines Erachtens ...

Zustimmen oder widersprechen

- Das stimmt./Genau. Dafür spricht auch, dass ...
- Ich stimme zu/bin dafür, weil ...
- Sie haben Recht, das ist ein interessanter Vorschlag. Vielleicht könnte man sogar ...
- Ich stimme Ihnen zu, aber wir müssen sehr genau prüfen, ob ...
- Das mag sein. Trotzdem müssen wir überlegen, ob/wie/...
- Sind Sie sich da sicher? Ich glaube/meine/denke eher, dass ...
- Dem kann ich leider nicht zustimmen. Meiner Meinung/Ansicht/Erfahrung nach ...
- Ich bin dagegen, weil ...
- Im Gegenteil, ich sehe das folgendermaßen, ...

2 **Ihr Projektteam hat sich für das Leasen der Arbeitskleidung entschieden. Planen Sie das Projekt.**

1 Welche Leistungen nehmen Sie in Anspruch: Nur Reinigung und Pflege oder auch Reparatur?/ Wie viele Garnituren pro Woche?/Schließfächer, Sammelcontainer?

2 Wie sieht die neue Arbeitskleidung aus: Welches Modell für wen?/Farbe?/Sonstiges (Namensschild, Logo, ...)?

3 Wie ist die zeitliche Planung: Beginn?/Einzelne Schritte?/Dauer?

3 **Stellen Sie den Mitarbeitern von AWA das geplante Projekt vor.**

Ein geplantes Projekt vorstellen

- Wie Sie wissen, war schon lange ein Problem, dass ...
- Wir haben uns überlegt, wie wir das verbessern können.
- Wir brauchen/wollen/möchten ...
- Daher haben wir beschlossen/uns entschieden, ...

Ziele nennen und begründen

- Unser Ziel war es, ...
- Wichtig war uns außerdem, dass ...
- ..., damit .../um ... zu ...
- Wir haben uns dafür entschieden, weil ...
- Besonders interessant war außerdem für uns, dass ...

Alternativen abwägen

- Es gab auch andere Möglichkeiten. Erstens .../ Zweitens .../Drittens ...
- Diese Möglichkeiten hatten den Nachteil, dass ...
- Dem gegenüber hatte die gewählten Alternative den Vorteil, dass ...
- Auch Ihre Rückmeldungen haben uns darin bestätigt, uns für ... zu entscheiden.

Einzelheiten und zeitliche Planung erläutern

- Unsere Mitarbeiterbefragung ergab ein sehr einheitliches Bild. So wird also Ihre neue Arbeitskleidung aussehen: ...
- Ab dem ... werden wir unsere Pläne umsetzen.
- Die genaue Planung sieht folgendermaßen aus: Zuerst wird ... Dann ... Später ... Schließlich ...
- Das Leasing-System funktioniert dann so: ...

KAPITEL 6

Verwaltungsvorgänge

A **1** **Bilden Sie Komposita. Bitte notieren Sie auch den Artikel.
Wo gibt es ein -s- zwischen den beiden Teilen?**

1 Beurteilung
2 Personal
3 Arbeit
4 Gespräch
5 Abteilung

a) Vorbereitung *die Gesprächsvorbereitung* _____
b) Termin _____
c) Gespräch _____
d) Leitung _____
e) Skala _____
f) Zeugnis _____
g) Bogen _____
h) Abteilung _____
i) Tempo _____
j) Leiter _____
k) Menge _____

A **2** **Zu welchem Nomen passt das Adjektiv nicht?**

1 informativ: Schreiben – Personalleiter – Telefongespräch – Mitteilung
2 kompliziert: Stelle – Verwaltungsvorgang – Gespräch – Vorgesetztenwechsel
3 sorgfältig: Gesprächsvorbereitung – Arbeit – Gesprächstermin – Beurteilung
4 freundlich: Abteilungsleiter – Kollegin – Vorgesetzter – Beurteilungsbogen
5 gut: Arbeitszeugnis – Beurteilung – Stellenbezeichnung – Gruppenleiter
6 effizient: Besprechung – Zwischenzeugnis – Arbeit – Gesprächsvorbereitung
7 ausführlich: Vorgang – Information – Arbeitszeugnis – Beurteilungsgespräch

A4 **3** **Lesen Sie im Lehrbuch, S. 92, noch einmal die Texte 2 und 3.**

Was ist richtig: a), b) oder c)? Kreuzen Sie an und notieren Sie die Nummer des Textes.

Text

1 Herr Geier bekommt ein Zeugnis, weil ...
   a) er seine Firma verlässt.   *3*
   b) sein Vorgesetzter die Firma verlässt.
   ☒ sein Vorgesetzter eine neue Stelle übernimmt.

2 Der Chef von Herrn Geier war ...
   a) Gruppenleiter.   ___
   b) Abteilungsleiter.
   c) Personalleiter.

3 Herr Geier hat mit seinem Vorgesetzten ...
   a) ungern zusammengearbeitet.   ___
   b) wenig zusammengearbeitet.
   c) gern zusammengearbeitet.

4 Herr Geier soll ein Beurteilungsgespräch mit dem ...
   a) Abteilungsleiter führen.   ___
   b) alten Gruppenleiter führen.
   c) neuen Gruppenleiter führen.

5 Herr Geier bekommt den Beurteilungsbogen, damit er ihn ...
   a) kennen lernt.   ___
   b) ausfüllt.
   c) dem Vorgesetzten beim Gespräch gibt.

A **4** *wunschgemäß*

a) Erklären Sie die Bedeutung des Worts *wunschgemäß* in Text 2 im Lehrbuch, S. 92.

b) Ordnen Sie die Wörter mit -*gemäß* zur passenden Erklärung und notieren Sie auch das Nomen.

> wunschgemäß · erfahrungsgemäß · vorschriftsgemäß · sachgemäß · auftragsgemäß

1 *die Sache* → *sachgemäß* : so, dass es einer bestimmten Sache entspricht

2 _____ → _____ : wie gewünscht; wie es sich jemand gewünscht hat

3 _____ → _____ : nach Vorschrift, wie es den Vorschriften entspricht

4 _____ → _____ : entsprechend dem Auftrag

5 _____ → _____ : wie es der Erfahrung entspricht

c) In welchen Satz passt welches Adjektiv mit -*gemäß*? Schreiben Sie.

1 Bei _sachgemäßer_ Bedienung wäre das Gerät nicht beschädigt worden.

2 Wir senden Ihnen _____ eine neue Bedienungsanleitung zu.

3 Unsere Fahrer machen _____ nach viereinhalb Stunden eine Dreiviertelstunde Pause.

4 _____ senden wir Ihnen die Ware auf zwei Paletten zu je 200 kg.

5 Die Fahrt dauert _____ sieben bis acht Stunden.

A5 **5** **Verben mit Präpositionen. Ergänzen Sie.**

> gehören zu + D · es handelt sich um + A · einverstanden sein mit + D ·
> schicken an + A · danken für + A · informieren über + A ·
> sprechen mit + D · es geht um + A · bitten um + A

```
Sehr geehrter Herr Dr. Brönner,

bei dem beiliegenden Vorgang (1) handelt      es        sich
um       die Beurteilung von Herrn Grüner. Leider (2) _____
der Vorgang _____ den schwierigen Fällen. Deshalb müssen wir
ihn (3) _____ Sie, den Personalleiter, _____.
Herr Grüner (4) _____ _____ einigen Punkten in der
Beurteilung nicht _____. Dabei (5) _____ _____ vor
allem _____ die Punkte Arbeitsgüte und Arbeitsmenge.
Wir (6) _____ Sie _____ eine Stellungnahme. Bitte
entscheiden Sie, ob Sie (7) _____ dem Vorgesetzten von Herrn
Grüner, Herrn Schneider, und Herrn Grüner selbst _____
wollen. Wir haben beide schon (8) _____ diesen Brief an Sie
_____.

Wir würden uns freuen, wenn Sie uns innerhalb von drei Wochen eine
Rückmeldung geben könnten und (9) _____ Ihnen jetzt schon
_____ Ihre Unterstützung.


Mit freundlichen Grüßen

A. Helm
```

A5 **6** **Ordnen Sie die Nomen aus dem Beurteilungsbogen im Lehrbuch, S. 92, Text 5, den Erklärungen zu.**

1 Stellenbezeichnung
2 Arbeitsgüte
3 Vielseitige Einsetzbarkeit
4 Termineinhaltung
5 Beurteilungsskala
6 Berufliche Geschicklichkeit
7 Arbeitsmenge
8 Zeitaufwand für einwandfreie Arbeit
9 Verwendbarkeit der Arbeitsergebnisse
10 Sorgfältige Behandlung von Betriebsmitteln

a) Wie viel arbeitet die Mitarbeiterin?
b) Beschreibung der *Noten*, die man bei einer Beurteilung bekommen kann, in einer bestimmten Reihenfolge
c) Benutzt bzw. bedient der Mitarbeiter Geräte und Maschinen vorsichtig, damit sie lange halten?
d) Wie wird die Stelle, die ein Arbeitnehmer hat, genannt?
e) Kann das Unternehmen die Resultate der Arbeit gut verwenden?
f) Erledigt die Mitarbeiterin die Arbeit rechtzeitig und planmäßig?
g) Wie gut arbeitet der Mitarbeiter?
h) Setzt der Mitarbeiter seine Qualifikation schnell, sicher und gut ein?
i) Wie lange braucht der Mitarbeiter, um eine Arbeit gut zu erledigen?
j) Kann das Unternehmen die Mitarbeiterin für viele verschiedene Aufgaben einsetzen?

B **7** **Futur oder Passiv? Bilden Sie Sätze mit dem Hilfsverb *werden*.**

1 Beim Wechsel des Vorgesetzten / ausstellen / ein Zwischenzeugnis
2 Ihr Gruppenleiter, Herr Moosmann, / führen / mit Ihnen / ein Beurteilungsgespräch
3 Ein Beurteilungsbogen / ausfüllen / meistens / vom Vorgesetzten / im Gespräch mit dem Mitarbeiter
4 Nach dem Beurteilungsgespräch / erstellen / das Zwischenzeugnis / von der Personalabteilung
5 Ich / zuschicken / Ihnen / meine Stellungnahme / auf jeden Fall nächste Woche

Beim Wechsel des Vorgesetzten wird ein Zwischenzeugnis ausgestellt. (Passiv)

Das Personalwesen muss neu ausgerichtet werden

B **1** **Lesen Sie den Brief auf der nächsten Seite.**

a) Welche Antwort auf die folgenden Fragen ist richtig? Kreuzen Sie an: a), b) oder c).

1 An wen wendet sich dieser Brief?
a) An den Leiter der Personalabteilung.
b) An die Abteilungsleiter des Unternehmens. ☒
c) An den Betriebsratsvorsitzenden.

2 Wo wird dieser Brief im Lehrbuch, S. 94 und 95, erwähnt?
a) Auf Seite 95 in Aufgabe C 1.
b) Auf Seite 94 in Aufgabe B 3.
c) Auf Seite 94, auf dem Notizzettel unten.

3 Wann wurde die Einführung eines Zielsystems bei ZLE beschlossen?
a) Ende Januar.
b) Mitte Februar.
c) Ende Februar.

4 Welche Vorschläge zur Reform des Personalwesens enthält der Brief?
a) Zuerst soll ein neuer Beurteilungsbogen erstellt werden.
b) Zuerst soll das Beurteilungssystem geändert werden.
c) Die Projektgruppe soll Ziele für die Abteilungen ausarbeiten.

5 Warum soll eine Projektgruppe eingesetzt werden?
a) Weil so das gesamte Unternehmen an der Reform beteiligt ist.
b) Weil die Personalabteilung das nicht allein schafft.
c) Weil die Abteilungsleiter das so beschlossen haben.

6 Nimmt der Vorsitzende des Betriebsrats immer an den Sitzungen der Abteilungsleiter teil?
a) Nein.
b) Ja.
c) Das kann man dem Text nicht entnehmen.

7 Was für Mitarbeiter sollen in die Projektgruppe geschickt werden?
a) Abteilungsleiter.
b) Irgendwelche Mitarbeiter.
c) Gruppenleiter.

8 Wer schlägt die Teilnehmer der Projektgruppe vor?
a) Der Personalleiter.
b) Die Geschäftsführung.
c) Die Abteilungsleiter.

b) Notieren Sie den Terminplan.

1 Personalvorschläge an die Geschäftsführung: *Ende der 11. KW*

2 Beginn der Projektgruppenarbeit: _____

3 Zwischenbericht: _____

4 Abschlussbericht: _____

5 Präsentation der Ergebnisse: _____

ZLE GmbH Anlagenbau

Lindenstraße 92   81545 München
- Geschäftsführung -

An alle AL

An den Vorsitzenden des Betriebsrats
zur Kenntnis

Neuausrichtung des Personalwesens

21.02.06

Sehr geehrte Damen und Herren,

wie Sie alle wissen, ist unsere wirtschaftliche Situation im Augenblick
verhältnismäßig günstig. Trotzdem müssen wir uns mittelfristig auf erhöhte
Risiken einstellen und das Unternehmen für stärkere internationale Konkurrenz
fit machen. Erhöhte Flexibilität und weiter verbesserte Qualität sind die beiden
wichtigsten Punkte dafür. Deshalb haben wir auf unserer Strategietagung vor einer
Woche gemeinsam beschlossen, in unserem Unternehmen ein konsequentes Zielsystem
einzuführen. Während Sie in Ihren Abteilungen dabei sind, zunächst Ziele für
Ihre Abteilung und für jede Gruppe festzulegen, möchten wir gleichzeitig unser
Personalwesen entsprechend neu ausrichten.

Als ersten Schritt dazu können wir uns im Moment eine Änderung des Beurteilungssystems hinsichtlich seines Ablaufs und seiner Bestandteile (wie etwa des
Beurteilungsbogens) vorstellen. Zielvereinbarungen müssen darin eine viel
wichtigere Rolle spielen als bisher.

Wir halten die Reform des Personalwesens für außerordentlich wichtig. Deshalb
sollen ihre wesentlichen Elemente nicht nur innerhalb der Personalabteilung,
sondern unter Beteiligung aller Abteilungen erarbeitet werden. Wir setzen zu
diesem Zweck eine Projektgruppe (PG) ein, die in der 13. KW mit der Arbeit
beginnen und ihre Ergebnisse auf der regulären AL-Runde in der 18. KW präsentieren
soll. Ein schriftlicher Bericht wird von der PG vier Tage vor der Sitzung an die
Abteilungsleiter und den Vorsitzenden des Betriebsrats versandt. Dieser wird zu
diesem TOP auch zur AL-Runde in der 18. KW eingeladen.

Auf der AL-Runde in der 16. KW wird der Projektgruppenleiter einen mündlichen
Zwischenbericht abgeben.

Die Leitung der PG übernimmt der Leiter der Personalabteilung, Herr Schröder. Neben
einem weiteren Mitarbeiter der Personalabteilung nimmt aus jeder Abteilung ein/e
Gruppenleiter/in teil, den Sie vorschlagen. Falls Sie es in Ihrer Abteilung für
sinnvoll halten, dass nicht ein Gruppenleiter, sondern ein anderer Mitarbeiter an
der PG teilnimmt, können Sie einen entsprechenden begründeten Vorschlag machen. Die
Mitglieder der PG sollen ca. ein Drittel ihrer Arbeitszeit in die Arbeit der PG
einbringen.

Bitte übermitteln Sie uns Ihre Personalvorschläge bis zum Ende der 11. KW.

Mit freundlichen Grüßen

Kirchner   *Schröder*

Kirchner - Geschäftsführer   Schröder - Leiter Personalabteilung

2 Was erwarten Sie vom Beurteilungssystem einer Firma, bei der Sie arbeiten?

Schreiben Sie Sätze.

- Motivation
- Selbstständigkeit
- Potenziale
- Karriereplanung
- Bezahlung nach Leistung
- Weiterbildung
- Arbeitsatmosphäre
- Angst

- anbieten
- stärken
- sichern
- vermeiden
- besprechen
- ermöglichen
- ermitteln und entfalten
- pflegen

Die Motivation sollte gestärkt werden.

Die Selbstständigkeit sollte ...

3 Schreiben Sie, was der Personalleiter zu den Präsentationsvorlagen sagt.

ZLE GmbH Anlagenbau

Was wir wollen:

1 Stärkung der Motivation
2 Entfaltung der Potenziale der MA
3 Systematisierung der Weiterbildung
4 Verbesserung des Personaleinsatzes
5 Fokussierung der Zielvereinbarungen
6 Einbeziehung der persönlichen Ziele der MA
7 Ermittlung von Führungspotenzialen bei MA
8 Festlegung der individuellen Weiterbildung der MA
9 Änderung der Abläufe im Beurteilungssystem

Wir wollen die Motivation der Mitarbeiter stärken.
Wir wollen die Potenziale der Mitarbeiter ...

oder:

Die Motivation der Mitarbeiter muss gestärkt werden.
Die Potenziale der Mitarbeiter müssen ...

Die Zielvereinbarung

1 Wünsche, Vorsätze und Ziele

a) Was sind Wünsche, was sind Vorsätze und was sind Ziele? Ordnen Sie.

- hundert Jahre alt werden
- das Leben besser organisieren
- im Lotto gewinnen
- eine Gehaltserhöhung bekommen
- die Eltern jeden Monat einmal besuchen

- Abteilungsleiter werden
- Glück haben
- abnehmen
- MBA-Abschluss machen
- zu den Kollegen immer freundlich sein

- gesund bleiben
- regelmäßig Sport treiben
- Klavierunterricht beginnen
- ein Kind bekommen
- bis zum 1. Januar auf eine neue Stelle wechseln

Wünsche	Vorsätze	Ziele
hundert Jahre alt werden		

b) Schreiben Sie zu einigen Zielen, Vorsätzen und Wünschen Infinitiv- oder *dass*-Sätze.

Mein Vater hat sich gewünscht, dass er hundert Jahre alt wird.

Ich habe mir zum Ziel gesetzt, bis zum 1. Januar auf eine neue Stelle zu wechseln.

_____

2 Adjektive mit *-bar*

a) Ergänzen Sie.

Gute Ziele sind ... **Gute Ziele ...**

1 messbar. *können gemessen werden.*
2 terminierbar. _____
3 kontrollierbar. _____
4 realisierbar. _____
5 unverzichtbar. *Auf gute Ziele kann man ...*

b) Bilden Sie aus folgenden Verben Adjektive mit *-bar* und setzen Sie sie ein.

vermeiden · ~~reformieren~~ · motivieren · verändern · ermitteln · lösen

1 Manche Leute denken, das Beurteilungssystem ist nicht *reformierbar*.
2 Im Beurteilungssystem gibt es aber viele _____ Abläufe.
3 Vor allem durch sinnvolle Ziele sind Mitarbeiter _____.
4 Allerdings sind Führungspotenziale bei Mitarbeitern nicht leicht

   _____.

5 Durch gute Personalarbeit ist eine schlechte Arbeitsatmosphäre

   _____.

6 Man kann schnell Fortschritte erzielen, wenn man sich auf die leicht _____ Probleme konzentriert.

c) Schreiben Sie.

Wir diskutieren über die ... **Wir diskutieren darüber, ...**

1 Messbarkeit der Ziele. *ob die Ziele messbar sind.*

   ob die Ziele gemessen werden können.

2 Einsetzbarkeit des Mitarbeiters. *wie gut der Mitarbeiter einsetzbar ist.*

   wie gut ...

3 Erreichbarkeit der Ziele. *ob* _____

   _____

4 Verwendbarkeit der Arbeitsergebnisse. *wie gut ...*

   _____

5 Reformierbarkeit des Systems. *ob ...*

   _____

6 Lösbarkeit der Aufgaben. *ob ...*

   _____

7 Vermeidbarkeit der Fehler. *ob ...*

   _____

D ▸ **3 Der Ablauf eines Zielvereinbarungsprozesses**

Schreiben Sie mithilfe der folgenden Satzteile und Verben einen Text.

			Passiv
1 Die Vereinbarung von Zielen mit Mitarbeitern	ein Prozess mit mehreren Schritten sein		☐
2 Ein guter Zielvereinbarungs-prozess	folgender Ablauf:	haben	☐
3 Zunächst	das Mitarbeitergespräch	vorbereiten / müssen	☒
4 Sowohl ... als auch / der Vorgesetzte / der Mitarbeiter		sich vorbereiten / müssen	☐
indem	sie	überlegen	
welche Ziele	wichtig und realisierbar	sein	
5 Auch / persönliche Wünsche und Ziele / der Mitarbeiter		berücksichtigen / sollen	☒
6 Im Mitarbeitergespräch	Zielvereinbarungen / dann	treffen / und / aufschreiben	☒
7 Der nächste Schritt	die Umsetzung / die Ziele / dann	sein	☐
8 Nach einem halben oder ganzen Jahr	in einem Mitarbeitergespräch / die Zielerreichung / schließlich / gemeinsam	bewerten	☒
9 In diesem Gespräch	auch wieder neue Ziele	vereinbaren	☒

Die Vereinbarung von Zielen mit Mitarbeitern ist ein Prozess mit mehreren Schritten. Ein ...

Führung

B1 ▸ **1 Wer sagt das: Herr Bayer, Herr Bönzli oder Herr Hildebrand?**

Lesen Sie die Texte im Lehrbuch, S. 98, Aufgabe B1, und ordnen Sie zu.

1 Selbstständigkeit bei der Arbeit ist sehr wichtig.   *Bayer*

2 Ich möchte Brüggemann so wenig wie möglich sehen.   _____

3 In Wirklichkeit mag Brüggemann nicht, wenn man selbstständig entscheidet. Deshalb frage ich ihn vor einer Entscheidung immer.   _____

4 Ich bin ja noch nicht lange da, aber ich glaube, unser Chef ist ganz in Ordnung.   _____

5 Brüggemann hat eigentlich nicht viel Ahnung von meinem Projekt. Trotzdem meint er, dass er mir Tipps geben und Vorschläge machen muss.   _____

6 Man muss dem Chef einfach immer mal was vom eigenen Projekt erzählen. Dann ist er zufrieden.   _____

7 Obwohl ich meinen Chef immer an meinen Entscheidungen beteilige, scheint er in letzter Zeit mit mir unzufrieden zu sein.   _____

B ▸ **2 Welches Wort passt nicht? Markieren Sie.**

1 freundlich – (arrogant) – höflich
2 Vertrauen – Motivation – Kontrolle
3 sachorientiert – kompetent – qualifiziert
4 abweisend – interessiert – kalt
5 ständig – selten – häufig
6 Unterhaltung – Gehalt – Vergütung
7 Beurteilung – Bewertung – Beratung
8 Umsetzung – Vorbereitung – Realisierung
9 präzise – bedeutsam – eindeutig
10 Einmischung – Freiheit – Selbstständigkeit

3 Formulieren Sie Gegensätze.

1 Herr Brüggemann möchte selbstständige Mitarbeiter. Er mischt sich immer in alles ein.

→ obwohl: _Obwohl Herr Brüggemann selbstständige Mitarbeiter möchte, mischt er sich immer in alles ein._

2 Herr Brüggemann will nicht zu oft gefragt werden. Er will genaue und häufige Berichte.

→ trotzdem: _____

3 Herr Bönzli arbeitet sehr selbstständig. Er informiert seinen Chef ständig.

→ zwar – aber: _____

4 Herr Brüggemann sagt, er möchte sich gern um andere Aufgaben kümmern. Er verwendet viel Zeit dafür, seine Mitarbeiter zu befragen.

→ trotzdem: _____

5 Die Ziele waren realisierbar. Der Mitarbeiter war nicht einverstanden.

→ obwohl: _____

6 Zielvereinbarungen sind wichtig. Ich habe keine Zeit dafür.

→ zwar – aber: _____

7 Herr Hildebrand ist sehr qualifiziert. Sein Abteilungsleiter hat Probleme mit ihm.

→ obwohl: _____

D3 4 Wie kann im Unternehmen eine gute Zusammenarbeit erreicht werden?

Lesen Sie noch einmal den Text im Lehrbuch, S. 99, Aufgabe D2, und schreiben Sie mithilfe der Vorgaben einen Text zur Abbildung rechts.

Einleitung	berücksichtigt werden müssen	in einem Unternehmen / für eine gute Zusammenarbeit / vier Punkte
	charakterisieren können	was die Mitarbeiter dafür brauchen / man / mit den vier Verben „kennen", „können", „dürfen" und „wollen"
erstens: kennen	wichtig sein	dass die Mitarbeiter die strategische Ausrichtung des Unternehmens kennen / als Erstes
	wissen müssen	wie die Abteilungen zusammenarbeiten / und / sie
zweitens: können	wichtig sein	das Können des Mitarbeiters / zweitens
	brauchen	fachliche und soziale Kompetenz / er
	anbieten müssen	Weiterbildung / das Unternehmen / gegebenenfalls
drittens: dürfen	wichtig sein	was der Mitarbeiter darf / drittens
	brauchen	Entscheidungskompetenz / er
	entscheiden sollen	was für seine Aufgaben und Ziele wichtig ist / er
viertens: wollen	wollen müssen	auch / der Mitarbeiter / schließlich
	wichtig sein	dafür / sehr / die Punkte eins bis drei
	gefördert werden	durch Zielvereinbarungen und positives Feedback / seine Motivation / außerdem
Zusammenfassung	zusammenhängen	eng miteinander / alle vier Punkte
	führen zu	einer guten Zusammenarbeit im ganzen Unternehmen / ihr Zusammenspiel

Für eine gute Zusammenarbeit müssen in einem Unternehmen vier Punkte berücksichtigt
werden. Man kann mit den vier Verben „kennen", „können", ...

5 Kreuzworträtsel

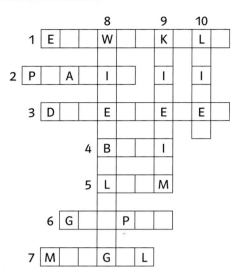

waagerecht:

1 Wir müssen die Fähigkeiten der Mitarbeiter ...!
2 Grundsätze sind in der ... nicht immer realisierbar.
3 Aufgaben an Mitarbeiter weitergeben
4 Material, aus dem man früher Stifte zum schreiben gemacht hat. Deshalb heißen diese Stifte heute noch ...-stifte.
5 Wenn es bei der Arbeit viel ... gibt, muss man einen Ohrenschutz tragen.
6 Mehrere Menschen, die zusammenarbeiten, bilden eine ... .
7 Es fehlt etwas. / Etwas ist nicht in Ordnung.

senkrecht:

8 Zusätzliche Ausbildung im eigenen Beruf
9 Kontrollierbarkeit ist ein wichtiges ... für ein Ziel.
10 Synonym zu „führen"

6 Entscheidung und Führung

Bilden Sie Komposita. Schreiben Sie sie zu den Erklärungen und Beispielen 1 bis 10.

- Entscheidungs-   -kraft   -vorbereitung   -potenzial   ~~-findung~~
- Führungs-   -freiheit   -grundsätze   -freude   -position
                     -kompetenzen   -mängel

1 In einem Prozess wird eine Entscheidung gesucht und gefunden.   → _Entscheidungsfindung_
2 Eine Entscheidung wird vorbereitet.   → _____
3 Man ist frei, etwas zu entscheiden.   → _____
4 Man darf Entscheidungen treffen.   → _____
5 Man trifft gern und schnell Entscheidungen.   → _____
6 Prinzipien, wie im Unternehmen Mitarbeiter geleitet werden.   → _____
7 Eine Person in einer Führungsposition.   → _____
8 Es gibt Probleme und Fehler in der Führung des Unternehmens.   → _____
9 Mögliche Fähigkeit eines Mitarbeiters, als Führungskraft zu arbeiten.   → _____
10 Eine Stelle als Leiter / in.   → _____

7 dass, ob, wie, um (... zu), obwohl – ergänzen Sie.

1 _Um_____ im Unternehmen eine gute Zusammenarbeit zwischen den Kollegen und mit anderen Abteilungen zu erreichen, müssen vier Punkte berücksichtigt werden.
2 Es ist selten, _____ alle Punkte realisiert werden.
3 _____ eine gute Zusammenarbeit im Unternehmen sehr wichtig ist, wird dafür meistens zu wenig getan.
4 Viele Führungskräfte wissen nicht, _____ sie das ändern sollen.
5 Es ist sogar die Frage, _____ sie das Problem überhaupt sehen.
6 _____ ein Problem lösen zu können, muss man es zunächst genauer untersuchen.
7 Es ist klar, _____ solche Untersuchungen Zeit und Geld kosten.
8 Die meisten Führungskräfte denken, _____ sie alles gut managen.
9 Sie fragen sich zum Beispiel nicht, _____ die Zusammenarbeit mit anderen Abteilungen gut ist.
10 _____ das herauszufinden, müsste man die Mitarbeiter fragen.
11 Das wird sehr selten gemacht, _____ es nicht schwierig ist.

Die Beurteilung

A3 **1** **Frau Pfundstein, Herr Bölli und Herr Rapp: Unterschiede und Vergleiche**

Mitarbeiter/in:	Herr Bölli	Frau Pfundstein	Herr Rapp
Kriterien:			III
a) Arbeitsgüte, Arbeitsmenge, Arbeitstempo	IV	II	IV
b) Selbstständigkeit, Verantwortungsbereitschaft	II	II	II
c) Kreativität, Innovationsbereitschaft	I	III	II
d) Sozialverhalten (im Team, gegenüber Kunden)	II	IV	

a) Verwenden Sie abwechselnd zwar … aber, aber oder dagegen. Die Beurteilungsskala im Lehrbuch, S. 100, Aufgabe A2, hilft Ihnen.

1 Herr Bölli: Arbeitsgüte – Kreativität

→ _Bei Herrn Bölli ist die Arbeitsgüte hervorragend. Dagegen ist seine Kreativität nur unterdurchschnittlich._

2 Frau Pfundstein: Arbeitsgüte – Sozialverhalten

→ _____

3 Frau Pfundstein: Selbstständigkeit bei der Arbeit – Innovationsbereitschaft

→ _____

4 Herr Rapp: Verantwortungsbereitschaft – Sozialverhalten im Team

→ _____

b) Vergleichen Sie die drei Personen miteinander. Verwenden Sie als, so … wie.

1 Herr Bölli/Frau Pfundstein/gut arbeiten

→ _Herr Bölli arbeitet besser als Frau Pfundstein._

2 Frau Pfundstein/Herr Bölli und Herr Rapp/sich sozial verhalten

→ _____

3 Herr Bölli/Frau Pfundstein/Verantwortungsbereitschaft zeigen

→ _____

4 Herr Rapp/Frau Pfundstein und Herr Bölli/selbstständig arbeiten

→ _____

5 Frau Pfundstein/beide Kollegen/kreativ sein

→ _____

B **2** **Beurteilungsmerkmale**

a) Wählen Sie die Kriterien aus, mit denen man die folgenden Aussagen bewerten kann. Vergleichen Sie dazu den Personalbeurteilungsbogen im Lehrbuch, S. 100, Aufgabe B1.

b) Sind die Aussagen positiv (+) oder negativ (-)?

Flexibilität · Wirtschaftlichkeit · Arbeitsergebnisse · Fachkompetenz · Kundenorientierung · Kreativität · Leistungsmotivation · Kooperation · Selbstständigkeit

Beurteilungsmerkmal: +/-

1 Herr Franzen arbeitet mit seinen Kollegen nicht sehr gut zusammen.   _Kooperation_ [-]

2 Frau Koen arbeitet sehr gut, ihre Arbeitsleistung ist hervorragend.   _____ [ ]

3 Herr Bauknecht bringt viele neue Ideen in die Teamarbeit ein.   _____ [ ]

4 Frau Dast ist oft nicht bereit, Kundenwünsche schnell zu erfüllen.   _____ [ ]

5 Herr Müller übernimmt jederzeit gern neue Aufgaben und arbeitet sich schnell ein.   _____ [ ]

6 Frau Kruse arbeitet häufig länger oder nimmt am Wochenende Arbeit mit nach Hause, wenn es nötig ist.   _____ [ ]

7 Herr Merkle achtet bei seinen Projekten zu wenig auf die Kosten.   _____ [ ]

8 Frau Salzer hat zwar eine gute Basisqualifikation, kennt sich aber in einigen wichtigen Spezialbereichen nicht sehr gut aus.   _____ [ ]

B2 **3** **Der Abteilungsleiter spricht über seine Beurteilung von Mitarbeitern.**

Ersetzen Sie *beurteilen* und *bewerten* abwechselnd durch *finden* oder *halten für*.

1 Güte, Menge und Tempo der Arbeit beurteile ich bei Herrn Bölli als hervorragend.
2 Verantwortungsbereitschaft sowie Sozialverhalten habe ich bei ihm als durchschnittlich bewertet.
3 Seine Innovationsbereitschaft und Kreativität beurteile ich dagegen nur als unterdurchschnittlich.
4 Bei Herrn Rapp habe ich keinen Punkt als unterdurchschnittlich bewertet.
5 Aber es gibt zwei Kriterien, die ich als gut bzw. hervorragend beurteile.
6 Den wichtigen Bereich der Arbeitsgüte bewerte ich bei Frau Pfundstein nur als durchschnittlich.
7 Dagegen habe ich ihre Teamfähigkeit als überdurchschnittlich beurteilt.

> *Güte, Menge und Tempo der Arbeit finde ich bei Herrn Bölli hervorragend.*
>
> *Seine Verantwortungsbereitschaft sowie ...*

4 **Vorgesetzter und Mitarbeiter**

a) Ordnen Sie den Dialog. Nummerieren Sie.

b) Wer sagt was: Vorgesetzter (V) oder Mitarbeiter (M)?

☐ M̲ Könnten wir uns nicht vielleicht auf eine Drei einigen? Das ist doch ein sehr zentraler Punkt.

☐☐ Kommen wir zum nächsten Punkt: *Fachkompetenz*. Also diese halte ich für überdurchschnittlich bei Ihnen. Schreiben wir hier eine Drei. Sind Sie einverstanden?

☐☐ Für mich stehen die Kunden natürlich im Mittelpunkt der Arbeit. Aber vielleicht habe ich mich in letzter Zeit zu viel um Neukunden gekümmert. Aber das ist doch auch sehr wichtig.

☐☐ Ja, sicher. Danke schön.

☐☐ Ja, natürlich. Ihre Erfolge bei der Akquisition von Neukunden sind auch wirklich sehr gut. Deshalb schreiben wir dann hier bei *Arbeitsergebnisse* eine Vier. Aber bei *Kundenorientierung* notiere ich eine Zwei.

☐☐ Zwei ist auch nicht schlecht! Das heißt, Sie machen alles, wie man soll. Und ich denke, wenn Sie sich noch ein wenig mehr um die Altkunden kümmern, können Sie das noch verbessern.

☐☐ Also gut, ich werde mich bemühen.

1̲☐ Hier beim nächsten Punkt, *Kundenorientierung*, beurteile ich Sie nicht ganz so positiv. Ich kenne ja einige Ihrer Kunden persönlich. Von ihnen höre ich zwar nichts Negatives, aber auch nicht viel Positives.

Zeit und Geld

A3 **1** **Kreuzworträtsel**

1 für Überstunden Freizeit nehmen = Überstunden ...
2 ein besonderer Tag, an dem nicht gearbeitet wird
3 die Zeit, in der gearbeitet wird
4 der Teil der gleitenden Arbeitszeit, der fest ist und an dem die Mitarbeiter unbedingt da sein müssen
5 Maß für Zeit, die zusätzlich zu der festgelegten Arbeitszeit gearbeitet wird
6 die Zeit des Jahres, in der man nicht arbeiten muss
7 auf Papier oder einem anderen Medium notieren
8 junger Mitarbeiter, der noch nicht fest angestellt ist und an einem betriebsinternen Einarbeitungsprogramm teilnimmt
9 Führungskraft für nur wenige Mitarbeiter
10 der Teil der Woche, der normalerweise arbeitsfrei ist

Senkrecht (markiert): F E I E R A B E N D

A3 **2 Setzen Sie die folgenden Verben an der richtigen Stelle in der passenden Form ein.**

> abfeiern · arbeiten · arbeiten · aufschreiben · auszahlen · betragen · bleiben · geben · geben ·
> gehen · gehen · gelten · haben · machen · nehmen

In meinem Betrieb (1) _gibt_ es keine Schichtarbeit. In der Verwaltung, in der ich (2) _____,

(3) _____ die tarifliche 38,5-Stunden-Woche. In Wirklichkeit (4) _____ wir

allerdings mehr. Die Überstunden können wir nur (5) _____, sie werden nicht

(6) _____. Wir dürfen auch nicht mehr als 30 Stunden pro Monat (7) _____. In der

Verwaltung (8) _____ wir Gleitzeit, die von 9 bis 15.30 Uhr (9) _____. Manchmal

(10) _____ ich abends bis 19 Uhr da, aber dann muss ich auf jeden Fall (11) _____,

weil es sonst Probleme mit der Versicherung (12) _____. Mein Urlaub (13) _____

28 Tage. Davon muss ich mindestens drei Wochen im August (14) _____, wenn mein Betrieb

Betriebsferien (15) _____.

C **3 Notieren Sie die Ländernamen.**

1 (CH) = _Schweiz_____   6 (FIN) = _____   11 (NL) = _____

2 (A) = _____   7 (GR) = _____   12 (PL) = _____

3 (DK) = _____   8 (H) = _____   13 (S) = _____

4 (E) = _____   9 (I) = _____   14 (SLO) = _____

5 (F) = _____   10 (IRL) = _____   15 (UK) = _____

C **4 Setzen Sie die richtigen Ländernamen ein.**

Verwenden Sie die Informationen aus der Tabelle im Lehrbuch, S. 102, Aufgabe C.

1 Bei der realen Arbeitszeit steht _Dänemark_____ an letzter Stelle.

2 Dagegen befindet sich bei der tariflichen Arbeitszeit _____ auf dem letzten Platz.

3 Die größte Differenz zwischen tariflicher und tatsächlicher Arbeitszeit gibt es in _____ .

4 Sehr groß ist der Unterschied auch in _____ und _____.

5 Dagegen ist diese Differenz in Ungarn und in der _____ relativ klein.

E **5 Fragen und Antworten zu Schaubild und Text im Lehrbuch, S. 103**

Ergänzen Sie die Fragen und vervollständigen Sie die Antworten.

1 ▶ _Wie viele_____ Personen verdienen in den
Beispielfamilien?
   ▶ Immer _eine._____
   _____

2 ▶ _____ Qualifikation hat der Verdiener in
den Beispielen?
   ▶ _____
   _____.

3 ▶ _____ steuerlichen Vorteil hat es,
wenn es in einer Familie nur einen Verdiener gibt?
   ▶ Die steuerliche Belastung _____
   _____.

4 ▶ _____ bedeutet es für die
Krankenversicherung?
   ▶ Der Partner ohne Einkommen und die
Kinder sind _____.

5 ▶ _____ sind die Abgaben am höchsten,
_____ am niedrigsten?
   ▶ Am höchsten sind sie für _____,
am niedrigsten sind sie für _____.

6 ▶ _____ Beziehung stehen Kinderzahl und
Höhe der Steuern zu einander?
   ▶ Mit der Zahl der Kinder _____
   _____.

7 ▶ Auf _____ Prozent reduzieren sich die
Abgaben bei einer Familie mit drei Kindern?
   ▶ Bei einer Familie mit drei Kindern _____
   _____.

Antrag

Melanie Wick
Mediengestaltung
Zentrale
Tel. 23-2558

Personalabteilung Zentrale
Herrn F. Müller
Im Haus

Kopie z. Ktn. an:
Herrn Thieme, Mediengestaltung

Antrag auf externe Fortbildung

31.07.2007

Sehr geehrter Herr Müller,

wie schon seit längerem geplant, werden wir ab dem 1. Oktober mit dem neuen Grafikprogramm Superdraw3x arbeiten. Leider konnte ich an der hausinternen Schulung in der KW 27 nicht teilnehmen, weil ich krank war.

Da hausintern keine weitere Schulung geplant ist, ich aber dringend eine Einweisung in das neue Grafikprogramm benötige, beantrage ich hiermit die Teilnahme an einem Trainingskurs außerhalb unseres internen Fortbildungsprogramms. Mein Gruppenleiter, Herr Thieme, unterstützt meinen Antrag und wird dazu noch getrennt schriftlich Stellung nehmen.

Es handelt sich um den Kurs „Einführung in Superdraw3x" bei SymaSoft GmbH in Karlsruhe. Der Kurs dauert drei Tage und kostet 1065,– €. Als Termin habe ich in Absprache mit Herrn Thieme die 39. Kalenderwoche vorgesehen. In dieser Zeit hat niemand in unserer Gruppe Urlaub, sodass mein Fehlen für drei Tage kein Problem wäre.

Weitere Informationen können Sie den Kopien aus dem Seminarkatalog von SymaSoft entnehmen, die ich diesem Schreiben beilege.

Nach meinen Informationen ist die Nachfrage nach diesen Kursen hoch. Deshalb wäre ich Ihnen für eine schnelle Entscheidung sehr dankbar. Dann hätte ich gute Chancen, an dem gewünschten Termin den Kurs besuchen zu können.

Für Ihre Mühe danke ich Ihnen im Voraus.

Mit freundlichen Grüßen

M. Wick

Anlagen: 2 Kopien aus dem Seminarkatalog von SymaSoft

← *Situation*
← *Begründung für Fortbildung*
← *Antrag*
← *Unterstützung des Vorgesetzten*
← *Informationen zu Fortbildung*
← *Begründung Zeitpunkt*
← *Hinweis auf Anlage*
← *Bitte um schnelle Entscheidung*
← *Dank*

1 **Lesen Sie den Brief oben. Überlegen Sie sich, an welcher Fortbildung Sie aus welchen Gründen teilnehmen möchten und schreiben Sie einen Antrag an Ihren Personalleiter. Die Redemittel unten helfen Ihnen.**

Situation	• Wie schon seit längerem geplant, werden wir ab … mit dem / der neuen … arbeiten. • Ab … werden wir den / die / das … einsetzen. • Wie Sie wissen, bin ich in die Abteilung … gewechselt / habe ich den Aufgabenbereich … übernommen.
Begründung für Fortbildung	• Leider konnte ich nicht an der hausinternen Fortbildung teilnehmen, weil … • Da ich den Aufgabenbereich … übernommen habe, benötige ich … • Wegen … benötige ich eine Zusatzqualifikation als …
Antrag	• … beantrage ich hiermit … • … bin ich an … interessiert. • … möchte ich …
Informationen zu Fortbildung	• Es handelt sich um … • Thema des Seminars / des Trainings / der Fortbildung ist …
Begründung Zeitpunkt	• Als Termin habe ich in Absprache mit … vorgesehen, weil … • Ab … setzen wir … ein / benötigen wir … Deshalb / Daher …
Hinweis auf Anlage	• Weitere Informationen können Sie den Kopien … entnehmen. • Zu Ihrer Information lege ich … bei.
Bitte um schnelle Entscheidung	• Nach meinen Informationen / Wie ich gehört habe, ist die Nachfrage nach … hoch. Deshalb / Daher … • Es gibt nur noch wenige Seminarplätze. Deshalb / Daher …

Präsentation I – Visualisierung

Die ZLE GmbH Anlagenbau möchte ihr Beurteilungssystem verbessern. Herr Schröder, der Personalleiter, plant eine Präsentation für Vorgesetzte und Mitarbeiter. Er ist überzeugt davon, dass die neuen Zielvereinbarungen sowohl der Firma als auch den Mitarbeitern Vorteile bringen, und hat sich zum Ziel gesetzt, auch die Mitarbeiter davon zu überzeugen.

Zu Beginn seiner Präsentation möchte Herr Schröder die Reform des Beurteilungssystems begründen. Erstens soll die Flexibilität und die Qualität verbessert und zweitens die Motivation der Mitarbeiter gestärkt werden. Dazu soll das neue Beurteilungssystem dabei helfen, dass die Mitarbeiter ihre Potenziale besser entfalten können und die Firma den Personaleinsatz verbessern kann. Gleichzeitig kann die Firma die Entwicklungsziele der Mitarbeiter einbinden und die Weiterbildung entsprechend der gemeinsamen Ziele systematisieren. Ein weiterer wichtiger Punkt ist, dass durch verbesserte Mitarbeitergespräche Klarheit über die Prioritäten bei Mitarbeitern und Vorgesetzten herrscht.

So visualisiert Herr Schröder diesen Präsentationsteil:

ZLE GmbH Anlagenbau

Gründe für die Reform des Beurteilungssystems

1. Verbesserung der Flexibilität und Qualität
2. Stärkung der Motivation der MA

Durch:
➢ Entfaltung der Potenziale der MA
➢ Verbesserung des Personaleinsatzes
➢ Einbindung der Entwicklungsziele der MA
➢ Systematisierung der Weiterbildung
➢ Klarheit über die Prioritäten bei Mitarbeitern und Vorgesetzten

1 **Lesen und markieren Sie. Visualisieren Sie die Präsentationsteile dann.**

1 Herr Schröder stellt das neue Beurteilungssystem vor. Zuerst sollte das Mitarbeitergespräch vorbereitet werden. Dafür gibt es ein Vorbereitungsformular für Mitarbeiter und Vorgesetzten.
Als nächster Schritt folgt das Mitarbeitergespräch. Es beginnt mit Rückblick und Beurteilung. Dann werden die im vergangenen Jahr festgelegten Ziele überprüft. Der Vorgesetzte ermittelt anschließend die Potenziale und Entwicklungsziele des Mitarbeiters. Nach einem Ausblick auf das kommende Jahr werden neue, klar formulierte Ziele und anschließend Weiterbildungsmaßnahmen festgelegt. In einem Protokoll werden die Vereinbarungen festgehalten. Die Ziele sollten regelmäßig überprüft und unter Umständen angepasst werden. Nach einem Jahr sollte das nächste Mitarbeitergespräch stattfinden.

ZLE GmbH Anlagenbau

Das neue Beurteilungssystem

1. Vorbereitung des Mitarbeitergesprächs
   → ...
2. ...

2 Herr Schröder erklärt, welche Kriterien ein brauchbares Ziel erfüllen sollte. Sehr wichtig ist natürlich, dass Vorgesetzter und Mitarbeiter das Ziel klar formulieren. Das Ziel sollte den Mitarbeiter außerdem herausfordern, er sollte es aber auch realisieren können. Vorgesetzter und Mitarbeiter sollten sich bei der Festsetzung des Ziels unbedingt an den Zielen der Abteilung und der Gruppe orientieren. Mit dem Ziel sollten Ergebnisse statt Handlungen und Aktivitäten betont werden. Selbstverständlich sollte man das Ziel messen und kontrollieren können. Nicht zuletzt sollten beide, Mitarbeiter und Vorgesetzter, das Ziel akzeptieren.

ZLE GmbH Anlagenbau

Ein brauchbares Ziel ...

• ist klar formuliert.
• fordert heraus, ist aber ...
• ...

2 **Vergleichen Sie mit Ihrem Partner und diskutieren Sie Ihre Ergebnisse.**

Name: _____

1 Lesen

Notieren Sie die Angaben aus dem Text unten zu den folgenden Stichpunkten.

1 Dauer der Tätigkeit in der Qualitätssicherung	*zwei Jahre*	
2 Maßnahmen in der Qualitätssicherung	a) _____	1
	b) _____	1
3 Mitarbeit beim Entwicklungsprojekt	_____	1
4 Zuständigkeit in der Entwicklungsabteilung	_____	1
5 Funktion in der Entwicklungsabteilung seit einem Jahr	_____	1
6 Zielvereinbarungen	a) _____	1
	b) _____	1
7 Welches Ziel erreicht?	_____	1
8 Welches Ziel nicht ganz erreicht?	_____	1
9 Gesamtbeurteilung der Tätigkeit	_____	1

☐ **10**

ZWISCHENZEUGNIS

Herr Klaus Schott, geboren am 07.03.1972, war zunächst zwei Jahre in unserer Qualitätssicherung tätig. Dort machte er wichtige Vorschläge zur Verbesserung der Qualitätsprüfungen. Er war dann mit hoher Kompetenz an der Neuausrichtung dieser Abteilung beteiligt. Das führte dazu, dass er immer häufiger auch Aufgaben innerhalb der Produktentwicklung übernahm. Ohne seine Unterstützung wäre die pünktliche Fertigstellung und der große Markterfolg des Multimix 232 nicht möglich gewesen. So verließ Herr Schott vor zwei Jahren die Qualitätssicherung und ist seitdem in der Entwicklungsabteilung für die Haushaltskleingeräte zuständig. Vor ca. einem Jahr übernahm er die Leitung dieses Aufgabenbereichs. Bei seiner Beförderung zum Unterabteilungsleiter haben wir folgende Zielvereinbarung getroffen: Termingerechter Abschluss der Entwicklungsarbeiten an dem Nachfolgemodell für den Multimix 232 im ersten Halbjahr seiner Tätigkeit. Darüber hinaus sollte ein Gesamtkonzept für ein zukunftsorientiertes Angebot unseres Haushaltsgerätesortiments entwickelt werden. In der Evaluierung haben wir zusammen festgestellt, dass Herr Schott die Entwicklung des neuen Multimix zuverlässig erreicht hat. Die weitere Vereinbarung konnte zum Teil erreicht werden. Die Gründe dafür liegen aber nicht in der Person von Herrn Schott. Seine Tätigkeit haben wir als gut bis sehr gut beurteilt.

---

2 Hören

Hören Sie den Text zu Lehrbuch, S. 100, Aufgabe B. Was ist richtig ⟦r⟧? Was ist falsch ⟦f⟧?

1 Bei der Kooperationsfähigkeit geht es um die Zusammenarbeit mit den Kunden. __	⟦f⟧	
2 Der Vorgesetzte spricht mir Frau Hörbiger über die Vergangenheit und Zukunft. __	☐	1
3 Frau Hörbiger arbeitet gut mit den Kunden zusammen. _____	☐	1
4 Der Vorgesetzte meint, dass Frau Hörbiger mehr Verantwortung übernehmen soll. __	☐	1
5 Frau Hörbiger spricht zu wenig mit den Kollegen. _____	☐	1
6 Frau Hörbigers Fachkenntnisse sind noch unterdurchschnittlich. _____	☐	1
7 Der Vorgesetzte findet Frau Hörbigers Pläne nicht realistisch. _____	☐	1
8 Frau Hörbiger will sich weniger um die Altkunden kümmern. _____	☐	1
9 Frau Hörbiger würde gern eine Fremdsprache lernen. _____	☐	1
10 Der Vorgesetzte ist mit Frau Hörbigers Arbeit zufrieden. _____	☐	1

☐ **9**

3 Schreiben

Schreiben Sie einen Brief. Benutzen Sie die Stichpunkte rechts.

Situation:

Die Officeline GmbH hat der Silva KG am 12. Oktober einen Konferenztisch und acht Stühle geliefert. Die Bezahlung der Lieferung war bis spätestens 26. Oktober fällig. Es ist aber keine Zahlung eingegangen. Mahnen Sie den Kunden. Schreiben Sie die Mitteilung an die Silva KG, Prager Str. 128, 99091 Erfurt.

Stichpunkte:

Gegenstand: Lieferung vom 12 Oktober d. J.

Hinweis auf Zahlungsfrist

Feststellung: Kein Zahlungseingang

Anliegen: Bitte um Stellungnahme
Zahlung bis spätestens zum 15.11. d. J.

5 x 2

☐ **10**

Name: _____

4 Grammatik

a) Was ist richtig? Kreuzen Sie an: a), b) oder c).

Die Personalabteilung hat untersucht, (1) _____ Maßnahmen für den Gesundheitsschutz wichtig sind. (2) _____, werden jetzt moderne Flachbildschirme angeschafft. Die Kosten sind hoch. (3) _____ hat sich die Geschäftsleitung dafür entschieden, (4) _____ die Mitarbeiter keine Probleme mit den Augen bekommen. Die Geräte sollen schon in der nächsten Woche (5) _____. Die Entscheidung wird (6) _____ unterstützt. (7) _____ die Arbeitsbedingungen auch vorher schon gut waren, freut sich die Belegschaft über die Verbesserung. Die Geschäftsführung plant, auch in der Fertigung die Arbeitssicherheit (8) _____.

1 ☒ a) welche	☐ b) was	☐ c) ob
2 ☐ a) Um die Augen zu schonen	☐ b) Die Augen schonen	☐ c) Die Augen zu schonen
3 ☐ a) Obwohl	☐ b) Trotzdem	☐ c) Aber
4 ☐ a) dafür	☐ b) dazu	☐ c) damit
5 ☐ a) werden aufgestellt	☐ b) aufzustellen	☐ c) aufgestellt werden
6 ☐ a) durch alle Mitarbeiter	☐ b) von allen Mitarbeitern	☐ c) bei allen Mitarbeitern
7 ☐ a) Obwohl	☐ b) Trotzdem	☐ c) Aber
8 ☐ a) verbessern	☐ b) zu verbessern	☐ c) um zu verbessern

1
1
1
1
1

1
1

☐ **7**

b) Schreiben Sie die passenden Verben in die Lücken. Benutzen Sie das Präteritum.

> bekommen · gehen · schreiben · können · schicken · leiten · studieren · bleiben

Monika Mahler (1) _studierte_ Informatik in München und (2) _____ eine Diplomarbeit über Datenverarbeitung in der Labortechnik. Ihre erste Stelle (3) _____ sie bei der Medisan AG in Offenbach. Dort (4) _____ sie zwei Jahre. Dann (5) _____ sie nach Spanien. Ihr Arbeitgeber (6) _____ sie in die Medisan-Niederlassung Madrid. Dort (7) _____ sie die EDV-Abteilung und (8) _____ so viele neue Erfahrungen machen.

1
1 + 1
1 + 1
1
1

☐ **7**

5 Wortschatz

Was ist richtig? Kreuzen Sie an: a), b) oder c).

Frau Michaelis hat (1) _____, sich ein neues Auto (2) _____. Die örtliche BMW-(3) _____ hat ihr ein günstiges (4) _____ gemacht. Deshalb hat sie einen Kaufvertrag über die Lieferung eines Neuwagens (5) _____. Damit (6) _____ sie sich, den vollen Kaufpreis bei der Lieferung zu (7) _____. Sie lässt den Wagen mit einem Radio und einer Klimaanlage (8) _____.

1 ☐ a) gedacht	☐ b) angefangen	☒ c) beschlossen
2 ☐ a) anzuschaffen	☐ b) zu holen	☐ c) zu verkaufen
3 ☐ a) Firma	☐ b) Niederlassung	☐ c) Abteilung
4 ☐ a) Auftrag	☐ b) Angebot	☐ c) Ziel
5 ☐ a) vereinbart	☐ b) bestätigt	☐ c) abgeschlossen
6 ☐ a) entscheidet	☐ b) plant	☐ c) verpflichtet
7 ☐ a) einziehen	☐ b) überweisen	☐ c) mahnen
8 ☐ a) ausstatten	☐ b) montieren	☐ c) ersetzen

1
1
1
1
1
1
1

☐ **7**

☐ **50**

KAPITEL 7

Die Vertriebskonferenz

A **1** **Im Badezimmer. Wie heißen die Gegenstände?**

der Badetuchhalter

A **2** **Ordnen Sie zu.**

1 Baumärkte — a) kaufen Privatkunden.
2 Im Einzelhandel b) kaufen Händler und Handwerksunternehmen ein.
3 Der Handwerker c) gehören Spezialgeschäfte mit einem bestimmten Sortiment.
4 Zum Fachhandel d) bieten Baumaterialien günstiger als der Fachhandel an.
5 Im Großhandel e) installiert Badezimmer, baut Duschkabinen ein usw.

B **3** **Von wann bis wann? Suchen Sie die Punkte in der Tagesordnung.**

1 Von _11.30_ bis _12.00_ Uhr wird diskutiert, wie man die Ziele
erreichen kann.
2 Von _____ bis _____ Uhr wird über die Vergangenheit
berichtet.
3 Von _____ bis _____ Uhr wird erklärt, was man erreichen
will.
4 Von _____ bis _____ Uhr präsentieren die Teilnehmer
ihre Ideen und Pläne.

Bäder ◆◆◆ Bauer Großhandels GmbH

Jahresvertriebskonferenz, 12.–14.12. Hotel Kornmühle, Konstanz
Teilnehmer: Mitarbeiter Zentraler Vertrieb, Vertrieb
Niederlassungen Süd, Ost und West

12.12.	bis 18.00	Anreise
	19.00	gemeinsames Abendessen
13.12.	9.00–10.00	Das letzte Jahr: Rückblick (Gunter Holzmann, Geschäftsführung) Kaffeepause
	10.30–11.30	Das kommende Jahr: Unsere Ziele (Ltg. ZV, Andrea Wiszniewski)
	11.30–12.00	Aussprache Mittagspause
	13.30–15.00	Umsetzung der Ziele (Gruppenarbeit) Kaffeepause
	15.30–18.00	Vortrag der Arbeitsgruppen-Ergebnisse
	19.00	gemeinsames Abendessen, gemütliches Beisammensein
14.12.		Abreise

C2 **4** ***steigen / wachsen, gleich bleiben, sich verringern.***
Ergänzen Sie die Sätze.

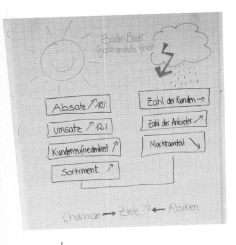

1 Der Absatz ist um _10 %_ gestiegen. _Das ist positiv._
2 Der Umsatz _____. _____
3 Die _____ gewachsen. _____
4 Das _____. _____
5 Die Zahl der _____. _____
6 Die _____. _____
7 Der Marktanteil _____. _____

5 Welches Verb passt? Kreuzen Sie an: a), b) oder c).

		a)	b)	c)
1	die Aktivitäten	a) verbreitern	b) erhöhen	☒ verstärken
2	das Unternehmensbild	a) vergrößern	b) modernisieren	c) verringern
3	das Sortiment	a) senken	b) erweitern	c) erhöhen
4	die Arbeitsatmosphäre	a) verbessern	b) verstärken	c) verlängern
5	den Absatz	a) verbreitern	b) erhöhen	c) verschönern
6	den Umsatz	a) modernisieren	b) verstärken	c) erhöhen
7	die Energiekosten	a) verbreitern	b) verstärken	c) verringern
8	die Marktanteile	a) verkürzen	b) aktualisieren	c) vergrößern
9	den Kundenkreis	a) fallen	b) erweitern	c) steigen
10	den Service	a) ausbauen	b) verschönern	c) stagnieren
11	das Produktprofil	a) verbessern	b) planen	c) sinken
12	die Produkte	a) verringern	b) modernisieren	c) erhöhen

6 Ich würde ... nehmen. Empfehlen und widersprechen Sie.

1 ▷ Wir haben hier zwei Geräte. Mit dem hier kann man mehr Programme empfangen. Aber das hier ist sehr praktisch. _Ich würde das praktische Gerät nehmen._

▷ _Ich würde lieber das Gerät nehmen, mit dem man mehr Programme empfangen kann._

2 ▷ Wir haben noch zwei Zimmer. In dem größeren Zimmer gibt es ein Bad. Das andere ist kleiner und billiger. _Ich würde das kleinere und billigere Zimmer nehmen._

▷ _Ich würde lieber ..._

3 ▷ Wir haben hier zwei Rechner. Zu dem hier wird das Betriebssystem und ein Scanner mitgeliefert. Aber der hier ist schneller. _Ich ..._

▷ _Ich ..._

4 ▷ Wir haben zwei gute Bewerberinnen. Über die eine haben wir viel Gutes gehört. Die andere ist noch sehr jung. _Ich ..._

▷ _Ich ..._

5 ▷ Wir haben zwei interessante Angebote bekommen. Bei dem einen gibt es ein komplettes Servicepaket. Aber das andere ist preisgünstiger. _Ich ..._

▷ _Ich ..._

6 ▷ Wir haben hier zwei Tastaturen. Für diese hier braucht man kein Kabel. Die andere ist weniger komfortabel, aber billiger. _Ich ..._

▷ _Ich ..._

7 ▷ Es gibt zwei Lösungen für Ihr Problem. Mit der einen Lösung sind die Kunden sehr zufrieden. Die andere Lösung ist aber einfacher. _Ich ..._

▷ _Ich ..._

7 Bilden Sie Sätze.

> an die wir uns wenden • ~~eine genaue Planung~~ • für den wir produzieren •
> modernisiert werden • verstärken

Wir wollen unser Sortiment erweitern.

1 Dafür brauchen wir _eine genaue Planung._

2 Wir müssen den Markt analysieren, _____.

3 Gleichzeitig muss die Fertigung _____.

4 Der Vertrieb muss seine Aktivitäten _____.

5 Das Marketing muss über die Zielgruppe, _____, Bescheid wissen.

Die Umsatzziele der Bäder Bauer GmbH

A **1** **Die Maßnahmen des Vertriebs**

a) ... in Stichworten: Nomen – Verb. Schreiben Sie.

1	Druck neuer Prospekte	*neue Prospekte drucken*
2	_____	Rabattaktionen durchführen
3	Verbesserung des Service	*den ...*
4	_____	das Sortiment erweitern
5	_____	neue Märkte erschließen
6	Beteiligung an Messen	*sich an ...*
7	Unterstützung des Handwerks	*das ...*
8	_____	mit dem Handel Kontakt aufnehmen

b) ... in der Diskussion. Schreiben oder sprechen Sie.

Beispiel 1:
➤ Ich schlage den Druck neuer Prospekte vor.
▶ Das halte ich auch für eine geeignete Maßnahme.
▷ Ich bin dagegen.

Beispiel 2:
➤ Ich schlage vor, neue Prospekte zu drucken.
▶ Ich bin für diesen Vorschlag.
▷ Ich halte diesen Vorschlag nicht für geeignet.

B **2** **Was wurde überschritten, eingehalten, unterschritten?**

Schreiben Sie und ordnen Sie zu.

1 Die Fahrzeit (geplant: 4'30" – tatsächlich: 4'15") ── wurde (um *15 Minuten*)
2 Der Umsatz (Ziel: 1,5 Mio. € – erzielt: 1,65 Mio. €)   wurde (um _____)   a) überschritten
3 Der Produktionsplan (Soll und Ist: 50 Stück/Stunde)   wurde (um _____)   b) eingehalten
4 Der Absatz (Ziel: 50 000 Stück – erreicht: 35 000 Stück) wurde (um _____)   c) unterschritten
5 Die Zahl der Kunden (Plan: 350 – erreicht: 374)   wurde (um _____)

B **3** **Zwei Drucker**

a) Unterschied (1) oder Übereinstimmung (2)? Kreuzen Sie an.

		HL-2070N	HL-2700CN	1	2
1	Preis	199,98 €	479,98 €	X	☐
2	Ausdruck	schwarz/weiß	farbig, schwarz/weiß	☐	☐
3	Auflösung	2400 x 600 dpi	2400 x 600 dpi	☐	☐
4	Druckgeschwindigkeit	20 Seiten/Min.	31 Seiten/Min.	☐	☐
5	Papiereinzug	250 Blatt	250 Blatt	☐	☐
6	Druckmodus	beidseitig	beidseitig	☐	☐
7	Gewicht	6,2 kg	30,5 kg	☐	☐

b) Beschreiben Sie die Unterschiede und Übereinstimmungen. Schreiben und sprechen Sie.

> *Die beiden Drucker unterscheiden sich im Preis. Der Preis für den HL-2070N beträgt*
> *199,98 €. Der Preis für den HL-2700CN beträgt 479,98 €.*
> *Die beiden Drucker unterscheiden sich im ... Der HL-2070N druckt nur schwarz/weiß, der ...*
> *Die beiden Drucker stimmen in der ... überein. Beide Drucker haben eine Auflösung von ...*

4 Schreiben Sie Antworten zu den Fragen wie im Beispiel.

1 ▷ Wer ist für die Konzentration auf den Fachhandel?

▷ *Ich bin dafür.*   ▷ *Dafür bin ich.*

2 ▷ Wer kümmert sich um die Einhaltung der Ziele?

▷ _____ ▷ _____

3 ▷ Wer wartet auf die verspätete Lieferung?

▷ _____ ▷ _____

4 ▷ Wer beschäftigt sich mit der Entwicklung des Marketingplans fürs nächste Jahr?

▷ _____ ▷ _____

5 ▷ Wer spricht sich gegen die neuen Umsatzziele aus?

▷ _____ ▷ _____

6 ▷ Wer arbeitet an der Tourenplanung für morgen?

▷ _____ ▷ _____

7 ▷ Wer fragt nach den Wünschen des Kunden?

▷ _____ ▷ _____

5 Verteilen Sie die Aufgaben.

To Dos:
1. die verspätete Lieferung annehmen (Müller)
2. das fehlende Material einkaufen (Helbig)
3. die Gäste vom Flughafen abholen / ins Hotel bringen (Körber)
4. die Teilnehmer für die Tagung am Dienstag einladen (Wolf)
5. Termin für den Test der neuen Anlage einhalten (Breuer)

1 Herr Müller, bitte sorgen Sie *dafür*_____, dass *die verspätete Lieferung angenommen wird.*_____

2 Frau Helbig, Sie sind _____ verantwortlich, dass _____ *wird.*

3 Herr Körber, kümmern Sie sich _____, dass _____.

4 Frau Wolf, Sie sind _____ zuständig, dass _____.

5 Frau Breuer, arbeiten Sie _____, dass _____.

6 Suchen Sie den passenden Gegensatz.

> Bestandskunden • G̶r̶o̶ß̶h̶a̶n̶d̶e̶l̶ • preiswert • Massenprodukt • nutzen •
> sinken • überschreiten • Unterschied • Fachhandel • verschlechtern • Weiterverkäufer • Zentrale

1 Einzelhandel   *Großhandel*   7 kostspielig _____

2 verbessern _____   8 Baumarkt _____

3 Qualitätsprodukt _____   9 Neukunden _____

4 steigen _____   10 Endverbraucher _____

5 Übereinstimmung _____   11 Niederlassung _____

6 unterschreiten _____   12 schaden _____

Dann brauchen wir aber ...

A **1** **Wozu brauchen wir das? Formulieren Sie Ziele und Ihren Bedarf zur Umsetzung.**

1 Wir möchten den Verkauf in den Baumärkten unterstützen. Dazu eignen sich Produktdisplays.

   Wir brauchen Produktdisplays, um den Verkauf in den Baumärkten zu unterstützen.

2 Wir möchten neue Kunden gewinnen. Dazu eignen sich Sonderangebote.

   Wir brauchen ...

3 Wir möchten unsere Produkte bekannter machen. Dazu eignen sich Prospekte und Werbespots.

   _____

4 *Wir möchten ...* _____ . *Dazu ...* _____

   Wir brauchen die Zusammenarbeit mit dem Einzelhandel, um neue Zielgruppen zu gewinnen.

5 *Wir möchten ...* _____ . *Dazu ...* _____

   Wir brauchen Infostände an verkaufsstarken Tagen, um unseren Kundenkreis zu erweitern.

6 *Wir möchten ...* _____ . *Dazu eignet sich ein flexibler Kundendienst.*

   Wir brauchen ... _____ , *um den Service zu verbessern.*

B **2** **Nomen + Adjektiv = Adjektiv. Bilden Sie Adjektive.**

entscheidungs- •
familien- •
hilfs- •
kosten- •
kunden- •
markt- •
punkt- •
umsatz- •
verkaufs- •
verkehrs-

1 ein *verkaufs* offener Sonntag
2 _____ starke Tage
3 eine _____ genaue Lieferung
4 eine _____ orientierte Planung
5 ein _____ freundliches Hotel
6 eine _____ günstige Herstellung
7 _____ freundliche Verkaufsräume
8 in _____ günstiger Lage
9 ein _____ bereiter Kollege
10 eine _____ freudige Führungskraft

B2 **3** **Telefonische Terminvereinbarung**

a) Christian und Rolf telefonieren miteinander. Ordnen Sie den Dialog. Nummerieren Sie.

b) Wer sagt das: Christian (C) oder Rolf (R)?

☐ ☐ *C* Dienstag passt mir gut. Also bis dann. Tschüss.
☐ ☐ Und was hältst du davon?
☐ ☐ Deshalb habe ich dich um einen Termin gebeten.
   Geht es nächste Woche?
☐ ☐ Wiederhören.
☐ ☐ Danke, gut.
☐1☐ Hallo Christian, hier ist Rolf. Wie geht's?
☐ ☐ Ich finde, dass wir darüber sprechen müssen.
☐ ☐ Einverstanden, nächste Woche, am besten gleich
   Montag oder Dienstag.
☐ ☐ Das freut mich, Christian. Ich habe deine Nachricht
   mit den Vorschlägen vom Außendienst bekommen.

c) Kreuzen Sie an: Christian und Rolf sind ...

• Verkäufer und Kunde
• gute Kollegen
• Mitarbeiter und Vorgesetzter

4 Wünsche und Vorschläge. Formulieren Sie wie im Beispiel.

1 eine Gewerbeausstellung besuchen
a) *Wir würden gern eine Gewerbeausstellung besuchen.*
b) *Könnten wir eine Gewerbeausstellung besuchen?*
c) *Wäre es möglich, eine Gewerbeausstellung zu besuchen?*

2 an einem Montageseminar teilnehmen
a) _____
b) _____
c) _____

3 die Baustellen zweimal täglich beliefern
a) _____
b) _____
c) _____

4 morgen unsere Planungen vortragen
a) _____
b) _____
c) _____

5 am Wochenende einen Tag der offenen Tür durchführen
a) _____
b) _____
c) _____

6 unsere Kunden zu einer Präsentation einladen
a) _____
b) _____
c) _____

5 Pläne, Projekte: Was – Wie – Womit – Warum

a) Ordnen Sie zu.

1 Ziel
2 Maßnahme
3 Mittel
4 Begründung

a) Durchführung einer Mailingaktion
b) kostengünstig und effizient
c) Erschließung neuer Zielgruppen
d) Umsatz erhöhen

5 Ziel
6 Maßnahme
7 Mittel
8 Begründung

e) Anstellung eines Wirtschaftsingenieurs
f) Kosten verringern
g) Produktion modernisieren
h) kann unsere Produktionsabläufe untersuchen und verbessern

9 Ziel
10 Maßnahme
11 Mittel
12 Begründung

i) preiswerte Produktlinien auf den osteuropäischen Mark bringen
j) Gründung von Vertriebsgesellschaften in Osteuropa
k) neue Absatzmärkte für unser Sortiment finden
l) Bedarf für Altbausanierung und Neubau steigt dort

b) Schreiben Sie oder tragen Sie vor.

Wir haben das Ziel, unseren Umsatz zu erhöhen. Um unseren ... zu erhöhen, müssten wir ... erschließen. Dazu würde sich die Durchführung einer ... eignen, weil sie ...

Wir haben das Ziel, ... Um ... zu ..., müssten wir ... Dazu würde sich ..., weil ...

_____

Der Weg zum Kunden

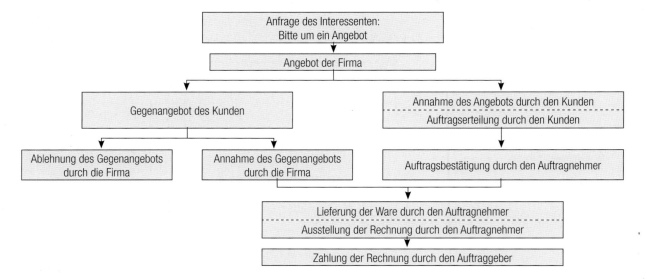

1 Von der Bestellung zur Lieferung

a) Beantworten Sie die Fragen mithilfe des Diagramms unten. Was geschieht, ...

1 ... als Erstes?

Als Erstes fragt der Interessent bei der Firma an und ...

2 ... danach?

Die Firma gibt ...

3 ... wenn der Kunde einverstanden ist?

Der Kunde ...

und ...

4 ... nach der Auftragserteilung?

...

5 ... wenn der Kunde das Angebot ablehnt?

Der Kunde macht ...

6 ... wenn die Firma das Gegenangebot annimmt?

Die Firma liefert ...

und ...

7 ... wenn der Auftragnehmer die Ware geliefert und die Rechnung ausgestellt hat?

...

```
Anfrage des Interessenten:
Bitte um ein Angebot
        ↓
Angebot der Firma
   ↓            ↓
Gegenangebot des Kunden          Annahme des Angebots durch den Kunden
                                 - - - - - - - - - - - - - - - - - - -
                                 Auftragserteilung durch den Kunden
   ↓                  ↓                        ↓
Ablehnung des      Annahme des        Auftragsbestätigung durch den Auftragnehmer
Gegenangebots      Gegenangebots
durch die Firma    durch die Firma
                          ↓
                   Lieferung der Ware durch den Auftragnehmer
                   - - - - - - - - - - - - - - - - - - - - - - -
                   Ausstellung der Rechnung durch den Auftragnehmer
                          ↓
                   Zahlung der Rechnung durch den Auftraggeber
```

b) Beschreiben Sie den Ablauf. Benutzen Sie *müssen* + Passiv.

Als Erstes fragt der Interessent bei der Firma an und bittet um ein Angebot. Danach muss von der Firma ein Angebot abgegeben werden. Wenn der Kunde einverstanden ist, muss das Angebot von ihm ... und der Auftrag ... Nach der Auftragserteilung muss vom ...

2 Welcher der Stichpunkte a) bis k) passt zu den Begriffen 1 bis 11? Ordnen Sie zu.

1	Liefermenge	a)	heute in zwei Wochen, am 15. März
2	Einzelpreis	b)	4 Jahre auf Material- und Herstellungsmängel
3	Rabatt	c)	12 Kartons à 6 Stück
4	Zahlungsweise	d)	14 Tage nach Eingang der Bestellung
5	Zahlungsziel	e)	frei Haus
6	Skonto	f)	Einweisung in Installation, Wartung und Reparatur
7	Zusatzleistungen	g)	€ 50,–/Stück
8	Garantie	h)	bei Bestellungen ab € 1500,–
9	Lieferzeit	i)	2% bei Zahlung innerhalb von zwei Wochen nach Rechnungsstellung
10	Liefertermin	j)	per Überweisung auf das genannte Konto
11	Frachtkosten	k)	90 Tage

B3 **3 Konjunktiv II**

a) Was würde passieren / wäre, wenn …? Reagieren Sie auf die Hinweise.

1 ▶ Der Warenwert liegt unter 500 Euro. Da berechnen wir Frachtkosten.

   ▶ *Sie würden also keine Frachtkosten berechnen, wenn der Warenwert über 500 Euro liegen würde?*

2 ▶ Die Bestellmenge ist nicht groß genug. Da geben wir keinen Rabatt.

   ▶ *Sie würden also …*

3 ▶ Die Druckerpatrone ist leer. Da funktioniert der Drucker nicht.

   ▶ _____

4 ▶ Sie halten die Sicherheitsbestimmungen nicht ein. Da passieren solche Unfälle.

   ▶ _____

5 ▶ Die Maschine arbeitet nicht genau. Da ist die Qualität der Werkstücke schlecht.

   ▶ _____

b) Was wäre passiert / gewesen, wenn …? Schreiben Sie Sätze wie im Beispiel.

1 Wir hatten einen Defekt in der Fertigung. Da haben wir verspätet geliefert.

   Wenn wir keinen Defekt in der Fertigung gehabt hätten, hätten wir pünktlich geliefert.

2 Sie haben weniger als 500 Stück bestellt. Da gewähren wir auch keinen Rabatt.

   Wenn sie …

3 Sie sind zu spät abgefahren. Da sind Sie natürlich auch verspätet angekommen.

   _____

4 Am Dienstag hatte ich einen dringenden Termin. Da habe ich nicht an der Konferenz teilgenommen.

   _____

5 Herr Bruns hat die vereinbarten Ziele nicht umgesetzt. Da hat er auch keine gute Beurteilung bekommen.

   _____

c) Einige unregelmäßige Verben (siehe Lehrbuch, S. 122): Wenn Sie das gern hätten, …

1 *gäbe* es das.   (geben)   3 _____ sich das machen.   (lassen)

2 _____ das möglich.   (sein)   4 _____ das.   (gehen)

D2 **4 Schreiben Sie zwei Angebote mithilfe der Textbausteine 1 und 2.**

Das Schreiben im Lehrbuch, S. 115, Aufgabe D, hilft Ihnen.

	Textbausteine 1	Textbausteine 2
Empfänger	Baumarkt Rutz, Einkauf, Postfach 1422, 56070 Koblenz	Baumarkt Rutz, Einkauf, Frau / Herr Schneider, Postfach 1422, 56070 Koblenz
Datum	… 20…	… 20…
Anrede	Sehr geehrte Damen und Herren,	Sehr geehrte … / Sehr geehrter …
Bezug	wir beziehen uns auf unser Gespräch am … und bieten Ihnen freibleibend an:	wir danken Ihnen für Ihre Anfrage vom … und bieten Ihnen an:
Gegenstand	150 Stück Hebelmischer Brasil, Einzelpreis € 45, Gesamtpreis € 6750	… Stück Badezimmerspiegel Kuba, Einzelpreis € …, Gesamtpreis € …
Zahlungs- und Liefer- bedingungen	Es gelten unsere Allgemeinen Geschäftsbedingungen.	Bei Bestellungen mit einem Warenwert bis zu € … zuzüglich € … Fracht / über € … liefern wir frei Haus. Zahlbar ohne Abzug spätestens 14 Tage nach Eingang der Rechnung. 2 % Skonto bei Zahlung bis …
Schlussformel	Wir danken Ihnen für Ihr Interesse an unseren Produkten.	Wir würden uns freuen, Ihren Auftrag zu erhalten.
Gruß	Mit freundlichen Grüßen	Mit freundlichen Grüßen

Bäder Bauer-Service: Das Montageseminar

A **1** **Arbeitsformen: was – wie**

a) Ordnen Sie zu.

1	Gruppenarbeit	a)	Alle tragen ihre Meinungen, Ideen und Vorschläge vor.
2	Partnerarbeit	b)	Eine Person spricht vor dem Plenum über ein Thema.
3	Brainstorming	c)	Man bewertet ein Thema, eine Problemlösung mit Punkten.
4	Vortrag, Referat	d)	Zwei oder mehr Personen übernehmen Rollen.
5	Punkteabfrage	e)	Zwei Teilnehmer arbeiten zusammen.
6	Kartenabfrage	f)	Mehrere Teilnehmer arbeiten zusammen an einem Thema.
7	Rollenspiel	g)	Man sammelt Ideen zu einem Projekt, einem Thema.
8	Plenumsdiskussion	h)	Man schreibt ein oder zwei Stichpunkte zu einem Thema auf eine Karte.

b) Schreiben Sie vier oder fünf Sätze mit *indem*.

Gruppenarbeit führt man durch, indem man mehrere Teilnehmer zusammenarbeiten lässt.
_____

B **2** **Das 30-jährige Dienstjubiläum vorbereiten. Welche Ergänzung ist richtig: a) oder b)?**

1 Die Personalabteilung ist dafür zuständig ...
    a) die Organisation des Programms.
    b) , das Programm zu organisieren.

2 Frau Schneider sorgt für ...
    a) den Druck der Einladungen.
    b) , dass das Programm gedruckt wird.

3 Das Sekretariat ist dafür verantwortlich ...
    a) , die Einladungen zur Feier zu verschicken.
    b) , die Einladungen zur Feier verschicken.

4 Das Betriebsrestaurant kümmert sich darum ...
    a) das kalte Büfett.
    b) , dass ein kaltes Büfett zur Verfügung steht.

5 Der Chef ist damit einverstanden ...
    a) , den Festvortrag zu halten.
    b) das Halten des Festvortrags.

6 Einige Mitarbeiter übernehmen ...
    a) die Gäste begrüßen.
    b) die Begrüßung der Gäste.

C2 **3** **Tagesordnung der Abteilungsleiterbesprechung**

a) *verschoben, vorgezogen, nicht umgestellt* – welche Änderungen gibt es?

TAGESORDNUNG (ALT)

TOP 1	Betriebsprüfung	9.00
TOP 2	Arbeitsschutz in der Montage	9.15
TOP 3	Bericht Außendienst	9.30
TOP 4	Marketingplan	9.45
TOP 5	Reklamationen/ Kundenzufriedenheit	10.00
TOP 6	neue Lager-EDV	10.15

TOP 1 _verschoben_
TOP 2 _____
TOP 3 _____
TOP 4 _____
TOP 5 _____
TOP 6 _____

TAGESORDNUNG (NEU)

TOP 1	neue Lager-EDV	9.00
TOP 2	Arbeitsschutz in der Montage	9.15
TOP 3	Marketingplan	9.30
TOP 4	Betriebsprüfung	9.45
TOP 5	Bericht Außendienst	10.00
TOP 6	Reklamationen/ Kundenzufriedenheit	10.15

b) Teilen Sie die Änderungen mit.

Der Tagesordnungspunkt Betriebsprüfung wird von 9.00 Uhr um 45 Minuten auf
9.45 Uhr verschoben. Der Tagesordnungspunkt ...
_____

4 Vertriebsplanung

a) In welcher Reihenfolge erfolgen die acht Schritte? Nummerieren Sie.

Als Erstes brauchen wir die Umsatzzahlen aus den regionalen Vertriebsabteilungen. Nachdem die Niederlassungen die Zahlen gemeldet haben, müssen wir die Zahlen überprüfen und bewerten. Vor der weiteren Planung müssen wir die Marktsituation mit den Niederlassungsleitern besprechen. Danach kann die Einladung zur zentralen Vertriebstagung erfolgen. Bevor dort die Umsatzziele für das nächste Jahr beschlossen werden, muss eine ausführliche Diskussion stattfinden. Vor der Mitteilung der beschlossenen Ziele an den Außendienst müssen die Niederlassungen die notwendigen Maßnahmen zur Umsetzung der Ziele planen.

- [ ] ausführliche Diskussion
- [ ] beschlossene Ziele dem Außendienst mitteilen
- [ ] Einladung zur zentralen Vertriebstagung
- [ ] Marktsituation mit den Niederlassungsleitern besprechen
- [1] Niederlassungen melden die Umsatzzahlen
- [ ] Planung der notwendigen Maßnahmen zur Umsetzung durch die Niederlassungen
- [ ] Überprüfung und Bewertung der Umsatzzahlen
- [ ] Umsatzziele fürs nächste Jahr beschließen

b) Schreiben Sie den Ablauf auf. Benutzen Sie *nachdem*.

Nachdem die Niederlassungen die Umsatzzahlen gemeldet haben, müssen wir die Umsatzzahlen überprüfen und bewerten. Nachdem wir die Umsatzzahlen überprüft und bewertet haben, müssen wir ... Nachdem wir die ...

c) Schreiben Sie den Ablauf auf. Benutzen Sie *bevor*.

Bevor wir die Umsatzzahlen überprüfen und bewerten, müssen die Niederlassungen die Umsatzzahlen melden. Bevor die Einladung zur ...

5 Kann man das gleichzeitig machen?

1 Telefonieren und Kaffee trinken?

  Ja, das geht. Während man telefoniert, kann man Kaffee trinken.

2 Einen Kunden bedienen und einen Brief schreiben?

  Nein, das geht nicht. Während man ...

3 Musik hören und Zeitung lesen?

4 An der Gruppenarbeit teilnehmen und einen Vortrag halten?

5 Dienstreise und an einer Besprechung im Büro teilnehmen?

  Nein, das geht nicht. Während einer Dienstreise kann man nicht ...

6 Telefongespräch und Gesprächsnotizen machen?

  Ja, das geht. ...

7 Abendessen mit dem Chef und die Post erledigen?

8 Besprechung und Besucher empfangen?

Ist bei Ihnen der Kunde König?

A▶ 1 Welche Kundentypen sind das? Welche Eigenschaften werden ausgedrückt?

entschieden · gesprächsbereit · preisbewusst · risikoscheu · spontan · unsicher

	Typ	Eigenschaft
1 Ich weiß nicht. Ich kann mich noch nicht entscheiden.	*1*	*unsicher*
2 Nein, nein, ich möchte das hier. Die anderen interessieren mich nicht.	____	_____
3 Super, die neuen Modelle! Ich nehme das hier zu 89 Euro – ach, und das hier auch, und dazu vielleicht ... warten Sie, ja, die Bluse hier auch noch!	____	_____
4 Das bekomme ich aber bei Bäder Bauer günstiger!	____	_____
5 Ich glaube, die Technik ist noch sehr unbekannt, und wenn das Gerät dann nicht funktioniert, bekomme ich keine Ersatzteile, oder?	____	_____
6 Mir gefällt dieser hier. Aber das scheint auch sehr praktisch zu sein. Was meinen Sie? Könnten Sie mich ein bisschen beraten?	____	_____

B▶ 2 Lesen Sie den Text *Verkaufsgespräch* im Lehrbuch, S. 118. Was macht man wann? Ordnen Sie zu.

1 Vor dem Gespräch ...
2 Am Anfang des Gesprächs ...
3 Während des Gesprächs ...
4 Am Ende des Gesprächs ...
5 Nach dem Gespräch ...

a) bespricht man Fragen und Einwände des Kunden.
b) dankt man für das Gespräch.
c) weckt man das Interesse des Kunden.
d) kommt es hoffentlich zu einem Geschäftsabschluss.
e) nennt der Kunde seine Wünsche und Vorstellungen.
f) sammelt man Informationen über den Kunden und seine Branche.
g) stellt man ein gutes Gesprächsklima her.
h) vereinbart man einen Gesprächstermin.
i) erledigt man zuverlässig und schnell die Vereinbarungen aus dem Gespräch.

B3▶ 3 Ergänzen Sie die Zusammenfassungen.

a) Der Mitarbeiter im Betrieb. Ergänzen Sie die Zusammenfassung.

die Mitarbeiter ... motivieren · nach einem bestimmten Zeitraum überprüft · so genannte Zielvereinbarungen · Ziele vereinbart

In Kapitel 6 ging es um (1) *so genannte Zielvereinbarungen* . Dabei kommt es darauf an,

(2) _____ zu _____ , indem man

(3) _____ und (4) _____ .

b) Die dritte Phase des Verkaufsgesprächs. Ergänzen Sie die Zusammenfassung. Der Text im Lehrbuch, S. 118, und Aufgabe B3, S. 119, helfen Ihnen.

Die dritte Phase des Verkaufsgesprächs ist die (1) *Phase der* _____

(2) _____ . In dieser Phase (3) _____ , dass der Kunde

Gelegenheit bekommt, seine (4) _____ und _____ zu

(5) _____ , indem der Verkäufer (6) _____ stellt und die

(7) _____ des Kunden kompetent zusammenfasst.

4 Relativpronomen: ..., der / die / das ... oder ..., was ...

1 Bildschirmarbeit führt zu Augenschäden, die man durch regelmäßige Pausen vermeiden kann.
Lange Arbeit am Bildschirm ist schädlich, was man durch regelmäßige Pausen vermeiden kann.

2 Stellen Sie ein Gesprächsklima her, _____ einen positiven Gesprächsabschluss erleichtert.
Zeigen Sie Interesse an den Fragen des Kunden, _____ positiv für das Gesprächsklima ist.

3 Stellen Sie dem Kunden Fragen, _____ Ihr Interesse an seinen Wünschen und Einwänden zeigen.
Wir zeigen Interesse und nehmen Einwände ernst, _____ beim Kunden immer Vertrauen schafft.

4 Herr Bayer trifft nicht gern Entscheidungen, _____ sein Vorgesetzter nicht gut findet.
Herr Bayer, _____ nicht gern Entscheidungen trifft, ist bei seinen Kollegen beliebt.

5 Sie haben die Arbeitsanzüge, _____ sie gereinigt haben, wieder nicht pünktlich geliefert.
Die sauberen Arbeitsanzüge sind wieder zu spät bei uns angekommen, _____ uns sehr ärgert.

5 Einwände vortragen und Gegenargumente nennen.

Produkt	Einwand	Wunsch	Gegenargument
1 Batterien	teurer als die Konkurrenz	günstige Preise	höchste Lebensdauer
2 Solaranlagen	sind erst kurz auf dem Markt	erprobte Technik	bieten modernste Technik
3 Hosenmodelle	kein besonderes Design	besonderes Design	klassisch elegant

1 ▷ Ihre Batterien *sind aber teurer als die Batterien der Konkurrenz.*

▷ Natürlich legen Sie Wert auf *günstige Preise*, aber *unsere Batterien haben die höchste Lebensdauer.*

▷ Da haben Sie ganz Recht, allerdings *haben unsere Batterien die höchste Lebensdauer.*

▷ Das stimmt vielleicht, nur bedenken Sie, dass *unsere Batterien die höchste Lebensdauer haben.*

2 ▷ Ihre Solaranlagen _____.

▷ Natürlich legen Sie Wert auf _____, aber _____.

▷ Da haben Sie ganz Recht, allerdings _____.

▷ Das stimmt vielleicht, nur bedenken Sie, dass _____.

3 ▷ Ihre Hosenmodelle _____.

▷ Natürlich legen Sie Wert auf _____, aber _____.

▷ Da haben Sie ganz Recht, allerdings _____.

▷ Das stimmt vielleicht, nur bedenken Sie, dass _____.

6 Marketing. Ordnen Sie die passenden Begriffe in die Tabelle ein.

Baumärkte · Prospekte · Lieferbedingungen ·
Großhandel · Preis · Fachhandel · Rabatt · Beteiligung an Ausstellungen ·
Tag der offenen Tür · Einzelhandel · Zahlungsweise · Zeitungsanzeigen · Handwerk ·
Displays · Zusatzleistungen

Vertriebswege	Kommunikation	Geschäftsabschluss
Baumärkte	*Prospekte*	*Lieferbedingungen*

Annahme/Ablehnung eines Angebots

BÜROTEK · Postfach 1060 · 45014 Essen

Büromarkt Mees
Poststraße 12
41465 Neuss

17.03.06

Sehr geehrte Damen und Herren,

wir danken Ihnen für Ihre Anfrage vom 13.03.06 und bieten Ihnen freibleibend an:

300 Pack Kopierpapier, Best.-Nr. G286
zum Einzelpreis von € 2,10
Gesamtpreis € 630,– zzgl. MWSt.

zahlbar ohne Abzug bis spätestens 14 Tage nach Rechnungseingang.
Bei Bestellungen ab € 500,– liefern wir frei Haus.

Wir würden uns freuen, Ihren Auftrag zu erhalten. Wir sichern Ihnen prompte und sorgfältige Lieferung zu.

Mit freundlichen Grüßen

Julia Möller
Vertriebsassistenz

1 Antworten Sie dem Büromarkt Mees.

Sie nehmen das Angebot an:

Bestellung

Sehr geehrte Frau _____,

wir danken Ihnen für Ihr Angebot vom _____.
Hiermit bestellen wir entsprechend Ihrem _____:
_____
_____

Wir erwarten Ihre Lieferung bis zum _____.

Mit freundlichen Grüßen

_____

Sie lehnen das Angebot ab:

Ihr Angebot vom _____

Sehr _____,

Wir danken Ihnen _____.
Allerdings müssen wir Ihnen leider mitteilen, dass wir zurzeit kein
Interesse an Ihrem _____ haben.

Wir bedauern, dass wir Ihnen keinen günstigeren Bescheid erteilen können.

Mit freundlichen Grüßen

_____

2 Nehmen Sie Angebote an oder lehnen Sie Angebote ab. Schreiben Sie.

Bezug	• Wir danken Ihnen für Ihr Angebot vom ... • Vielen Dank für Ihr Angebot vom ... • Wie beziehen uns auf Ihr Angebot vom ...
Bestellen	• Hiermit bestellen / buchen / reservieren wir entsprechend Ihrem Angebot ... • Gemäß Ihrem Angebot möchten wir ... • Bitte schicken / senden Sie uns ...
Angebot ablehnen	• Leider müssen wir Ihnen mitteilen, dass wir kein Interesse an Ihrem Angebot haben. • Leider müssen wir Ihnen mitteilen, dass wir uns für ein günstigeres Angebot / für einen Mitbewerber entschieden haben. • Leider müssen wir Ihnen mitteilen, dass die Entscheidung zurückgestellt wurde. Wir werden im Bedarfsfall aber wieder auf Sie zurückkommen.

Betreff	Bezug	Gegenstand
Buchung · Reservierung · Auftrag · ...	Das Gespräch vom ... · Ihr Angebot vom ... · Ihr Reisekatalog · ...	Doppelzimmer vom ... bis ... · Mietwagen vom ... bis ... · Gruppenfahrt nach ... am ... · Flug nach ... · Wartung des Fuhrparks · ... Plätze im Kurs ... · ...

Präsentation II – Die Produktpräsentation

OFFICELINE

Serie „Florenz"
Das flexible Büromöbelsystem

Computertisch

- zeitloses Design
- funktional und mobil
  - ➤ ausziehbare Tastaturplatte
  - ➤ höhenverstellbar
  - ➤ ausgestattet mit 4 Rollen
- moderne Farb- und Materialauswahl

OFFICELINE

Serie „Florenz"
Das flexible Büromöbelsystem

Bürodrehstuhl

- attraktives Design
- gesundes Sitzen
  - ➤ von Orthopäden entwickelt
  - ➤ angepasst an die natürliche Körperhaltung
- stufenlos verstellbar
- moderne Farb- und Materialauswahl

OFFICELINE

Serie „Florenz"
Das flexible Büromöbelsystem

Schreibtisch

- modernes Design
- viele Details für flexible Lösungen
  - ➤ Anbauten für Besprechungstische
  - ➤ Verbindungs- und Eckelemente
  - ➤ verschiedene Container
- Arbeitstisch auch höhenverstellbar erhältlich
- moderne Farb- und Materialauswahl

1 **Planen Sie die Präsentation der Serie Florenz.**

a) Denken Sie auch daran, die Zuhörer zu begrüßen, sich kurz vorzustellen und einen Überblick über die Präsentation zu geben. Die Redemittel auf S. 17 und S. 31 helfen Ihnen.

b) Die folgenden Redemittel und die Redemittel auf S. 31 helfen Ihnen bei der Präsentation der Produkte.

Allgemeines

- Mit der Serie / Mit dem Modell erweitern wir unser Sortiment um …
- Mit der Serie / Mit dem Modell … steht Ihnen ein … zur Verfügung.
- … ist unser neuestes / beliebtestes / meistverkauftes Modell.
- … haben wir gegenüber dem Vorgängermodell verbessert.
- Wir haben darauf geachtet, dass …

Leistung / Funktion

- … bietet höchsten Komfort / …
- … garantiert …
- … ist angepasst an …
- … sorgt für / ermöglicht …
- … ist hervorragend / sehr gut geeignet für …
- Dank seiner ist …
- … ist vielseitig einsetzbar.
- … erfüllt unterschiedlichste Anforderungen.

Ausstattung

- Es gibt …
- … besitzt / ist ausgestattet mit …
- Wenn Sie … brauchen, dann ist … besonders geeignet.
- … ist gefertigt aus …
- Als Material verwenden wir …
- Sie können zwischen … auswählen. / Sie haben … zur Auswahl.
- … ist (auch) in den Farben / Materialien … erhältlich.

Eigenschaften

- … ist …
- … kann man …
- … zeichnet sich durch … aus.
- … ist von bester Qualität / ein Qualitätsprodukt.
- … besticht durch … Design.
- Wir legen Wert auf …
- Äußerst wichtig ist uns, dass …

c) Denken Sie auch an das Ende der Präsentation. Die Redemittel auf S. 31 helfen Ihnen.

2 **Präsentieren Sie die Serie Florenz. Die anderen Kursteilnehmer geben Ihnen anschließend Rückmeldung.**

KAPITEL 8

Messeplätze

A **1** **Messen, Branchen und Produkte**

a) Welche Branche beteiligt sich an welcher Messe? Ordnen Sie zu.

Messe	Branchen
1 beautyworld	a) Stahlindustrie
2 Heim+Handwerk	b) Verkehrstechnik-Branche
3 Eisenbahn-Technologie	c) Möbelindustrie
4 Energie.Raum.Gebäude	d) Medizintechnik-Branche
5 MEDICA	e) Getränkeindustrie
6 Grüne Woche	f) Friseurfachhandel
7 spoga	g) Textilindustrie
8 Euro-BLECH	h) Maschinenbau
	i) Nahrungsmittelindustrie
	j) Pharmaindustrie
	k) Messtechnik-Branche
	l) Energietechnik-Branche
	m) Küchen-Branche
	n) Kosmetikindustrie
	o) Camping-Branche

b) Auf welchen Messen wird was ausgestellt? Sind Sie sicher oder vermuten Sie? Sprechen und /
oder schreiben Sie wie in den Beispielen. Verwenden Sie *werden wohl, vermutlich, wahrscheinlich,
bestimmt* und die Verben *ausstellen, vertreten sein, teilnehmen*.

> Feinblechstahl · Hängematten · Augentropfen · Stühle · Fahrscheinautomaten · Ziegenkäse ·
> Sporthosen · Motoren · Hautcremes · Orangensaft · Haarwaschmittel · Solaranlagen ·
> Küchengeräte · Röntgengeräte · Temperaturregler · Stahlwalzen

*Auf der beautyworld werden wohl Unternehmen der Kosmetikindustrie Produkte wie
Hautcremes ausstellen. An der Heim + Handwerk nehmen bestimmt Firmen der Möbel-
industrie mit Produkten wie ... teil.*

B2 **2** **Wo steht das im Text?**

Unterstreichen Sie im Text *Hier handelt die Welt* im Lehrbuch, S. 125, die Sätze oder Satzteile, die den
folgenden Formulierungen entsprechen. Notieren Sie den Abschnitt und die Zeilen.

1 Deutsche Messen liegen im internationalen Vergleich immer noch an
erster Stelle.   *Abschnitt 4, Zeile 6–10*

2 Deutschland ist schon lange ein wichtiger Handelsplatz, weil es in der
Mitte Europas liegt.   _____

3 Erst im 20. Jahrhundert entwickelten sich auch außerhalb Deutschlands
Messen.   _____

4 Im 13. Jahrhundert wurde die erste deutsche Stadt offiziell Messestadt.   _____

5 Der beste Ort für Produktpräsentation und Kontaktpflege sind Messen.   _____

6 Deutschland ist eins der Länder, die am meisten exportieren.   _____

B2 **3** **Definieren Sie verschiedene Messetypen.**

auf denen •	sich nicht nur Unternehmen aus einem bestimmten Gebiet beteiligen •
auf denen •	~~vor allem Unternehmen der Investitionsgüterindustrie teilnehmen~~ •
auf denen •	vor allem von Fachleuten besucht werden •
~~an denen~~ •	sich vor allem an Konsumenten wenden •
an denen •	die wichtigsten Hersteller der Welt ausstellen •
die •	viele ausländische Firmen vertreten sind •
die •	vor allem Konsumgüter ausgestellt werden •
mit der	vor allem Unternehmen eines bestimmten Gebiets angesprochen werden sollen

1 Messen, _an denen   vor allem Unternehmen der Investitionsgüterindustrie teilnehmen_____ ,
  nennt man Investitionsgütermessen.

2 Fachmessen sind Messen, _____ _____ .

3 Messen, _____ _____ ,
  gehören zu den Konsumgütermessen.

4 Weltleitmessen nennt man die Messen, _____ _____ .

5 Überregionale Messen sind Messen, _____ _____ .

6 Bei Messen, _____ _____ ,
  handelt es sich um Publikumsmessen.

7 Zu internationalen Messen, _____ _____ ,
  gehört zum Beispiel die Internationale Automobilausstellung.

8 Eine Messe, _____ _____ ,
  nennt man eine regionale Messe.

Messeziele

A3 **1** **Das Wiedersehen**

a) Ordnen Sie den Dialog. Nummerieren Sie.

Herr Lang

☐ Interessant. Was machen Sie denn?
☐ Vielleicht kommen Sie mal bei unserem Stand vorbei?
☐ Stimmt. Zwei Jahre sind eine lange Zeit. Wie geht es Ihnen inzwischen?
☐ Ich bin gerade auf dem Weg zurück. Möchten Sie nicht gleich mitkommen?
☐ Ja, klar. Unsere Geschäfte laufen jedes Jahr besser. Ich bin sehr zufrieden, abgesehen von der vielen Arbeit.
☐1 Ach guten Tag, Frau Klein! So eine Überraschung!
☐ Ach, dann sind Sie hier, um neue Kunden zu finden?

Frau Klein

☐ Ach, ich kann Ihnen sagen: Wenn man selbstständig ist, wird es noch schlimmer.
☐ Ach ja, das passt, ich habe noch eine halbe Stunde Zeit.
☐ Ja, natürlich auch. Aber vor allem betreue ich hier den Stand von einem Kunden. Und wie läuft es bei Ihnen? Sind Sie noch bei der Medisan AG?
☐2 Guten Tag, Herr Lang! Ich dachte schon, dass Sie hier sind. Vor zwei Jahren waren wir auch beide hier.
☐ Ich berate mittelständische Firmen bei ihrem Marketing.
☐ Gern! Wann kann ich Sie denn dort treffen?
☐ Gut. Bei mir ist viel passiert. Ich bin jetzt nicht mehr bei Bayer, sondern bin selbstständig.

b) Auf welcher Messe treffen sich Frau Klein und Herr Lang?

1	beautyworld	5	Heim+Handwerk
2	Grüne Woche	6	spoga
3	Medica	7	Euro-BLECH
4	Energie.Raum.Gebäude	8	Eisenbahn-Technologie

B **2 Nomen und Verben**

a) Formulieren Sie Sätze mit möglichen Zielen einer Messebeteiligung.

Unsere Ziele: **Wir haben vor:**

1 Pflege von Kundenkontakten   *Wir haben vor, Kundenkontakte zu pflegen.*

2 Präsentation von Prototypen   *Wir wollen ...*

3 Vorstellung von Neuheiten   *Wir möchten ...*

4 Präsentation unseres Unternehmens   *Wir haben das Ziel, ...*

5 Unterstützung unserer Öffentlichkeitsarbeit *Wir wollen ...*

6 Herstellung neuer Geschäftsverbindungen *Wir haben vor, ...*

7 Beobachtung des Marktes   *Wir planen, ...*

8 Ermittlung von Kundenwünschen   *Wir haben die Absicht, ...*

9 Vergleich der Produkte der Konkurrenz   *Wir möchten ...*

10 Entdeckung von Marktnischen   *Wir wollen ...*

11 Akquisition von Aufträgen   *Wir haben das Ziel, ...*

12 Steigerung des Absatzes   *Wir planen, ...*

b) Welches der jeweils ersten Nomen in 1 bis 12 ist maskulin?

_____

c) Welchen Artikel haben die Nomen mit den Endungen -*ung* und -*tion*?

☐ der   ☐ die   ☐ das

B2 **3 Vier Zielbereiche für Messebeteiligungen**

Erläutern Sie die Ziele einer Messebeteiligung für *Ihr* Unternehmen. Wählen Sie dafür aus dem Zielkatalog im Lehrbuch, S. 127, Aufgabe B2, aus jedem Zielbereich zwei Ziele aus, die Sie wichtig finden.

1. Allgemeine Beteiligungsziele: Mein Unternehmen beteiligt sich an Messen, um ...

_____

2. Produktziele: Wir stellen auf Messen aus, um ...

_____

3. Kommunikationsziele: Wir nehmen ... teil, ...

_____

4. Distributionsziele: ...

_____

4 Aus dem Handbuch *Erfolgreiche Messebeteiligung*

a) Welche Überschrift passt zu dem gesamten folgenden Text unten aus dem Handbuch?

- **Im Fokus: der persönliche Kontakt**
- **Beteiligungsziele und Messeauswahl**
- **Messeziel: Marktforschung**
- **Konsum- und Investitionsgütermessen**

b) Schreiben Sie die folgenden Zwischenüberschriften über die passenden Abschnitte.

- Erstes Ziel: das Geschäft
- Die Messbarkeit von Beteiligungszielen
- Erstes Ziel: die Geschäftsvorbereitung, die Beratung
- ~~Messen: eine Verbindung von vielen Möglichkeiten~~
- Welches Ziel soll welches Gewicht haben?

---

1 *Messen: eine Verbindung von vielen Möglichkeiten*

Die Multifunktionalität von Messen und Ausstellungen führt dazu, dass sich hier ein ganzes Bündel von Marketingzielen verwirklichen lässt. Für den Bereich Kommunikation etwa gilt: Auch wenn nur die Verkaufsanbahnung im Vordergrund steht, kann

5 gleichzeitig Öffentlichkeitsarbeit für das Unternehmen betrieben werden. Auch die Konkurrenzbeobachtung und das Kundengespräch im Sinne der Marktforschung bietet sich an. Wer neue Produkte vorstellt, kann die Messe auch zur allgemeinen Verkaufsförderung und Werbung nutzen. Die Bandbreite der Möglichkeiten ergibt sich aus der von keinem anderen Medium gebotenen Gelegenheit zum persönlichen Kontakt mit einer

10 großen Zahl von Interessenten. Die Festlegung der wichtigsten Messeziele beeinflusst daher die gesamte organisatorische Vorbereitung bis hin zur Abwicklung und Zielkontrolle einer Messebeteiligung.

2 _____

Die Gewichtung der einzelnen Beteiligungsziele hängt maßgeblich davon ab, an welcher

15 Messe man teilnehmen kann oder will. Zwei Beispiele können dies verdeutlichen:

3 _____

Auf Messen für Konsumgüter, z. B. Spielwaren, Mode, Sportartikel, steht das Ordern im Vordergrund. Zu den Besuchern dieser Veranstaltungen zählen hauptsächlich Abnehmer, die Waren bzw. Modelle für die nächste Saison bestellen wollen. Charakteristika

20 dieser Messen sind, dass die Produkte zu feststehenden Terminen gekauft werden und der Einkäufer in der Regel sofort entscheidet, ohne sich vorher mit seiner Firmenleitung abstimmen zu müssen.

4 _____

Eine vergleichsweise geringe Bedeutung nimmt dagegen der unmittelbare Absatz auf

25 internationalen Fachmessen für Investitionsgüter ein. Diese Güter sind relativ komplex und der Auftrag kommt oft erst nach langwierigen Verhandlungen zustande, da erhebliche technische Fragen gelöst werden müssen. Auch die Konditionen sind Mittelpunkt intensiver Verhandlungen. Mehrere Entscheidungsträger sind beim Kauf beteiligt. Die Verhandlungen fallen in die Zeit nach der Messe.

30 **5** _____

Von Funktion und Gegenstand der Messen hängt auch ab, wie leicht oder schwer die Erreichung von Messezielen gemessen werden kann. Ordermessen lassen quantifizierbare Ziele zu und erleichtern die Erfolgsmessung. Veranstaltungen, die stärker im Zeichen der Information und Beratung stehen, erschweren die Definition der Ziele in

35 Umsatzgrößen und damit die Messbarkeit von Erfolg oder Misserfolg. Dennoch lassen sich auch hier Kriterien für die Zielerreichung angeben.

c) Aussagen zum Text auf S. 111. Was ist richtig [r]? Was ist falsch [f]?
   Notieren Sie auch die Zeile, wenn Sie eine passende Textstelle finden.

Zeile

1 Messen haben viele Funktionen. _____ [r] 1

2 Auf Messen ist am wichtigsten, möglichst viel zu verkaufen. _____ ☐ ___

3 Ein Unternehmen hat auf einer Messe vielleicht das Hauptziel Verkaufsförderung.
   Aber gleichzeitig kann es auch die Konkurrenz beobachten und den Markt
   analysieren. _____ ☐ ___

4 Am besten eignen sich Messen für allgemeine Werbung. _____ ☐ ___

5 Mehr als alle anderen Marketinginstrumente ermöglichen Messen persönliche
   Kontakte zu sehr vielen interessierten Personen. _____ ☐ ___

6 Der Text liefert zwei Beispiele für Messen, auf denen vor allem verkauft wird. ___ ☐ ___

7 Auf Konsumgütermessen sind nur wenige Besucher, die Ware bestellen. _____ ☐ ___

8 Einkäufer von Konsumgütern müssen sich auf der Messe mit der Firmenleitung
   abstimmen. _____ ☐ ___

9 Investitionsgüter werden selten direkt auf einer Messe bestellt. _____ ☐ ___

10 Investitionsgüter werden von einem einzelnen Einkäufer bestellt. _____ ☐ ___

11 Konsumgütermessen sind attraktiver als Investitionsgütermessen. _____ ☐ ___

12 Bei Konsumgütermessen kann die Erreichung von Messezielen relativ leicht
   gemessen werden. _____ ☐ ___

13 Bei Messezielen wie Information und Beratung können auch Erfolg oder Misserfolg
   gemessen werden. Allerdings ist das nicht sehr einfach. _____ ☐ ___

Ich sehe, Sie interessieren sich für ...

A▶ 1 Was passt zusammen?

1 Kann ich Ihnen helfen?
2 Darf ich Ihnen unseren
  Katalog mitgeben?
3 Guten Tag, ich sehe, Sie
  interessieren sich
  für unsere neue
  Hautcreme.
4 Hätten Sie einen
  Moment Zeit?
5 Möchten Sie
  vielleicht zu einer
  Produktvorführung
  kommen?
6 Ich wollte mir mal diese
  Stand-Hängematte
  genauer ansehen.
7 Darf ich fragen, wofür
  Sie sich besonders
  interessieren?
8 Guten Tag, mein Name
  ist Müller. Ich vertrete
  die Firma Bacher.
  Könnten Sie mir ein
  paar Auskünfte geben?

a) Sicher. Was kann ich für Sie tun?
b) Danke, ich möchte mich nur ein wenig
   umsehen.
c) Gern. Sind Sie an einem bestimmten Modell
   interessiert?
d) Ja, sehr gern. Wann gibt es eine?
e) Mich interessiert dieses Modell hier sehr.
   Ist das neu?
f) Danke, aber ich nehme ihn dann nach der
   Präsentation mit.
g) Ja. Könnten Sie mir zu dieser etwas sagen?
h) Ich kann Ihnen dazu gern etwas sagen. Aber
   Sie können in einer halben Stunde auch eine
   Produktpräsentation sehen.

A▶ 2 Interesse

a) *für, an* oder ohne Präposition. Ergänzen Sie.

1 interessieren _____   3 interessiert sein _____   5 Interesse wecken _____

2 sich interessieren _____   4 interessant sein _____   6 Interesse haben _____

b) Ergänzen Sie die Lücken, wenn nötig.

1 ———— unser— neu _er_ Fahrscheinautomat— interessierte den Besucher aus Spanien am meisten.

2 _____ Ihr___ neu___ Fahrscheinautomat___ ist sehr interessant.

3 Ich interessiere _____ _____ d___ neu___ Fahrscheinautomat___.

4 Ich bin _____ Ihr___ neu___ Fahrscheinautomat___ interessiert.

5 Ich habe Interesse _____ d___ neu___ Fahrscheinautomat___.

6 Wir möchten auf der Messe das Interesse der Besucher _____ unser___ neu___ Fahrscheinautomat___ wecken.

A **3** **Bilden Sie Komposita und schreiben Sie sie zu dem passenden Satz oder der passenden Erklärung.**

Handel   Innovation   ~~Masse~~   Entwicklung   Sortiment — Produkt — Vorführung   Qualität   ~~Einführung~~   Unterlagen   Planung

1 _die Produkteinführung_ : Mit welchen Maßnahmen können wir unser neues Produkt auf den Markt bringen?

2 _das Massenprodukt_ : ein Produkt, das in sehr großen Massen hergestellt wird

3 _____ : Präsentation eines Produkts auf einer speziellen Veranstaltung

4 _____ : ein Produkt, das man verkauft

5 _____ : ein qualitativ sehr gutes Produkt

6 _____ : Erneuerung bzw. sehr weit gehende Verbesserung eines Produkts

7 _____ : alle Produkte, die ein Unternehmen produziert

8 _____ : Beschreibungen, Informationen, Bilder usw. zu einem bestimmten Produkt

9 _____ : Wir müssen neue Produkte entwickeln, um gegen die Konkurrenz eine Chance zu haben.

10 _____ : Wir müssen überlegen und festlegen, welche Produkte wir in den nächsten Jahren auf den Markt bringen wollen.

B1 **4** **Schreiben Sie Dialoge.**

a) Ergänzen Sie den Dialog zwischen dem Kunden und der Standmitarbeiterin. Die Dialogskizze im Lehrbuch, S. 129, Aufgabe B, hilft Ihnen.

▷ Guten Tag. Könnten Sie _mir_ ein paar _Auskünfte_ geben?

▶ Ja, gern. _____ interessieren Sie _____?

▷ Ich vertrete _____. Ich möchte _____ die _____ genauer ansehen.

▶ Wir präsentieren hier den _____ eines neuen _____. _____ interessieren sich schon _____.

▷ Könnten Sie _____ etwas _____ dieses neue Modell _____? Oder haben Sie vielleicht noch _____?

▶ Nein, leider nicht mehr. Möchten Sie _____ sprechen?

▷ Ja, _____.

▶ Moment, ich _____.

b) Dialogskizze: Wie ist die richtige Reihenfolge? Nummerieren Sie die Stichwörter.
   Der zweite Dialog in Aufgabe A, Lehrbuch S. 128, kann Ihnen helfen.

Standmitarbeiter

☐ natürlich – bis später!
☐ vielleicht zu Präsentation – Produkte der Holiday-Serie?
☐ aus Holiday-Serie – gut verkaufen dieses Jahr – komfortabel + leicht aufbauen
1 ich sehe – interessieren – Stand-Hängematten
☐ Katalog?
☐ zweimal täglich – heute 11.00 oder 15.00 Uhr

Kunde

☐ bei Präsentation mitnehmen
☐ nicht schlecht
2 ja – zu dieser Hängematte etwas sagen?
☐ wann?
☐ komme – wir: Sortiment erweitern – dieses Modell interessant

c) Schreiben Sie den Dialog zu Aufgabe b).

Guten Tag. Ich sehe, ...

> **5** **Verabschiedungen. Was passt? Ordnen Sie zu.**

Standmitarbeiter

1 Heute um 15 Uhr hätten wir eine Präsentation.
2 Außerdem würden Sie noch 5 % Rabatt erhalten.
3 Auf Wiedersehen und vielen Dank für Ihr Interesse.
4 Gut, dann verbleiben wir so, morgen um 11 Uhr.
5 Schönen Dank für Ihren Besuch.
6 Kann ich Ihnen noch einen Katalog mitgeben?
7 Ich würde mich freuen, wieder von Ihnen zu hören. Und vielen Dank für Ihren Besuch.

Kunde

a) Abgemacht, dann bis morgen um 11 Uhr.
b) Vielen Dank, dass Sie sich so viel Zeit genommen haben. Ich melde mich dann wieder bei Ihnen.
c) Tut mir leid, aber da habe ich schon einen Termin.
d) Es hat mich gefreut, Sie kennen zu lernen.
e) Vielen Dank, aber könnten Sie ihn mir zusenden? Hier ist meine Karte.
f) Auf Wiedersehen und weiterhin viel Erfolg auf der Messe.
g) Ein interessantes Angebot. Ich muss aber noch mit unserem Einkauf Rücksprache halten.

Können Sie mir zu diesem Produkt etwas sagen?

> **1** **Wie heißen die Fragen nach den fett gedruckten Satzteilen? Schreiben Sie.**

1 ▷ *Für welche Jahreszeiten ist dieser Schlafsack geeignet?* ▷ Der Schlafsack IDAHO ist **für alle drei Jahreszeiten außer für den Winter** geeignet.

2 ▷ _____ ▷ Er zeichnet sich vor allem **durch sein geringes Gewicht** aus.

3 ▷ _____ ▷ Er ist besonders **für's Trekking – auch im Hochgebirge –** geeignet.

4 ▷ _____ ▷ **Sein wasser- und winddichtes Außenmaterial** schützt vor Feuchtigkeit und Wind.

5 ▷ _____ ▷ Innen ist er **aus Softnylon** gefertigt.

6 ▷ _____ ▷ Die Füllung besteht **aus einer hochwertigen Kunstfaser.**

7 ▷ _____ ▷ Er passt **bis zu einer Körpergröße von 185 cm.**

8 ▷ _____ ▷ Er wiegt nur **1,3 kg.**

9 ▷ _____ ▷ Er ist nur **in der Farbkombination orange/grau** erhältlich.

10 ▷ _____ ▷ Seine Packmaße sind **20 mal 40 cm.**

11 ▷ _____ ▷ Als Zubehör gibt es **einen Packsack.**

12 ▷ _____ ▷ Der empfohlene Verkaufspreis ist **149 Euro.**

B **2** **Antworten Sie abwechselnd mit *schon* oder *morgen* wie in den Beispielen.**

1 ▷ Ist die Rechnung schon bezahlt?   ▷ *Die bezahlen wir morgen.*

2 ▷ Sie müssen die Überweisungen unterschreiben!   ▷ *Die sind schon unterschrieben.*

3 ▷ Ist der Vertrag schon unterschrieben?   ▷ _____

4 ▷ Das Schreiben muss dringend abgeschickt werden!   ▷ _____

5 ▷ Ist denn das Zwischenzeugnis schon ausgestellt?   ▷ _____

6 ▷ Sie müssen unbedingt den Termin abstimmen.   ▷ _____

7 ▷ Ist das Modell für die Messe schon eingepackt?   ▷ _____

8 ▷ Die restlichen Prospekte können verteilt werden.   ▷ _____

9 ▷ Sind die Unterlagen bereitgelegt?   ▷ _____

10 ▷ Du musst sofort ein Konto einrichten!   ▷ _____

C **3** **Doppelkonjunktionen**

Schreiben Sie die Sätze mit *entweder … oder, zwar … aber, sowohl … als auch, weder … noch*.

1 **Keins:**	Ich bin nicht für das Modell IDAHO / nicht für das Modell BANFF. *Ich bin weder für das Modell IDAHO noch für das Modell BANFF.*
2 **Beides:**	Der Schlafsack ist sehr leicht / sehr klein, wenn er zusammengelegt ist.
3 **Das eine oder das andere:**	Kommen Sie zur Präsentation / sprechen Sie mit unserem Ingenieur.
4 **Einschränkung:**	(Ja, wir produzieren nur Käse.) Das reduziert unsere Produktpalette / dafür liefern wir beste Qualität.
5 **Das eine oder das andere:**	(Eine Produktvorführung?) Sie können um 15 Uhr / um 16 Uhr kommen.
6 **Keins:**	Ich schreibe dir keine E-Mail / ich rufe dich nicht an.
7 **Einschränkung:**	(Käse und Butter?) Wir produzieren Käse / keine Butter.
8 **Beides:**	Wir verkaufen Hängematten / Luftmatratzen.

C **4** **Schreiben Sie eine E-Mail.**

Nachdem Herr Eisenlohr den zuständigen Kollegen seiner Firma, Herrn Schmückle, telefonisch nicht erreichen konnte, schreibt er am Abend eine E-Mail an ihn. Orientieren Sie sich am Notizzettel im Lehrbuch, S. 131, Aufgabe C. Verwenden Sie *sowohl … als auch, entweder … oder, weder … noch* und *zwar … aber*.

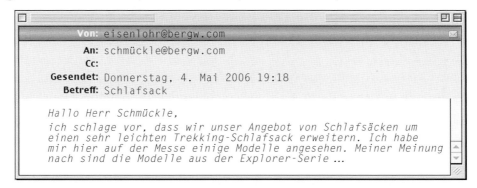

D3> **5** **Der Fahrscheinautomat CK 230**

a) Lesen Sie den Lückentext unten und setzen Sie die vier Überschriften zu den vier Abschnitten ein.

> **Ausstattung** · **Multifunktionalität** · <u>Eigenschaften</u> · **Leistung**

b) Schreiben Sie die fehlenden Wörter in die Lücken.

> Umsatzvolumen · Bedienung · Bildschirm · gesteuert · Bezahlfunktionen · Zahlungsmittel · <u>präsentieren</u> · stationär und mobil · kostengünstiger · Zeitkarten · warten

Ich möchte Ihnen jetzt unseren Fahrkarten-
automaten CK 230 (1) _präsentieren_ .

Eigenschaften

Der CK 230 erfüllt die unterschiedlichsten
Anforderungen. Für die Fahrgäste ist er
einfach in der (2) _____.
Er akzeptiert die verschiedensten
(3) _____: Münzen,
Geldscheine, Geldkarten, EC-Karten und
Kreditkarten. Für die Betreiber ist er
zuverlässig, stabil und sicher und sehr
einfach zu (4) _____.

_____

Besonders bedienerfreundlich ist
der berührungsempfindliche (5)
_____.

Über den Touchscreen wird das Gerät
(6) _____ und der Kunde
informiert. Für die verschiedenen
(7) _____ sehen
Sie hier den Münzeinwurf, hier den
Banknotenakzeptor und hier den
Kartenleser. Die Ausgabeschale wird
beleuchtet, wenn der Fahrschein und das
Rückgeld bereitliegen.

Banknotenakzeptor

_____

Die Rechengeschwindigkeit des CK 230 ist sehr hoch. Außerdem verfügt er über einen Hochgeschwin-
digkeitsdrucker, sodass er auch sehr große (8) _____ schafft. Selten werden Sie vor
unseren Geräten Warteschlangen finden. Er druckt Einzelfahrscheine, Mehrfachkarten und
(9) _____ .

_____

Vor allem ist der CK 230 auch sehr anpassungsfähig. Er kann (10) _____ eingesetzt
werden, also sowohl in Bussen und Bahnen aufgehängt als auch an Haltestellen und in Bahnhöfen
als Standgerät aufgestellt werden. Das ist kundenfreundlich, und für Ihren Verkehrsbetrieb werden
Service und Wartung einfacher und (11) _____ .

c) Beschriften Sie die Abbildung oben rechts.

Nach der Messe

1 Bilden Sie Komposita. Ergänzen Sie den passenden Artikel und die Pluralform.

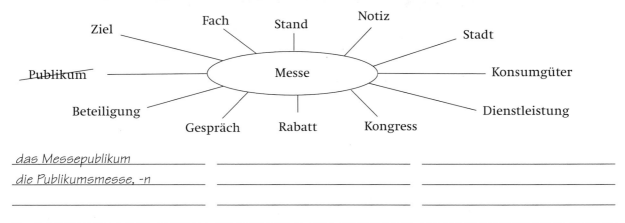

das Messepublikum _____ _____

die Publikumsmesse, -n _____ _____

_____ _____ _____

_____ _____ _____

2 Was kann damit geschehen?

Welches Verb passt nicht? Kreuzen Sie an a), b), oder c).

1 Produkte:	a) ausstellen	b) herstellen	☒ aufarbeiten	d) präsentieren
2 Messe:	a) nachbereiten	b) ausstellen	c) vorbereiten	d) veranstalten
3 Kunden:	a) betreuen	b) empfangen	c) ansprechen	d) archivieren
4 Messenotizen:	a) ausfüllen	b) ausstellen	c) sortieren	d) aufarbeiten
5 Termin:	a) herstellen	b) absagen	c) vereinbaren	d) festlegen
6 Kontakte:	a) pflegen	b) herstellen	c) betreuen	d) knüpfen

3 Nach der Messe müssen die Ergebnisse aufgearbeitet werden!

a) Formulieren Sie Sätze wie im Beispiel.

1 _sortieren_: die Messenotizen (die Messenotizen sind gesammelt)
2 _archivieren_: die Visitenkarten (die Visitenkarten liegen bei)
3 _vergleichen_: die Informationen (die Informationen sind eingegeben) mit vorhandenen Informationen
4 _klären_: die Arbeitsteilung unter allen Kollegen (die Kollegen, die beteiligt sind)
5 _festlegen_: für wichtige Kunden einen Mitarbeiter (einen Mitarbeiter, der sie betreut)
6 _organisieren_: die Kundenbesuche (die Kundenbesuche wurden versprochen)
7 _schreiben und verschicken_: Briefe
8 _zusammenstellen und versenden_: die Unterlagen (die Unterlagen wurden von Kunden gewünscht)
9 _erstellen_: Angebote

1 _Zunächst müssen die gesammelten Messenotizen sortiert werden._ _____
2 _Dabei müssen ..._ _____
3 _Gleichzeitig ..._ _____
4 _Anschließend ..._ _____
5 _Dann ..._ _____
6 _Dann ..._ _____
7 _Außerdem ..._ _____
8 _Ebenso ..._ _____
9 _Schließlich ..._ _____

b) Formulieren Sie die Sätze mit _wenn_ wie im Beispiel.

> _Wenn die Messenotizen sortiert sind, müssen die beiliegenden Visitenkarten archiviert_
> _werden. Wenn die Visitenkarten archiviert sind, müssen die Informationen ..._

B2 **4 Definitionen**

1 die eingegebenen Informationen → *die Informationen, die eingegeben sind*

2 die eingebende Sekretärin → _____

3 steigende Preise → _____

4 gestiegene Preise → _____

5 der unterschriebene Brief → _____

6 der unterschreibende Geschäftsführer → _____

7 der überwiesene Betrag → _____

8 die überweisende Firma → _____

D2 **5 Die Sätze haben immer zwei Informationen. Finden und notieren Sie sie.**

1 Die von Ihnen übernommene Aufgabe ist leider immer noch nicht erledigt.

→ *Sie haben eine Aufgabe übernommen. Sie ist leider immer noch nicht erledigt.*

2 Die von Herrn Müller geschriebene Messenotiz ist nicht ganz vollständig.

→ _____

3 Die zunächst beiliegende Visitenkarte ist leider verloren gegangen.

→ _____

4 Wir sollten warten, bis der vor einer Woche erkrankte Kollege Müller wieder im Büro ist.

→ _____

5 Die fünf eine Produktvorführung wünschenden Besucher müssen sofort angeschrieben werden.

→ _____

6 Die von Herrn Süß vorgeschlagene Arbeitsteilung wird von den Mitarbeitern natürlich akzeptiert.

→ _____

7 Das seit zwei Jahren sinkende Interesse an Schließfachanlagen wird auch durch diese Messeergebnisse bestätigt.

→ _____

Nach der Messe ist vor der Messe

1 Schreiben Sie Nebensätze mit *zu, ohne … zu* oder *um … zu*.

1 Ich möchte nicht entscheiden, … (keine genauen Zahlen haben)

→ *Ich möchte nicht entscheiden, ohne genaue Zahlen zu haben.*

2 Ich hoffe, … (die Zahlen nächste Woche bekommen)

→ *Ich hoffe, die Zahlen nächste Woche zu bekommen.*

3 Wir haben für die Messebeteiligung viel Geld ausgegeben, … (einen einzigen Auftrag bekommen)

→ _____

4 Wir beteiligen uns, … (direkten Kontakt mit den Kunden haben)

→ _____

5 Eins unserer Ziele ist, … (Mitbewerber beobachten)

→ _____

6 Der Geschäftsführer hatte schon früher vor, … (die Messebeteiligungen zur Diskussion stellen)

→ _____

7 Wir können diese Frage nicht lösen, … (die Finanzabteilung einbeziehen)

→ _____

8 Wir brauchen eine genaue Kostenrechnung, … (über den Nutzen der Messe sprechen können)

→ _____

2 *dass, sodass* oder *ohne dass*? Ergänzen Sie.

1 Wir können nicht über weitere Messebesuche entscheiden, _ohne dass_ wir alle Zahlen kennen.

2 Herr Dr. Pfäfflin ist der Meinung, _____ sich die Messebeteiligungen nicht lohnen.

3 Es soll eine Kostenrechnung erstellt werden, _____ man den Nutzen der Messen überprüfen kann.

4 Herr Süß zeigt mithilfe der Schaubilder, _____ Messen ein wichtiges Kommunikationsmittel sind.

5 Wir können nicht unseren Internet-Auftritt verbessern, _____ wir ihn überprüft haben.

6 Wir entlasten die Messeteams, _____ sie sich auf den Messe-Auftritt konzentrieren können.

3 **Welcher Text gehört zu welchem Schaubild auf S. 135 im Lehrbuch?**

Unterstreichen Sie in den Schaubildern die Informationen, die in den Texten erwähnt werden.

1 Jeder dritte Fachbesucher stützt sich bei der Vorbereitung von Investitionsentscheidungen auf Fachzeitschriften und die Wirtschaftszeitungen, aber fast jeder zweite neben dem Internet auf den Besuch von Messen. Dabei stehen Messen und Online-Angebote nicht in Konkurrenz zueinander. 80% der Fachbesucher sind davon überzeugt, dass sich beide Medien auch künftig ergänzen werden.

Schaubild: _____

2 Jeder dritte deutsche Fachbesucher ist Führungskraft oder selbstständiger Unternehmer. Bei den ausländischen Fachbesuchern ist es sogar fast die Hälfte. Zwei Drittel der Fachbesucher sind Leute, die in ihrem Unternehmen über Einkäufe und Investitionen entscheiden oder mitentscheiden.

Schaubild: _____

4 **Ergänzen Sie die fehlenden Teile der Wörter im folgenden Text.**

Ihde Technology (1) produ_ziert_ Fahrscheinautomaten und (2) expor_____ 50% seiner (3) Prod_____.
Das (4) Bud_____ für (5) B-to-B-Kommuni_____ beträgt im (6) laufe_____ Jahr 80 000 Euro. (7) Dav_____
wird ein (8) Vier_____ für die (9) Verbes_____ des (10) Web-Auftr_____ und ein (11) weiter_____ Viertel
für (12) Direktw_____ eingesetzt. Der Rest (13) ste_____ für eine (14) Messebet_____ zur Verfügung. Da
die (15) Beteili_____ an der ET in Basel im (16) vergan_____ Jahr nicht (17) erfolg_____ war, (18) wi_____
nun von der (19) Geschäftsfü_____ die (20) Teiln_____ an einer anderen Messe (21) gepr_____.

5 **Arbeitsverteilung**

Auf der GF-Sitzung vom 18.07. verteilt der Geschäftsführer Aufgaben. Lesen Sie das Protokoll im Lehrbuch, S. 135, und notieren Sie, wer welche Aufträge erhält.

Auftragsempfänger

1 Ich möchte Sie bitten, ein Team zur Verbesserung unserer Internetseite zu organisieren.

_Strölin_____

2 Würden Sie bitte mal so genau wie möglich berechnen, wie viel uns die Messen *ET* und *Blech* gekostet haben?

_____

3 Bitte erstellen Sie einen Vorschlag zur Verbesserung unserer Internetseite, der alles enthält, was nötig ist, um darüber zu entscheiden.

_____

4 Könnten Sie alle übrigen Informationen und Daten über die *ET* und die *Blech* zusammenstellen?

_____

5 Würden Sie bitte das Programm der AUMA zur Überprüfung des Nutzens der Messe *ET* verwenden, wenn Sie alle nötigen Daten von den Kollegen bekommen haben?

_____

6 **Wer ist dafür verantwortlich?**

Formulieren Sie Sätze zu den Entscheidungen und Aufträgen im Protokoll im Lehrbuch, S. 135. Verwenden Sie abwechselnd *verantwortlich sein für, sich kümmern um, zuständig sein für*.

Herr Süß ist für die Entlastung des Messeteams verantwortlich.

Herr Müller ...

Messe-Nachkontakt

1 Lesen Sie die Messenotiz. Ordnen Sie anschließend den nebenstehenden Brief und füllen Sie die Lücken mit Informationen aus der Messenotiz.

Messenotiz

Ihde Technology

Messe: *ET Basel*
Datum: *16.05.07*

Eingeladen: [X] ja   [ ] nein
Einladungs-Nr.: *144*
[ ] Siehe anliegende Visitenkarte
Firma *Verkehrsbetriebe Neustadt*
Straße *Friedrich-Ebert-Str. 76*
Land *D*
PLZ *67433*
Ort *Neustadt*
Tel. *06321/5555*
Frau/*Herr*
Vorname *Günter*
Name *Urban*
Stellung *Technischer Direktor*

Notiert von: *Müller*
Bitte um: [X] Prospekte
            [X] technische Unterlagen
            [X] Fachberatung
            [ ] Vorführung
            [ ] Angebot
Interessiert an:
            [X] Fahrscheinautomaten
            [ ] Fahrscheindrucker/-entwerter
            [ ] Abrechnungs- und Analysesoftware
            [ ] Wechselgeldsysteme
            [ ] Schließfachanlagen
            [ ] Zeitkartensysteme
Bemerkungen: *Kunde plant Ersatz von Standgeräten und*
Erprobung mobiler Geräte in Bussen (bisher ohne Geräte).
Er findet Einsatz von CK 230 in beiden Funktionen sehr interessant.
Vorschlag: Wir stellen für die Erprobung 2 mobile CK 230 für
3 Monate zur Verfügung.

Ihde Technology · Frankfurter Str. 138 · 01159 Dresden

Wunschgemäß senden wir Ihnen in der Anlage _____ zu dem Fahrscheinautomaten CK 230 und einige _____ über andere Produkte, die für Sie interessant sein könnten.

Wir freuen uns auf Ihre Nachricht.

29.05.2007

Wir möchten Ihnen jetzt schon einen Vorschlag machen: Wir bieten Ihnen an, Sie bei der _____ zu unterstützen. Wir könnten Ihnen kostenlos _____ für _____ zur Verfügung stellen. Einzelheiten könnten wir bei unserem Gespräch bei Ihnen besprechen.

IHDE TECHNOLOGY

Maier

F. Maier

Wir danken Ihnen noch einmal herzlich für Ihren Besuch auf unserem Messestand am _____. In Ihrem Gespräch mit Herrn _____ haben Sie Interesse an unserem neuen _____ CK 230 signalisiert. Sie benötigen Ersatz für _____ und möchten Ihre Busse mit _____ ausstatten. Der CK 230 ist für beide Funktionen hervorragend geeignet.

Mit freundlichen Grüßen

Außerdem wünschen Sie eine _____ in Ihrem Haus. Dazu sind wir gern jederzeit bereit. Bitte machen Sie uns einen Terminvorschlag – gern auch telefonisch oder per E-Mail.

Sehr geehrter Herr _____!

_____ Neustadt
Herrn _____, Technischer Direktor
_____
_____

---

2 Schreiben Sie einen Brief auf Basis der Angaben in der folgenden Messenotiz.

Messenotiz

Ihde Technology

Messe: *ET Basel*
Datum: *19.05.2007*

Eingeladen: [ ] ja   [X] nein
Einladungs-Nr.: _____
[ ] Siehe anliegende Visitenkarte
Firma *Verkehrsverbund Osnabrück*
Straße *Mindener Str. 123*
Land *D*
PLZ *49084*
Ort *Osnabrück*
Tel. *0541/12 22*
Frau/*Herr*
Vorname *?*
Name *Schlauder*
Stellung *???*

Notiert von: *Horst Blum*

Bitte um: [X] Prospekt
            [ ] technische Unterlagen
            [ ] Fachberatung
            [X] Vorführung
            [ ] Angebot
Interessiert an:
            [ ] Fahrscheinautomaten
            [ ] Fahrscheindrucker/-entwerter
            [ ] Abrechnungs- und Analysesoftware
            [ ] Wechselgeldsysteme
            [X] Schließfachanlagen
            [ ] Zeitkartensysteme
Bemerkungen: *an 2 Busbahnhöfen sollen Schließfachanlagen*
aufgestellt werden. Kunde möchte Anlagen bei uns ansehen.
EILT! – Entscheidung soll noch im Juni getroffen werden –
SOFORT Terminvorschlag machen!!

Präsentation III – Schaubilder und Grafiken

1 **Der FAG-Konzern hat eine Umfrage zur Zufriedenheit mit dem Unternehmen und seinen Produkten gemacht. Sprechen Sie über das Umfrageergebnis.**

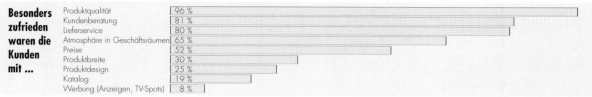

Besonders zufrieden waren die Kunden mit ...

Produktqualität	96 %
Kundenberatung	81 %
Lieferservice	80 %
Atmosphäre in Geschäftsräumen	65 %
Preise	52 %
Produktbreite	30 %
Produktdesign	25 %
Katalog	19 %
Werbung (Anzeigen, TV-Spots)	8 %

- Die Grafik/Das Schaubild zeigt/gibt Auskunft über/handelt von/hat zum Thema ...
- Aus der Grafik/Aus dem Schaubild geht hervor/wird ersichtlich, dass ...
- Es ist zu sehen/Es ist zu erkennen, dass ...
- Es wird deutlich/Es fällt auf, dass ...
- Das deutet darauf hin, dass ...
- Im Gegensatz zu/Im Vergleich zu ...

- Die meisten/Fast alle Kunden ...
- Alle/Viele/Einige/(Nur) Wenige Kunden ...
- Die Mehrheit der Kunden ...
- Weniger als/Genau/Mehr als die Hälfte ...
- Ein/Zwei Drittel ...
- Ein/Zwei/Drei Viertel ...
- Ein/Zwei/Drei/Vier Fünftel ...
- Etwas mehr als/Etwas weniger als ...
- Fast/Knapp/Etwa/Ungefähr/Circa/Genau ...
- Fast gleich viele/Genauso viele ...

- ... sind zufrieden/unzufrieden mit ...
- ... finden ... (besonders/sehr/eher/weniger) gut/schlecht ...
- ... gefällt ... (besonders/sehr/weniger) gut ...
- Mit ... ist/sind (nur noch) ... zufrieden.
- ... sieht/sehen die Stärken/Schwächen des Unternehmens in ...
- ... findet/denkt/meint/ist der Meinung, dass ...
- ... finden/denken/meinen/sind der Meinung, dass ...

2 **Der FAG-Konzern in Zahlen. Sprechen Sie über Umsatz, Ergebnis und Gewinn und begründen Sie die Entwicklung.**

	2003	2004	2005	2006
Umsatz (in Mio €)	1 880	1 643	1 590	1 982
Auslandsanteil	68 %	65 %	66 %	66 %
Ergebnis vor Steuern (in Mio €)	211	165	202	241
Konzerngewinn (in Mio €)	192	150	183,5	219

Der Umsatz/Gewinn ...

- hat sich von ... auf .../gegenüber dem Vorjahr/Jahr ... um ... Euro/... % auf ... Euro/... % erhöht/reduziert.
- ist von ... auf .../gegenüber dem Vorjahr/Jahr ... um ... Euro/... % auf ... Euro/... % gestiegen/gesunken/zurückgegangen.
- bleibt mit ... Euro/... % auf Vorjahresniveau/dem Niveau vom Jahr ...
- bleibt um ... Euro/... % unter dem des Vorjahresniveau/dem Niveau vom Jahr ...
- stagniert auf Vorjahresniveau/auf dem Niveau vom Jahr ...

Das Ergebnis ...

- beträgt ... Euro.
- beläuft sich auf ... Euro.
- hat sich gegenüber dem Vorjahr/Jahr ... um ... Euro/... % auf ... Euro verbessert/verschlechtert.
- liegt mit ... Euro ... Euro/... % unter/über dem Vorjahr(eswert)/Jahr ...
- ist gegenüber dem Vorjahr/Jahr ... um ... Euro/... % auf ... Euro/... % gestiegen/gefallen/zurückgegangen.

Begründung

- Dazu hat/haben ... beigetragen.
- Ausschlaggebend dafür war/waren ...
- ... hat/haben zu ... geführt.
- Hierbei hat/haben sich ... positiv/negativ ausgewirkt.
- ... resultiert/resultieren im Wesentlichen aus ...
- ... ist zurückzuführen auf ...
- Hierfür gibt es eine mögliche Erklärung ...

- steigende/sinkende Absätze in Europa/USA ...
- Verkaufserfolg unserer neuen Produkte
- verschärfte Wettbewerbssituation
- härtere Konkurrenz • bessere Werbung
- die Übernahme/der Kauf der Firma ...
- verbesserte Marketingmaßnahmen
- Verlust/Zugewinn an Marktanteilen in ... •

Name: _____

1 Schreiben

Sie erledigen in der Firma Labortec die To Dos nach der Messe AMA. Sie schicken heute, 23. Juni 2007, die gewünschten Unterlagen an die Logona GmbH. Schreiben Sie das Begleitschreiben. Wählen Sie dazu die passenden Textbausteine aus den Bausteinen 1 bis 14 aus und ergänzen Sie die Bausteine um die fehlenden Informationen.

Messenotiz   Messe: _AMA_   ☐ Konkurrent ☐ Kunde ☒ Neuinteressent

Gespräch mit: Interesse an: _Laborausstattung,_
Frau/~~Herrn~~: _Köhler_   _elektronische Prüfgeräte_
Funktion/Stellung: _Einkauf_   To Dos:
Firma: _Logona Naturkosmetik GmbH_   _Zusendung Prospekt, Preisliste,_
Straße: _Zur Kräuterwiese_   _Beratungstermin anbieten_

PLZ: _D-31020_ Ort: _Salzhemmendorf_   _15.06.07_   _K. Bassermann_

1 Anlagen: …
2 Wir freuen uns über Ihr Interesse an unserem Sortiment, vor allem an …
3 Für weitere Informationen steht Ihnen Herr/Frau … gern zur Verfügung.
4 Wir würden uns sehr freuen, wenn Sie zu unserer Präsentation am … kommen könnten.
5 Sehr geehrte(r) …,
6 Wir freuen uns auf Ihre Nachricht.
7 Wir beziehen uns auf Ihr Schreiben vom …
8 Bitte fordern Sie unser Angebot für die von Ihnen gewünschten Artikel an.
9 Wir würden uns freuen, wenn Sie uns einen Terminvorschlag machen könnten.
10 Mit freundlichen Grüßen
11 In der Anlage finden Sie …
12 Wunschgemäß schicken wir Ihnen …
13 Wir beziehen uns auf Ihr Gespräch mit … am … auf der …
14 Zusätzlich schlagen wir Ihnen ein Beratungsgespräch in Ihrem Haus vor.

☐ **12**

2 Redeintentionen

Was sagen Sie in den folgenden Situationen? Ordnen Sie zu.

Sie …

1 erwarten eine Antwort auf Ihr Schreiben.
2 lehnen etwas ab.
3 stimmen zu.
4 widersprechen.
5 beenden ein Beratungsgespräch.
6 beginnen ein Kundengespräch.
7 haben eine gute Nachricht.
8 beziehen sich auf einen Brief.
9 möchten eine Aufgabe delegieren.
10 erwarten eine Erklärung.
11 beschreiben die Eigenschaft eines Produkts.

Sie sagen:

a) Das Gerät zeichnet sich besonders durch … aus.
b) Ich freue mich auf Ihre Nachricht.
c) Das kommt nicht in Frage.
d) Ich bestätige Ihnen den Eingang Ihres Schreibens vom …
e) Ich bitte Sie um eine Stellungnahme.
f) Das halte ich nicht für richtig, weil …
g) Ich freue mich, Ihnen mitteilen zu können, dass …
h) Guten Tag. Kann ich Ihnen helfen?
i) Ich bin dafür.
j) Könnten Sie das bitte übernehmen?
k) Vielen Dank für Ihr Interesse. Für weitere Fragen stehe ich Ihnen gern zur Verfügung.

1
1
1
1
1
1
1
1
1

☐ **10**

3 Hören

Der CK 230, Lehrbuch S. 131, Aufgabe D. Was ist richtig ⟨r⟩? Was ist falsch ⟨f⟩?

1 Die Automaten sind zwar einfach in der Bedienung, aber schwierig in der Wartung. ⟨f⟩
2 Neben dem CK 230 bietet das Unternehmen noch weitere Modelle an. _____ ☐   **1**
3 Ihde Technology verkauft seine Geräte nur in Deutschland. _____ ☐   **1**
4 Der CK230 leistet viel, arbeitet aber langsam. _____ ☐   **1**
5 Die Bedienung wird dem Kunden per Bildschirm erklärt. _____ ☐   **1**
6 Der Automat ermöglicht die Wahl zwischen verschiedenen Angeboten. _____ ☐   **1**

☐ **5**

Name: _____

4 Grammatik

Was ist richtig? Kreuzen Sie an: a), b) oder c).

Der Seminarleiter erklärt den Teilnehmern: „(1) _____ wir beginnen, möchte ich Sie alle herzlich begrüßen. Darf ich Sie (2) _____ bitten, sich kurz vorzustellen, (3) _____ wir uns schon ein bisschen kennen lernen? (4) _____ unserer Kaffeepause um halb elf würden wir gern die ersten zwei Programmpunkte erledigen. (5) _____ des Seminars haben wir (6) _____ einige Referate, aber wir haben auch verschiedene andere Arbeitsformen geplant. Wir bieten sowohl Arbeitsgruppen (7) _____ Rollenspiele an. Bitte, denken Sie (8) _____ man nur etwas lernt, (9)_____ man selbst aktiv mitarbeitet und trainiert. Weder Zuhören (10) _____ Mitschreiben führen allein zum Erfolg. Kurz gesagt: Wir werden unser Ziel nicht erreichen (11) _____. Mein Assistent und ich, wir würden uns sehr freuen, wenn Sie uns bei dieser Arbeitsweise (12) _____."

1 ☐ a) Während	☐ b) Nachdem	☒ c) Bevor		
2 ☐ a) darum	☐ b) um	☐ c) dazu	1
3 ☐ a) sodass	☐ b) sowohl	☐ c) so	1
4 ☐ a) Bevor	☐ b) Vor	☐ c) Davor	1
5 ☐ a) Statt	☐ b) Nach	☐ c) Während	1
6 ☐ a) trotz	☐ b) obwohl	☐ c) zwar	1
7 ☐ a) entweder	☐ b) als auch	☐ c) sowohl	1
8 ☐ a) daran, dass	☐ b) dass	☐ c) daran	1
9 ☐ a) ob	☐ b) nachdem	☐ c) wenn	1
10 ☐ a) oder	☐ b) noch	☐ c) aber	1
11 ☐ a) ohne üben	☐ b) wenn man übt	☐ c) ohne zu üben	1
12 ☐ a) unterstützen würden	☐ b) unterstützen	☐ c) unterstützt hätten	1

☐ **11**

5 Lesen

Notieren Sie die Angaben aus dem Text unten zu den folgenden Stichpunkten.

1 Messen und Ausstellungen am wichtigsten für: _____*43 % der Interessenten*_____

2 Erhöhung der Anzahl der Aussteller von 2000 bis 2004: _____ **2**

3 Anteil der deutschen Aussteller: _____ **2**

4 Anteil der Aussteller mit Unternehmen bis 49 Beschäftigte: _____ **2**

5 Wichtigstes Messeziel der Aussteller: _____ **2**

6 Wichtigstes Messeziel der Besucher: _____ **2**

7 Anteil der Besucher mit Kaufabsicht: _____ **2**

☐ **12**

Obwohl die Kosten einer Messebeteiligung steigen, ist der Messeplatz Deutschland weiter erfolgreich. Zwar sagen 49 Prozent der Interessenten, dass sie sich in erster Linie im Internet über die für sie interessanten Produkte informieren. Und nur noch 43 Prozent halten Messen und Ausstellungen für die wichtigste Informationsmöglichkeit. Aber auf den großen überregionalen Messen ist die Zahl der Aussteller weiter gewachsen. Von 81 577 im Jahr 2000 ist ihre Zahl auf 88 123 im Jahr 2004 gestiegen. Dabei ist der Anteil ausländischer Aussteller mit 52,8 Prozent größer als der Anteil deutscher Unternehmen, die sich an einer der großen internationalen Messen beteiligen.

Interessant ist dabei, dass über die Hälfte der Aussteller kleinere Unternehmen mit weniger als 50 Beschäftigten sind. Trotz der hohen Kosten halten sie eine Messebeteiligung für eine gute Investition, um ihre Ziele zu erreichen. Die meisten Aussteller hoffen, dass sie auf der Messe neue Kunden gewinnen. Das antworteten 92 Prozent der Unternehmen auf die Frage nach ihren Messezielen. Von den Fachbesuchern sagte fast die Hälfte, dass sie sich über neue Produkte informieren wollen. Nur sieben Prozent denken daran, einen Kaufvertrag abzuschließen.

☐ **50**

KAPITEL 9

Ein Unternehmen und sein Gründer

1 Logona

a) Was konnten Sie vermuten? Ordnen Sie zu.

1 Logona könnte

2 Wir nehmen an, dass

3 Wahrscheinlich

   a) hat Logona seinen Sitz in de Region Hannover.
   b) Logona mit Kosmetika zu tun hat.
   c) ist das Unternehmen 20 bis 30 Jahre alt.
   d) die Produkte nicht nur in Deutschland vertrieben werden.
   e) ein mittelständisches Unternehmen sein.

b) Was wissen Sie jetzt? Welche Vermutungen a) bis e) aus der Aufgabe a) passen zu den Aussagen 1 bis 5?

1 Logona produziert und vertreibt Naturkosmetik. _____ ☐ b

2 Der Sitz des Unternehmens ist Salzhemmendorf. _____ ☐

3 Das Unternehmen beschäftigt heute etwa 200 Mitarbeiter. _____ ☐

4 Das Gründungsjahr ist 1985. _____ ☐

5 Logona hat Abnehmer auf allen Kontinenten. _____ ☐

2 Bericht über das Unternehmen und den Gründer

a) Welche Überschriften passen zu den vier Abschnitten? Ordnen Sie zu.

> **Philosophie · Absatzmärkte · Gründer · Unternehmensentwicklung**

b) Schreiben Sie die fehlenden Wörter in die Lücken.

> Bio-Läden · Tochtergesellschaft · unabhängige · Anforderungen ·
> Heilpraktiker · importiert · Abnehmer · verheiratet ·
> synthetische Stoffe · mitgearbeitet

Gründer

Ich wurde in dem kleinen Ort Neustadt geboren. Ich bin (1) _verheiratet_ und habe drei Kinder.
Ich habe eine Ausbildung als (2) _____ gemacht. Anfang der 70er-Jahre bin ich nach
Hannover gekommen und habe dort mit Freunden einen der ersten (3) _____ eröffnet.

1977 habe ich mit meinen Freunden die Handelsfirma Lorien Goods gegründet, die Lebensmittel und
Kosmetika (4) _____ hat. Weil die Qualität nicht unseren (5) _____ an
echte Naturkosmetik entsprochen hat, haben wir beschlossen, eigene Produkte ohne
(6) _____ zu entwickeln. 1985 habe ich die Firma Logona gegründet.

Ich wollte zeigen, dass Ökologie und Ökonomie kein Widerspruch sind. Meine Produkte haben schnell
(7) _____ in Deutschland und Europa gefunden. Heute liefern wir in alle Kontinente.
Vor einigen Jahren haben wir außerdem eine (8) _____ in den USA eröffnet.

Wir arbeiten ständig an der Qualität unserer Produkte. Logona hat z.B. an der Richtlinie
Kontrollierte Naturkosmetik (9) _____. (10) _____ Tests haben schon oft die
hohe Qualität der Produkte von Logona bestätigt.

c) Schreiben Sie einen Bericht . Formulieren Sie dazu die Erzählung von Herrn Hansel in Aufgabe b) um.

> _Hans Hansel wurde in dem kleinen Ort Neustadt geboren. Er ist verheiratet und hat drei_
> _Kinder. Er machte eine Ausbildung als Heilpraktiker. Anfang der 70er-Jahre kam er_
> _nach Hannover und ..._

3 **Die wöchentliche Teilelieferung**

a) So ist es normalerweise. Schreiben Sie.

> _Normalerweise werden die Teile am Montag angeliefert. Die Ankunft des Lkws wird von_
> _der Pforte gegen 7.30 Uhr gemeldet. Die Lieferung wird bis ..._

So läuft es normalerweise:
- _Anlieferung der Teile am Montag_
- _Meldung Ankunft des Lkws von der Pforte gegen 7.30 Uhr_
- _Ausladen der Lieferung bis 8.30 Uhr_
- _8.30 – 9.00 Lieferung anhand des Lieferscheins überprüfen_
- _9.00 – 10.30 Eingabe der Lieferdaten in die EDV_
- _Ab 10.30 Uhr Einsortieren der Lieferung ins Lager_
- _Gleichzeitig: benötigte Teile in die Fertigung bringen_

So war es in dieser Woche:
- _Anlieferung am Montag_
- _Meldung Ankunft Lkw um 9.30 Uhr_
- _Ausladen bis 10.30 Uhr_
- _Überprüfung Lieferung um 11.00 Uhr beendet_
- _Eingabe der Lieferdaten in die EDV begonnen_
- _12.00 Einsortieren der Lieferung ins Lager_
- _Benötigte Teile erst nach der Mittagspause in die Fertigung_

b) Diese Woche hat es nicht geklappt. Schreiben Sie einen Bericht an den Vorgesetzen.

> _Normalerweise werden die Teile am Montag angeliefert. Auch in dieser Woche sind die_
> _Teile am Montag angeliefert worden. Aber die Ankunft des Lkws ist von der Pforte erst_
> _um 9.30 gemeldet worden. Die Lieferung ist bis ..._

4 **Formulieren Sie aus den fett gedruckten Satzteilen Attribute.**

1 **Anfang der 70er-Jahre** ist von Herrn Hansel einer der ersten Bioläden **eröffnet** worden.

Der _Anfang der 70er-Jahre eröffnete_ Bioladen importierte Waren aus Frankreich und England.

2 **Im Bioladen** ist auch Naturkosmetik **verkauft** worden.

Die _____ Naturkosmetik erfüllte aber nicht Herrn Hansels Anforderungen.

3 Deshalb ist **1977** die Firma Lorien Goods **gegründet** worden.

Schon in der _____ Firma wurden Kosmetika entwickelt und produziert.

4 Heute werden **von Logona** über 200 Körperpflegemittel und Kosmetika **hergestellt**.

Die _____ Produkte werden weltweit vertrieben.

5 **Logona setzt** in seinen Produkten nur pflanzliche Roh- und Wirkstoffe **ein**.

Die von _____ Materialien werden ohne synthetische Farbstoffe verarbeitet.

6 Für ein neues Produkt müssen zunächst die Roh- und Wirkstoffe **ausgewählt** werden.

Die _____ Rohstoffe müssen zu einer Test-Rezeptur gemischt werden.

7 Die Tests müssen **erfolgreich abgeschlossen** werden.

Erst nach _____ Tests kann die Serienproduktion beginnen.

5 **SolVent und Logona: Unterschiede, Ähnlichkeiten oder Übereinstimmungen? Ordnen Sie zu.**

1 Das Alter _____ [b] der beiden Unternehmen   a) unterscheidet sich.
2 Die Rechtsform _____ ☐   b) ist ähnlich / vergleichbar.
3 Das Produktionsprogramm _____ ☐   c) stimmt überein.
4 Das Land _____ ☐
5 Der Markt _____ ☐
6 Die Unternehmensphilosophie __ ☐
7 Die Zahl der Mitarbeiter _____ ☐

Der Exportauftrag

A1 **1** **Der Versandablauf. Formulieren Sie Fragen und Antworten wie im Beispiel.**

1 ▶ *Hat der Vertrieb die Ware schon bereitgestellt?*

▶ *Der Vertrieb stellt die Ware heute bereit.*

▶ *Ja, die Ware ist gestern vom Vertrieb bereitgestellt worden.*

▶ *Nein, der Vertrieb muss die Ware noch bereitstellen.*

2 ▶ _____

▶ *Die Spedition verlädt die Ware heute.*

▶ _____

▶ _____

3 ▶ _____

▶ _____

▶ *Ja, die Lieferung ist gestern von der Firma Dorp umgeladen worden.*

▶ _____

4 ▶ _____

▶ _____

▶ _____

▶ *Nein, der Empfänger muss die Ware noch verzollen.*

A2 **2** **Anruf bei der Spedition Transco Hannover**

a) Gespräch zwischen Herrn Schuler von Transco Hannover und Frau Hajek von Logona. Ordnen Sie den Dialog. Nummerieren Sie.

b) Was sagt Herr Schuler (S), was sagt Frau Hajek (H)?

☐	S	Heute noch? Moment … Ja, das geht.
☐	☐	Und wann geht es dann weiter?
1	☐	Transco Hannover, Schuler, Disposition. Was kann ich für Sie tun?
☐	☐	Die faxe ich Ihnen sofort.
☐	☐	Gut. Wann kann der Lkw hier sein?
☐	☐	In etwa einer Stunde. Ihre Sendung ist dann gegen 18.00 Uhr in Frankfurt.
☐	☐	In der Nacht mit Lufthansa Cargo. Wir brauchen noch die Daten für den Frachtbrief.
☐	☐	Tag, Herr Schuler. Hier ist Hajek, Logona. Wir haben eine Lieferung nach Santiago. Die soll heute noch raus.

A2 **3** **Was will der Gesprächspartner sagen? Wie kann man es auch sagen?**

Welche Formulierungen im Dialog können durch die Formulierungen im Schüttelkasten ersetzt werden?

> Aber morgen können wir die Lieferung abholen. • Der Lkw ist leider schon abgefahren. •
> ~~Die Lieferung soll heute noch versandt werden.~~ • Warten Sie bitte, ich überprüfe das. •
> Die Lieferung wird am Flughafen sofort aufs Flugzeug nach Singapur umgeladen. • Ist das möglich? •
> Um wie viel Uhr können Sie die Lieferung abholen? • Ungefähr um 10.00 Uhr.

▶ Wir haben eine Lieferung nach Singapur. ~~Die soll heute~~ noch raus. Geht das?

 Wir haben eine Lieferung nach Singapur. Die Lieferung soll heute noch versandt werden. …

▶ Moment mal, ich gucke nach … Tut mir leid. Der Wagen ist schon unterwegs. Aber morgen geht es.

_____

▶ Wann können Sie hier sein?

_____

▶ Gegen 10.00 Uhr. Am Flughafen geht es dann gleich weiter.

_____

4 Frau Hajek erklärt die Auftragsabwicklung.

Steht das im Text im Lehrbuch, S. 143? Was ist richtig ⬜r⬜? Was ist falsch ⬜f⬜?

1 Die Reihenfolge ist: 1. Weiterleitung des Auftrags an den Versand, 2. Liefertermin festlegen, 3. Auftrag bestätigen. _____ ⬜r⬜

2 Alle Kunden müssen vor Versand der Ware zahlen. _____ ⬜

3 Kunden in Japan müssen die Frachtkosten übernehmen. _____ ⬜

4 An Kunden in Europa wird immer frei Haus geliefert. _____ ⬜

5 Die Buchhaltung kontrolliert, ob der Kunde gezahlt hat. _____ ⬜

6 Die Spedition erstellt den Frachtbrief, nachdem sie die Lieferung abgeholt hat. _____ ⬜

5 *bei* und *wenn*

a) Kreuzen Sie die Sätze an, die eine Bedingung ausdrücken.

1 Bei hohen Temperaturen darf die Creme nicht flüssig werden. _____ ☒

2 Herr Messmer ist schon seit 15 Jahren bei Logona im Testlabor tätig. _____ ⬜

3 Wir gewähren 2 % Skonto bei Zahlung innerhalb von 14 Tagen. _____ ⬜

4 Bei einer Geschwindigkeit von 100 km/h dauert die Fahrt ungefähr acht Stunden. _____ ⬜

5 Wir sind bei Familie Schlüter zum Mittagessen eingeladen. _____ ⬜

6 Bei Bestellungen ab 500 Euro liefern wir frei Haus. _____ ⬜

7 Der Wortakzent liegt bei Verben mit trennbarer Vorsilbe auf der Vorsilbe. _____ ⬜

8 Treffen wir uns bei euch oder lieber bei uns zu Hause? _____ ⬜

9 Bei Abnahme von mehr als 50 Stück geben wir einen Rabatt von fünf Prozent. _____ ⬜

b) Formulieren Sie die Bedingungssätze aus Aufgabe a) in *wenn*-Sätze um.

> *Wenn die Temperaturen hoch sind, darf die Creme nicht flüssig werden.*
>
> *Wenn Sie innerhalb von 14 Tagen zahlen, ...*

6 Formulieren Sie *wenn*-Sätze oder Sätze mit *bei* + Nomen.

1 Wie hoch ist der Nettoverdienst eines Arbeitnehmers, wenn der Bruttoverdienst 2 210,– € beträgt?

Bei einem Bruttoverdienst von 2 210.– €

beträgt der Nettoverdienst des Arbeitnehmers

1 440,– €.

Dreierlei Lohn
Monatliche Durchschnittsbeträge je Arbeitnehmer in Euro im Jahr 2002

Diesen Betrag wendet der Betrieb auf (Arbeitnehmerentgelt) — 2 730 €

Sozialbeiträge des Arbeitgebers — 520 €

Dieser Betrag steht oben auf der Verdienstabrechnung (Bruttoverdienst) — 2 210 €

Sozialbeiträge des Arbeitnehmers und Lohnsteuer — 770 €

Dieser Betrag wird aufs Konto überwiesen (Nettoverdienst) — 1 440 €

© Globus 8183 — Quelle: Stat. Bundesamt, eigene Berechnungen

2 Wie viel verdient ein Arbeitnehmer brutto, wenn der Arbeitgeber 2730,– € bezahlt?

Bei ...

3 Wie hoch sind die Abzüge eines Arbeitnehmers, bei einem Bruttoverdienst von 2 210,– €?

Wenn ...

4 Welches Bruttoeinkommen hat ein Arbeitnehmer, wenn er netto 1 440,– € verdient.

Bei ...

5 Wie viel bezahlt der Arbeitgeber für die Sozialbeiträge des Arbeitnehmers bei einem Arbeitnehmerentgelt von 2 730,– €?

Wenn ....

Wo bleibt die Lieferung?

A ▶ 1 Pünktlich oder verspätet?

Was passt? Ordnen Sie mithilfe der Anzeigetafeln und des Fax im Lehrbuch, S. 144, zu.

1 Der ICE nach Stuttgart ...
2 Der Flug aus Berlin ...
3 Die Lieferung an Pure Spring Products ...
4 Der Zug nach Zürich von Gleis 10 ...
5 Der Zug über Fulda und Würzburg nach München ...
6 Der Flug aus Catania ...
7 Die Maschine aus Paris ...
8 Der Zug nach Berlin ...

a) hat ca. 40 Minuten Verspätung.
b) ist noch pünktlich.
c) ist pünktlich.
d) ist schon einen Tag verspätet.
e) trifft planmäßig ein.
f) verspätet sich um 10 Minuten.

A ▶ 2 Geschäftsbrief auf Deutsch

a) Was ist in Deutschland, Österreich und der Schweiz üblich: 1 oder 2?

1
Absender
Empfänger

Datum

Betreff
Anrede
Text
Gruß
Unterschrift

2
Absender
Empfänger
Datum
Anrede
Betreff
Text
Gruß u. Unterschrift

b) Was schreiben Sie eher dienstlich / beruflich, was passt privat besser? Wie ist es in Ihrer Sprache?

	dienstlich/beruflich	privat	in Ihrer Sprache
1 Liebe Silvia	☐	☒	☐
2 Sehr geehrte Frau Hajek	☐	☐	☐
3 Liebe Frau Hajek	☐	☐	☐
4 Herzliche Grüße	☐	☐	☐
5 Mit freundlichen Grüßen	☐	☐	☐
6 Liebe Grüße	☐	☐	☐

B ▶ 3 Infinitiv – Präsens – Präteritum – Perfekt. Bilden Sie die fehlenden Formen.

1 _einen Auftrag erteilen_ →Ich _erteile einen Auftrag._ _erteilte einen Auftrag._ _habe einen Auftrag erteilt._

2 _die Ware bereitstellen_ →Du _____ _____ _____

3 _____ →Er _trifft pünktlich ein._ _____ _____

4 _____ →Wir _____ _____ _haben die Ware abgeholt._

5 _____ →Ihr _____ _exportiertet die Ware._ _____

6 _die Ware umladen_ →Sie _____ _____ _____

B ▶ 4 Zwei Abläufe. Das Ablaufdiagramm im Lehrbuch, S. 144, Aufgabe A, hilft Ihnen.

a) Da ist etwas schiefgelaufen. Schreiben Sie die fehlenden Verben in die Lücken.

(1) Der Versandauftrag _wurde_ rechtzeitig _erteilt_ . (2) Dann _____ die richtige Ware zwar pünktlich _____. (3) Aber die Lieferung _____ zu spät _____. (4) Deshalb _____ sie auch zu spät im Hafen _____, (5) sodass die Ware auch nicht ordnungsgemäß _____ und weitergeleitet _____.

b) Das ist noch einmal gut gegangen. Setzen Sie ein: *deshalb, sodass, weil, zwar ... aber.*

Der Versandauftrag wurde (1) _zwar_ sehr spät erteilt, (2) _____ die Ware wurde rechtzeitig bereitgestellt, (3) _____ die Lieferung pünktlich abgeholt werden konnte. (4) _____ wurde sie auch pünktlich im Hafen angeliefert. (5) _____ sie dort ordnungsgemäß weitergeleitet wurde, ist sie pünktlich in Taipei eingetroffen.

B2

5 **Die Lieferung hat sich verspätet. Schriftliche Reklamation bei der Spedition.**

> So war es in dieser Woche:
> - Verspätete Anlieferung der Teile am Montag
> - Meldung Ankunft Lkw erst um 9.30 Uhr
> - Ausladen der Lieferung bis 10.30 Uhr
> - Überprüfung Lieferung erst um 11.00 Uhr beendet
> - 11.00 Eingabe der Lieferdaten in die EDV begonnen
> - 12.00 Einsortieren der Lieferung ins Lager
> - Benötigte Teile erst nach der Mittagspause in die Fertigung

1   *Die Teile wurden am Montag dieser Woche verspätet angeliefert.*
2   *Die Ankunft des Lkws wurde erst um 9.30 Uhr von der Pforte ...*
3   *Die Lieferung ...*
4   *Die Überprüfung der Lieferung ...*
5   _____
6   _____
7   _____

6 **Vermutungen: *könnte – dürfte – müsste***

a) Was für ein Unternehmen ist Logona?

1 ▷ Stellt Logona vielleicht chemische Produkte her?   ▷ Ja, *Logona könnte chemische Produkte herstellen.*

2 ▷ Logona hat wahrscheinlich mit Kosmetika zu tun.   ▷ Ja, _____.

3 ▷ Salzhemmendorf ist sicher der Sitz von Logona.   ▷ Ja, _____.

b) Wo bleibt Herr Müller?

1 ▷ Er ist wahrscheinlich zu spät abgefahren.   ▷ Ja, *er dürfte zu spät abgefahren sein.*

2 ▷ Hat er möglicherweise den Weg nicht gefunden.   ▷ Ja, _____.

3 ▷ Wir sind fast sicher, dass er sich verfahren hat.   ▷ Ja, _____.

c) Was wurde mit der Lieferung gemacht?

1 ▷ Die Ware dürfte falsch bereitgestellt worden sein?

▷ Ja, *die Ware ist wahrscheinlich falsch bereitgestellt worden.*

2 ▷ Die Ware könnte falsch umgeladen worden sein.

▷ Ja, _____.

3 ▷ Die Lieferung müsste zu spät abgeholt worden sein.

▷ Ja, _____.

7 **Was ist los mit der Lieferung? Schreiben Sie die Nachricht neu. Benutzen Sie *könnte, dürfte, müsste*.**

Wir wissen, dass die Lieferung in Hamburg angekommen ist. Von dort ist sie auch weitergeleitet worden, da sind wir fast sicher. Sie ist vielleicht schon auf dem Weg nach Rio. Vielleicht ist sie aber auch auf ein falsches Schiff gekommen. Wenn dem so ist, kommt Ihre Lieferung wahrscheinlich erst mit großer Verspätung in Rio an. Das wird noch überprüft. Aber ich bin fast sicher, dass die Lieferung in ein paar Tagen bei Ihnen ankommt.

> *Wir wissen, dass die Lieferung in Hamburg angekommen ist. Von dort müsste ...*
> _____

Das Kleingedruckte

▶ 1 Die Liefer- und Geschäftsbedingungen der Firma Logona, Lehrbuch S. 147

a) Welche Überschrift passt zu welchem Absatz der Liefer- und Geschäftsbedingungen?

	Absatz			Absatz
1 Abnahmeverpflichtung	9	6 Gerichtsstand		☐
2 Eigentumsübergang/Eigentumsvorbehalt	☐	7 Lieferzeit/Lieferfrist		☐
3 Frachtklauseln	☐	8 Mehrwertsteuer		☐
4 Garantie und Haftung des Verkäufers	☐	9 Risiko des Käufers		☐
5 Geltung und Wirksamkeit	☐	10 Zahlungsbedingungen		☐

b) Auf welchen Absatz beziehen sich folgende Aussagen?

Situation:

Logona hat am 20. Mai Waren im Wert von 405,20 € einschließlich Mehrwertsteuer an das Reformhaus Lamprecht in Leoben geliefert.

1 Der Lieferant berechnet 25,– € der Versandkosten in Höhe von insgesamt 50,– €. _____ 6

2 Das Reformhaus Lamprecht war bisher kein Kunde von Logona. Logona hat erst geliefert, nachdem das Reformhaus Lamprecht den vollen Rechnungsbetrag überwiesen hat. _____ ☐

3 Der Bruttopreis enthält 55,89 € Mehrwertsteuer. _____ ☐

4 Mit der schriftlichen Bestellung hat der Kunde die Liefer- und Geschäftsbedingungen akzeptiert. ☐

5 Beim Transport hat der Lkw einen Unfall. Ein Teil der Ware wird dabei beschädigt. Logona ersetzt die beschädigte Ware nicht. _____ ☐

6 Die Lieferung trifft drei Wochen nach Bestellung ein. Der Kunde beschwert sich, Logona entschuldigt sich. _____ ☐

7 Der Kunde meldet zwei Tage nach Lieferung, dass ein Teil der Cremes nicht richtig verschlossen war und deshalb die Ware verschmutzt wurde. Der Lieferant ersetzt die beschädigte Ware. _____ ☐

8 Das Reformhaus Lamprecht nimmt die Lieferung nicht an. Logona schickt Lamprecht eine Rechnung über 69,– €. _____ ☐

▶ 2 Was zu welchem Zeitpunkt?

a) In welchem Absatz der Liefer- und Geschäftsbedingungen der Firma Logona im Lehrbuch, S. 147, steht das?

b) Welcher Zeitpunkt ist entscheidend? Ordnen Sie den Angaben a) bis d) die Fragen 1 bis 4 zu.

Frage: In welchem Absatz steht, ...

1 wann das Schadensrisiko auf den Käufer übergeht? _____ 8

2 ab wann die Liefer- und Geschäftsbedingungen gelten? _____ ☐

3 wann die Haftung des Verkäufers auf Mängelfreiheit beginnt? _____ ☐

4 wann die Ware Eigentum des Käufers wird? _____ ☐

Angabe: Zu dem Zeitpunkt, zu dem ...

a) der Käufer eine Bestellung unterschrieben hat. _____ 2

b) die Ware das Zentrallager verlassen hat. ___ ☐

c) der Käufer den Preis gezahlt und alle Forderungen des Verkäufers beglichen hat. _ ☐

d) die verkaufte Ware das Werk verlassen hat. _ ☐

c) Schreiben Sie Sätze mit *sobald.*

1 *Nach Absatz 8 geht das Schadensrisiko auf den Käufer über, sobald die Ware das Werk verlassen hat.*

2 *Nach Absatz ...* _____

_____

3 _____

_____

4 _____

_____

3 **Auftragsabwicklung. Das machen wir, sobald …**

1 Der Kunde hat den Auftrag erteilt. Die Exportabteilung teilt dem Kunden den Liefertermin mit.

   Sobald der Kunde den Auftrag erteilt hat, teilt die Exportabteilung ihm den Liefertermin mit.

2 Die Zahlung des Kunden ist eingegangen. Die Exportabteilung leitet den Auftrag an den Versand weiter.

   Sobald …

3 Die Exportabteilung hat den Auftrag an die Disposition weitergeleitet. Die Disposition klärt den Liefertermin.

4 Dem Versand wurde der Auftrag übergeben. Der Versand übermittelt dem Kunden die Frachtdaten.

5 Der Versand hat den Kunden informiert. Die Ware wird verpackt und bereitgestellt.

6 Die Spedition hat den Frachtbrief ausgestellt. Die Spedition holt die Lieferung ab.

4 **Kreuzworträtsel**

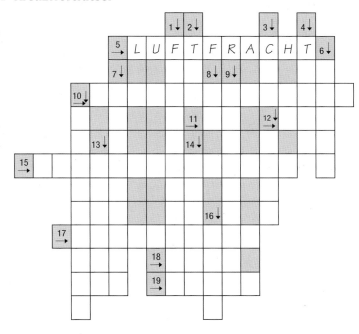

waagerecht →:

5 Die Lieferung an Pure Spring Products geht per … nach Sydney.

10 Logona hat der Spedition den … für die Lieferung nach Taipei am 21.05. erteilt.

11 Abkürzung für *zum Beispiel*

12 Wir übernehmen die Frachtkosten, wir liefern …

15 In Absatz 2 der Liefer- und Geschäftsbedingungen weist Logona darauf hin, dass sie zum Nettopreis dazukommt.

17 Bei Zahlung per … gewährt Logona ein günstiges Skonto (Liefer- und Geschäftsbedingungen, Absatz 5).

18 Stadt in Südengland, Sitz einer bekannten Schule

19 *sodass* drückt im Deutschen eine … aus.

senkrecht ↓:

1 Bei Luftfracht nennt man ihn auch Airway Bill, bei Seefracht Lading Bill.

2 Abkürzung für *Transaktionsnummer*

3 internationale Frachtklausel, siehe 12 waagerecht

4 Arbeitnehmer und Arbeitgeber schließen einen …-Vertrag ab.

6 Wenn per Seefracht geliefert wird, dann wird die Ware hier umgeladen.

7 zu teuer, zu schwierig, muss ich mir noch einmal überlegen – diese … hört der Verkäufer oft vom Kunden.

8 Abkürzung für *Doppelzimmer*

9 Welche … ist für das Personal zuständig?

10 Im Arbeitsbuch auf S. 127, Aufgabe 6, finden Sie eins zum Thema *Lohn*.

12 Die Transportkosten muss der Kunde übernehmen, wir liefern ab …

13 Der … für den Händler auf den Ladenverkaufspreis beträgt etwa 30 Prozent.

14 Bei Zahlung per Bankeinzug gewährt Logona drei Prozent …

16 Viele Länder verlangen … für Importe.

Plötzlich ist alles anders!

A▶ 1 Was hat sich geändert? Benutzen Sie die angegebenen Wörter; *statt* passt immer.

1		
	statt	*Statt eines Bürostuhls möchten wir zwei Bürostühle.*
	zusätzlich	*Wir möchten einen Bürostuhl zusätzlich.*
	zusätzlich (noch)	*Wir möchten zusätzlich noch einen Bürostuhl.*

2		
	statt	*Statt eines weißen Bürostuhls ...*
	nicht/kein – sondern	*Wir möchten keinen weißen Bürostuhl, sondern ...*

3		
	statt	*Statt ...*
	außerdem (noch)	*Wir möchten ...*
	nicht nur – sondern auch	
	sowohl – als auch	

4		
	statt	
	nur	

5		
	statt	
	weder – noch, sondern	

A▶ 2 Anruf bei der Autovermietung: Änderung der Reservierung

Ordnen Sie die Sätze a) bis g) den Punkten 1 bis 7 zu.

a) Haben Sie Ihre Reservierungs-Nummer?

b) Ja, und jetzt möchte ich den Termin ändern. Statt am 21. brauche ich den Wagen schon am 19. Geht das?

1 ▶ Sachverhalt erklären

2 ▶ Informationen erfragen

c) Ja, Moment, 641360606.

3 ▶ Auskunft geben

d) Richtig, einen Audi A4 für drei Tage am 21.03., also nächste Woche.

4 ▶ Sachverhalt bestätigen

5 ▶ Anliegen vortragen

e) Richtig, und vielen Dank.

6 ▶ Problemlösung

f) Kein Problem. Also, am 19.03. um 8.30 Uhr.

7 ▶ Dank

g) Hier ist Schuster, Firma Blocher. Ich habe gestern bei Ihnen einen Mietwagen reservieren lassen. Ich möchte die Reservierung ändern.

B3▶ 3 Setzen Sie *statt, trotz, während, wegen* ein.

1 *Wegen* _____ der großen Nachfrage möchten wir unsere Bestellung ändern. _____ der zehn Kartons Tagescreme möchte wir zwanzig Kartons Tagescreme bestellen. Denn _____ der nächsten Wochen dürfte unser Bedarf noch weiter steigen. Ich hoffe, dass das _____ der kurzen Zeit noch klappt.

2 _____ der alten Bildschirme benutzen wir in Zukunft moderne LCD-Bildschirme. _____ der hohen Kosten werden alle alten Bildschirme durch die neuen ersetzt. Wir haben uns dafür _____ der häufigen Augenbeschwerden der Mitarbeiter entschieden. Ihre Zahl ist _____ des vergangenen Jahres stark gestiegen.

3 _____ unseres letzten Messeauftritts haben uns mehr Interessenten besucht als früher. Aber _____ vieler interessanter Kontakte ist der Absatz nach der Messe nicht gestiegen. _____ der hohen Kosten überlegen wir, in Zukunft _____ weiterer Messebeteiligungen unseren Internet-Auftritt zu verbessern.

4 **Präposition + Nomen – Konjunktion + Verb**

a) Setzen Sie ein: *wegen, statt, trotz, während / weil, nicht … sondern, obwohl, während.*

1 Herr Schuster hat _wegen_ einer Reparatur an seinem Wagen einen Mietwagen bestellt. _____ einer dringenden Dienstreise nach Prag möchte er den Wagen _____ am 21. März schon am 19. März haben. _____ der kurzfristigen Änderung kann die Autovermietung den Wagen auch am 19. März bereitstellen.

2 Herr Schuster hat einen Mietwagen bestellt, _weil_ sein Wagen repariert wird. _____ er eine dringende Dienstreise nach Prag machen muss, möchte er den Wagen _____ am 21. März, _____ schon am 19. März haben. _____ er die Reservierung kurzfristig ändert, kann die Autovermietung den Wagen auch am 19. März bereitstellen.

3 _____ Herrn Sommers Gespräch mit dem Kunden hat der sich entscheiden, _____ des höheren Preises das größere Modell TS 348 _____ des kleineren Modells TL 312 zu nehmen.

4 _____ Herr Sommer mit dem Kunden sprach, hat der sich entschieden, _____ das kleinere Modell TS 312, _____ das größere Modell TL 348 zu nehmen, _____ es teurer ist.

5 _____ unserer Bemühungen konnten wir den Auftrag _____ eines Maschinendefekts nicht pünktlich abwickeln.

6 _____ wir uns bemüht haben, konnten wir den Auftrag nicht pünktlich abwickeln, _____ eine Maschine defekt war.

b) Formulieren Sie Sätze mit *statt, trotz, während, wegen.*

1 Maschine defekt / konnten wir Auftrag nicht pünktlich ausführen

Wegen einer defekten Maschine konnten wir den Auftrag nicht pünktlich ausführen.

2 zehn Kartons / liefern Sie bitte zwanzig Kartons

_____

3 Überstunden / konnten wir das Projekt nicht pünktlich abschließen

_____

4 viele Aufträge / war es ein gutes Geschäftsjahr

_____

5 letztes Jahr / gab es in der Produktion viele Probleme

_____

5 **Gegensatzpaare: So oder so? Ergänzen Sie.**

1 Was ist gestiegen – das Angebot oder die _Nachfrage_ ?

2 Sollen wir per Seefracht oder per _____ liefern?

3 Wie liefern Sie – ab Werk oder _____ ?

4 322,92 € – ist das der Bruttopreis oder der _____ ?

5 Um welche Einheit geht es – 25 Kartons oder nur 25 _____ ?

6 Collish International Ltd. – ist das der Exporteur oder der _____ ?

7 Nach Hamburg zum Flughafen oder zum _____ ?

8 Was ist Ihnen wichtiger – Ökonomie oder _____ ?

9 Stellen Sie Ihre Cremes mit synthetischen oder _____ Inhaltsstoffen her?

10 Besteht Übereinstimmung oder gibt es da einen _____ ?

11 Haben Sie das nur in der Vergangenheit so gemacht oder machen Sie das auch in _____ so?

Beschwerdemanagement

A **1** *Beschwerde / Beschwerden.* **Wo ist Singular möglich?**
Wo ist Plural nötig?

1 Sie haben Kopfschmerzen und sind müde? Wie lange haben Sie die *Beschwerden* schon?

2 Sie sind mit der Kamera nicht zufrieden? Ich verbinde Sie mit der zuständigen Abteilung.
Bitte tragen Sie dort Ihre _____ vor.

3 Einige Mitarbeiter aus der Verwaltung haben _____ wie Schlaf- und
Konzentrationsstörungen.

4 Vermeiden Sie Rücken_____ , indem Sie die Regeln für richtiges Heben und Tragen
beachten.

5 Meine _____ wegen des schmutzigen Badezimmers hatte keinen Erfolg. In dieses
Hotel gehe ich nie wieder.

6 Ihre _____ ist sehr wichtig für uns. Nur mithilfe solcher Hinweise können wir
unseren Service verbessern.

7 Allein in der letzten Woche sind über zwanzig _____ bei uns eingegangen.

B **2** **Das hätte man aber machen sollen.**

1 ▶ Man soll sich für einen Fehler entschuldigen.

▶ *Er hat sich aber nicht entschuldigt.* _____

▶ *Er hätte sich aber entschuldigen sollen.* _____

2 ▶ Man muss den Kunden immer auf die Allgemeinen Geschäftsbedingungen hinweisen.

▶ *Wir haben ...* _____

▶ *Wir hätten den Kunden aber ...* _____

3 ▶ Man kann die Reklamationen innerhalb von zwei Wochen bearbeiten.

▶ *Der Kundendienst hat sie aber ...* _____

▶ _____

4 ▶ Von 8.00 Uhr bis 18.30 Uhr darf man hier nicht parken.

▶ *Ich ...* _____

▶ *Sie ...* _____

B2 **3** **Das ist nicht nötig.**

Antworten Sie mit: *Sie brauchen nicht zu … / Sie brauchen nur … zu … / Sie brauchen erst … zu …*

1 ▶ Soll ich bei der Spedition anrufen?

▶ Nein, *Sie brauchen die Spedition nicht anzurufen.* _____

2 ▶ Müssen wir den Kunden noch heute informieren?

▶ Nein, *Sie brauchen den Kunden erst morgen zu informieren.* _____ (morgen)

3 ▶ Soll ich Sie vom Bahnhof abholen?

▶ Nein, ich nehme den Bus. _____. (mir Weg zu Ihnen beschreiben)

4 ▶ Muss das Zimmer sofort gereinigt werden?

▶ Nein, _____. (heute Nachmittag)

5 ▶ Soll Herr Müller noch einmal vorbeikommen?

▶ Nein, _____.

6 ▶ Muss ich auch an der Besprechung teilnehmen?

▶ Nein, _____. (Frau Voss)

B **4** **Wie heißen die Nomen?**

1	umtauschen	der _Umtausch_	11	versenden	der _____
2	liefern	die _____	12	senden	die _____
3	ärgern	der _____	13	zusammenarbeiten	die _____
4	verärgern	die _____	14	ankommen	die _____
5	anbieten	das _____	15	helfen	die _____
6	sprechen	das _____	16	vorschlagen	der _____
7	besprechen	die _____	17	entschuldigen	die _____
8	reparieren	die _____	18	versuchen	der _____
9	reklamieren	die _____	19	kaufen	der _____
10	regeln	die _____	20	übernehmen	die _____

C **5** **Füllen Sie das Formular aus. Benutzen Sie die Angaben aus dem Bericht.**

Frau Rivera hat am 12. August bei Ihrer Kundenbetreuerin, Frau Brandt, angerufen. Frau Rivera hat ihrem Bankauszug entnommen, dass die Bank ihr Konto mit dem Betrag von 420,25 € belastet hat. Der Betrag wurde am 5. August an ein Warenversandhaus überwiesen. Sie hat erklärt, dass das ein Irrtum sein muss, denn sie hat bei dem Versandhaus nichts bestellt. Frau Brandt hat die Sache an Herrn Bäumer / Privatkundenabteilung weitergeleitet. Der überprüft den Vorgang. Er hat Frau Rivera versprochen, ihr spätestens bis zum 20. August Bescheid zu geben. Frau Rivera hat das akzeptiert.

Wer beschwert sich?	Wer hat die Beschwerde angenommen?	Wann?

Worum geht es dem Kunden?
_____
_____
_____

Wer kümmert sich um die Problemlösung?
_____

Wie wird das Problem gelöst? Was wird getan/veranlasst?
_____
_____

Rückmeldung an den Kunden

durch _____ bis zum / am _____

Ist der Kunde mit der Problemlösung einverstanden?

☐ Ja ☐ Nein - _____

C **6** **Reklamation**

Ordnen Sie die Sätze a) bis h) den Punkten 1 bis 8 zu.

1 ▶ Nach dem Anliegen fragen
2 ▶ Anliegen vortragen
3 ▶ Bedauern ausdrücken
4 ▶ Sachverhalt erklären
5 ▶ Nachfragen, Interesse zeigen
6 ▶ Reaktion, Lösungsvorschlag machen
7 ▶ Gegenvorschlag machen
8 ▶ Vorschlag annehmen

a) Ein Gerät von uns? Es tut mir leid, dass Sie Probleme haben.
b) Einverstanden. Ich bringe es Ihnen morgen vorbei.
c) Ich habe vor zwei Wochen ein TS 312 bei Ihnen gekauft. Jetzt funktioniert es nicht mehr.
d) Ich rufe wegen eines defekten Geräts an.
e) Könnte es sein, dass Sie es nicht richtig angeschlossen haben? Kann ich Ihnen dazu einen Rat geben?
f) Kann ich Ihnen helfen?
g) Nein nein, die Anschlüsse sind in Ordnung. Ich würde es Ihnen gern zurückgeben.
h) Ich verstehe Sie, aber ich biete Ihnen an, dass wir das Gerät überprüfen. Sie werden bestimmt damit zufrieden sein. Das verspreche ich Ihnen.

Reklamation

AWA Apparatebau
Gottlieb-Daimler-Straße 31–37 · 78224 Singen

ICM AG
Postfach 1215
63741 Aschaffenburg

17.04.07

Bestellung 5254 vom 02.04.07

Sehr geehrte Damen und Herren,

am 12.04.07 haben Sie uns 5000 Elektronikteile geliefert. Leider mussten wir bei einer Funktionsprüfung feststellen, dass eine große Zahl der Teile defekt ist. Sie verursachen Fehlschaltungen oder funktionieren überhaupt nicht.

Sie werden verstehen, dass wir vor der Montage nicht jedes einzelne Teil prüfen können. Deshalb fordern wir Sie höflich auf, innerhalb einer Woche Ersatz zu liefern. Bitte lassen Sie uns wissen, ob wir die jetzt gelieferten Teile (auf Ihre Kosten) zurücksenden sollen.

Mit freundlichen Grüßen

A. Pesch
Assistenz - Einkauf

← *Vorgang/Bezug*
← *Feststellung*
← *Einzelheiten*

← *Forderung/Maßnahme*
← *Aufforderung*

1 **Schreiben Sie eine Reklamation. Die Redemittel unten helfen Ihnen.**

Vorgang/Bezug
- am ... haben wir bei Ihnen ... gekauft/bestellt/gebucht/in Auftrag gegeben.
- am ... haben Sie uns ... geliefert/... bei uns durchgeführt.
- wir haben Ihre Sendung vom ... erhalten.

> Computer · Büromaterial · die Reinigung unserer Büroräume · eine Wochenendreise · Reparatur unserer Telefonanlage · ...

Feststellung
- Leider mussten wir feststellen, dass ...
- Zu unserem Bedauern müssen wir Ihnen mitteilen, dass ...

> Ware defekt · beschädigt · nicht fehlerfrei · Mängel · Teile fehlen · nicht geeignet · entspricht nicht der üblichen Qualität · nicht zum vereinbarten Termin eingetroffen · Arbeiten nicht ordnungsgemäß durchgeführt · Reparatur nicht erfolgreich · ...

Einzelheiten
- .../denn .../weil ...

> funktionieren nicht · Fehlschaltungen · ...fehler · Probleme mit ... · vereinbarte Leistungen nicht erbracht: ... · nicht sorgfältig gearbeitet · ...

Forderung/Maßnahme
- Wir fordern Sie höflich auf, ... zu ...
- Bitte ... (Imperativ)
- Wir müssen/schlagen vor ...

> Ware zurücknehmen · Ersatz liefern · Preisnachlass in Höhe von ... gewähren · Kaufpreis/Rechnungsbetrag erstatten/um ... ermäßigen · reparieren · ...

Aufforderung
- Bitte lassen Sie uns wissen, ...
- Es würde uns freuen, bald von Ihnen zu hören.

> mit dem Vorschlag einverstanden · gelieferte Teile zurücksenden · Reparatur durchführen · Ersatzware liefern · Preisnachlass verrechnen · ...

Telefonieren II

1 **Anrufe beim Kundenservice. Überlegen Sie sich Situationen und machen Sie Dialoge.**

Sich melden	• ..., ... ist mein Name. Guten Tag. Was kann ich für Sie tun?
Sich melden/ Anliegen vortragen	• Guten Tag. Hier ist ... von ... • Wir haben Interesse an ... Besonders interessieren wir uns für ... • Ich bräuchte eine Auskunft über ... • Könnten Sie mir mit ... helfen? • Ich habe ein Problem mit .../Ich habe eine Reklamation wegen ... • Am ... haben wir ... bei Ihnen bestellt. Ich möchte die Bestellung stornieren/ ändern. Statt/Außerdem/Zusätzlich brauchen wir ...
Nachfragen	• Könnten Sie das bitte genauer erläutern? • Moment bitte, da sehe ich nach. Wie lautet Ihre Kundennummer/die Bestellnummer?
Informationen einholen	• Für uns wäre wichtig zu wissen, ... • Was kostet/kosten ...? Gewähren Sie auf ... Rabatt? • Wie sind Ihre Zahlungsbedingungen? • Haben Sie ... vorrätig? • Wie lange sind denn in der Regel Ihre Lieferzeiten? • Wäre es möglich, ... zu erhalten?/Könnten Sie uns ... schicken?
Auskünfte erteilen	• Der Mindestbestellwert beträgt ... Euro. Ab ... Euro liefern wir frei Haus. • Wir gewähren ... Prozent Skonto/Rabatt, wenn Sie ... • Wir bemühen uns, ... Nur in Einzelfällen ... • Wir liefern ... • Dafür bräuchte ich bitte Ihre Anschrift. • Leider kann ich Ihnen dazu keine Auskunft erteilen. • Bitte haben Sie Verständnis, dass ... nicht ...
Sich beschweren	• Am ... haben wir ... bestellt. Als Liefertermin wurde uns ... genannt. Die bestellte Ware ist immer noch nicht eingetroffen. • Wir haben ... bestellt. Leider haben Sie uns .../zu wenig/zu viel geschickt. • Die gelieferte Ware ist beschädigt/funktioniert nicht. • Wir sind nicht zufrieden mit ..., weil ... / Wir sind verärgert darüber, dass ...
Auf Beschwerden reagieren/ Vorschläge machen	• Das tut uns leid. Wir könnten ... Wären Sie damit einverstanden? • Das ist natürlich ärgerlich. Ich schlage vor, .../Am besten, Sie ... • Wir können Ihnen anbieten, ... Das wäre kein Problem. • Wir werden dafür sorgen, dass ... • Haben Sie schon versucht, ... zu ...? • Ich werde mich erkundigen und Sie dann zurückrufen.
Zustimmen/eine Lösung finden	• Das ist eine gute Idee. Könnten Sie außerdem ...? • In Ordnung./Gut./Das klingt gut. Dann einigen wir uns also darauf, dass ...
Einwände äußern	• Allerdings ... • Trotzdem wäre es für uns besser, wenn ...
Zum Ende kommen	• Haben Sie noch ein weiteres Anliegen? • Für (weitere) Fragen zu unseren Produkten stehen wir Ihnen gern / jederzeit zur Verfügung.
Danken und Vereinbarungen zusammenfassen	• Vielen Dank. Dann hören Sie bald wieder von mir/uns. • Dann erwarte ich Ihre Sendung/Ihren Rückruf/... • Gut, dann ... Danke, auf Wiederhören.
Danken, sich verabschieden	• Vielen Dank für Ihren Anruf/Ihre Bestellung/... Auf Wiederhören, Frau / Herr ...

KAPITEL 10

Ein Blick in die Stellenangebote

▶ 1 Partizipien

In den Anzeigen im Lehrbuch, S. 156, finden Sie zu den folgenden Verben Partizipien (Präsens und Perfekt). Setzen Sie die Partizipien in der passenden Form in die Lücken ein.

lernen • fließen • wachsen • expandieren • ~~führen~~ • entsprechen • laufen • vereinbaren

1 Ein Unternehmen, das eins der wichtigsten Unternehmen in seiner Branche ist, wird ein *führendes* Unternehmen genannt.

2 Berufserfahrung, die einer angebotenen Stelle entspricht, nennt man eine _____ Berufserfahrung.

3 Ein Termin, den beide Seiten bestätigt haben, ist ein fest _____ Termin.

4 Eine Sprache, die man sehr gut und ohne Unterbrechungen sprechen kann, spricht man _____.

5 Ein Unternehmen, das sich vergrößert, wird ein _____ Unternehmen genannt.

6 Einen Kälteanlagenbauer, der genau für diesen Beruf eine Ausbildung absolviert hat, nennt man einen _____ Kälteanlagenbauer.

7 Gewinne, die ständig zunehmen, sind ständig _____ Gewinne.

8 Die Aktualisierung einer Homepage, die man ständig durchführt, ist eine _____ Aktualisierung.

▶ 2 Adjektive

Bilden Sie aus den Nomen unten und den drei Endsilben -reich, -los, -orientiert Adjektive und setzen Sie diese in die Lücken unten ein.

- Abwechslung
- ~~Erfolg~~
- Zielgruppe
- Konflikt
- Kunde
- Rohstoff
- Umfang
- Erfolg
- Arbeit
- Bargeld
- Service
- Export

1 Er hat als Kundenberater viel Erfolg. *Erfolgreiche* Mitarbeiter erhalten einen Bonus.

2 Leider sind in Europa viele Menschen ohne Arbeit. Zum Glück haben _____ Menschen eine Versicherung.

3 Guter Service ist eins der wichtigsten Ziele. Deshalb sollten alle Mitarbeiter _____ arbeiten.

4 Die Einführung eines neuen Personalbeurteilungssystems kann viele Konflikte mit sich bringen. Wir müssen daran arbeiten, dass die Einführung nicht zu _____ wird.

5 Sie müssen bei Ihrer Arbeit vor allem an die Kunden denken. Bitte arbeiten Sie _____!

6 Die Arbeit bringt viel Abwechslung mit sich. Ich mag _____ Arbeit.

7 Die meisten Fahrscheinautomaten erlauben eine Zahlung mit Karten. Viele Kunden zahlen gern _____.

8 In Russland gibt es sehr viele Rohstoffe. Auch China ist sehr _____.

9 Die Werbung richtet sich genau an bestimmte Gruppen von möglichen Käufern. _____ Werbung ist wirtschaftlich und effizient.

10 Der Kunde kauft Maschinen im Wert 5 Mio. Euro. Ein wirklich _____ Geschäft.

11 Über die Hälfte unserer Produkte werden ausgeführt. Unsere Produktion ist _____.

12 Der Lieferant lehnte meine Reklamation mit Hinweis auf seine ABG ab. Das war meine erste _____ Reklamation.

▶ 3 Stellensuche

Welche Bewerber passen zu welcher Stelle in den Anzeigen im Lehrbuch, S. 156? Notieren Sie die Nummer der passenden Anzeige. Beachten Sie:

- Ein Bewerber / eine Bewerberin passt nicht.
- Bei drei Bewerbern / Bewerberinnen gibt es eins der folgenden Probleme:

a) Ausbildung entspricht nicht genau den Anforderungen
b) zu alt
c) keine Englischkenntnisse

	Anzeige	Probleme?
1 Herr Lindemann, 48 Jahre, hat einen PKW und kann etwas Englisch. Er hat eine praktische technische Ausbildung. In den letzten neun Jahren hat er bei einem Hersteller von Klimaanlagen gearbeitet.	4	—
2 Herr Fries, 37 Jahre, unverheiratet, ist Speditionskaufmann und hat viele Jahre in einer großen Kölner Spedition gearbeitet, zuletzt als Abteilungsleiter. Aus privaten Gründen möchte er Köln verlassen und am liebsten nach Norddeutschland ziehen.		
3 Frau Wagner, 25 Jahre, ist Bankkauffrau, hat aber bisher im Betrieb ihres Vaters, einer Werbeagentur, die Verwaltung und vor allem die Buchhaltung gemacht. Jetzt möchte sie endlich in ihrem eigenen Beruf arbeiten.		
4 Frau Keller, 41 Jahre, hat bisher als freie Übersetzerin gearbeitet und hat ein Auto. Jetzt hat sie zu wenig Aufträge und sucht nach anderen Möglichkeiten, Geld zu verdienen. Sie hat gern Kontakt mit Menschen und ist immer sehr freundlich.		
5 Herr Pirkov, 33 Jahre, kommt aus Russland und spricht sehr gut Deutsch, etwas Polnisch, aber kaum Englisch. Er ist gelernter Kaufmann und hat mehrere Jahre für eine Großhandelsfirma in Russland gearbeitet.		
6 Herr Kiefer, 26 Jahre, hat gerade sein Wirtschaftsstudium abgeschlossen und ein Praktikum in der Vertriebsabteilung eines großen Konzerns absolviert. Ein Jahr lang hat er in den USA studiert. Während seines Studiums war er Vertreter der Studenten und organisierte viele studentische Veranstaltungen. Er hat eine eigene Webseite.		
7 Frau Berger, 35 Jahre, hat lange als Sekretärin gearbeitet und eine Ausbildung als Fremdsprachensekretärin (Englisch/Spanisch). Sie ist örtlich flexibel, möchte allerdings am liebsten in Österreich arbeiten. Sie hat gute EDV-Kenntnisse.		

▶ 4 Telefongespräch. Ordnen Sie den Dialog. Nummerieren Sie.

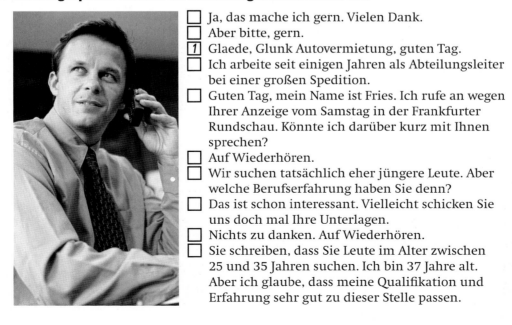

☐ Ja, das mache ich gern. Vielen Dank.
☐ Aber bitte, gern.
☐ 1 Glaede, Glunk Autovermietung, guten Tag.
☐ Ich arbeite seit einigen Jahren als Abteilungsleiter bei einer großen Spedition.
☐ Guten Tag, mein Name ist Fries. Ich rufe an wegen Ihrer Anzeige vom Samstag in der Frankfurter Rundschau. Könnte ich darüber kurz mit Ihnen sprechen?
☐ Auf Wiederhören.
☐ Wir suchen tatsächlich eher jüngere Leute. Aber welche Berufserfahrung haben Sie denn?
☐ Das ist schon interessant. Vielleicht schicken Sie uns doch mal Ihre Unterlagen.
☐ Nichts zu danken. Auf Wiederhören.
☐ Sie schreiben, dass Sie Leute im Alter zwischen 25 und 35 Jahren suchen. Ich bin 37 Jahre alt. Aber ich glaube, dass meine Qualifikation und Erfahrung sehr gut zu dieser Stelle passen.

Bildungssysteme

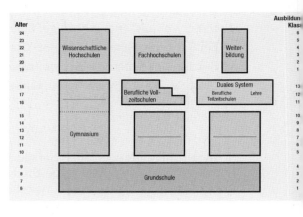

B **1** **Was steht im Text im Lehrbuch, S. 158?**
Kreuzen Sie an: a), b) oder c).

1 In Deutschland ist das Bildungswesen nicht einheitlich.
   a) In der Schweiz ist es noch weniger einheitlich.
   b) In Österreich ist es noch weniger einheitlich.
   c) In der Schweiz ist es einheitlicher als in Deutschland.

2 In der Primarstufe werden die Schüler ... lang unterrichtet.
   a) in der Schweiz vier Jahre
   b) in Deutschland und Österreich vier Jahre
   c) in allen drei Ländern vier Jahre

3 Die Sekundarstufe I ist ...
   a) in der Schweiz in der Regel kürzer als in den beiden anderen Ländern.
   b) in allen drei Ländern gleich.
   c) in Österreich meistens kürzer als in der Schweiz.

4 Die allgemeine Hochschulreife wird in der Schweiz am Ende der Sekundarstufe II mit ... erworben.
   a) dem Abitur
   b) der Matura
   c) der Maturität

5 In Österreich heißt der Schultyp, der direkt zur Hochschulreife führt, ...
   a) Gymnasium.
   b) gymnasiale Oberstufe.
   c) allgemeinbildende Höhere Schule.

6 In allen drei Ländern gibt es für die berufliche Bildung im Wesentlichen ...
   a) einen Weg: eine Lehre.
   b) zwei Wege: eine Lehre im dualen System oder der Besuch einer beruflichen Vollzeitschule.
   c) drei Wege: der Besuch einer Berufsschule, die betriebliche Ausbildung oder der Besuch einer beruflichen Vollzeitschule.

7 Bachelor- und Masterabschlüsse sind an deutschen Hochschulen ...
   a) ziemlich neu.
   b) Tradition.
   c) immer seltener.

8 Im Europa der EU bemüht man sich, die Bildungssysteme aneinander anzupassen.
   a) Die Schweiz ist gegen diese Bemühungen.
   b) Auch die Schweiz macht dabei mit.
   c) Die Schweiz hat daran kein Interesse.

C **2** **Ausbildungsgänge. Schreiben Sie.**

1 **Frau Dr. Maria Brombacher**

Beruf:	Lehrerin
besuchte Schulen:	Grundschule, Gymnasium
Schulabschluss:	Abitur
berufliche Ausbildung:	Universität Göttingen, Deutsch, Politik und Geschichte (7 Jahre)
Abschluss:	Staatsexamen und Promotion
jetzige Tätigkeit:	Gymnasium in Münster (5 Jahre)

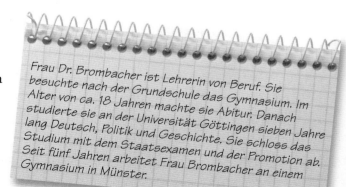

Frau Dr. Brombacher ist Lehrerin von Beruf. Sie besuchte nach der Grundschule das Gymnasium. Im Alter von ca. 18 Jahren machte sie Abitur. Danach studierte sie an der Universität Göttingen sieben Jahre lang Deutsch, Politik und Geschichte. Sie schloss das Studium mit dem Staatsexamen und der Promotion ab. Seit fünf Jahren arbeitet Frau Brombacher an einem Gymnasium in Münster.

2 Herr Albrecht Walz

Beruf:	Verkäufer
besuchte Schulen:	Grundschule, Hauptschule
Schulabschluss:	Hauptschulabschluss
berufliche Ausbildung:	Lehre (3 Jahre)
Abschluss:	Prüfung zum Einzelhandelskaufmann
jetzige Tätigkeit:	großes Kaufhaus in Stuttgart (2 Jahre)

3 Herr Willy Völker

Beruf:	Ingenieur
besuchte Schulen:	Grundschule, Realschule, Fachoberschule
Schulabschluss:	Fachhochschulreife
berufliche Ausbildung:	Fachhochschule Hannover, Konstruktionstechnik (4 Jahre)
Abschluss:	Diplom
jetzige Tätigkeit:	mittelständischer Hersteller von Maschinenwerkzeugen für die Stahlindustrie (4 Jahre)

3 **Setzen Sie die richtigen Präpositionen und Artikel in die Lücken ein.**

> an · auf · auf die · in der · das · in einem · zur

1 _Auf_ welche Schule geht Ihr Sohn? – Mein Sohn studiert schon, aber meine Tochter geht noch _____ Schule.

2 _____ welcher Hochschule studieren Sie?

3 Haben Sie _____ Schule Deutsch gelernt oder _____ Sprachkurs?

4 Meine Frau hat _____ Gymnasium besucht. Ich bin nur _____ Realschule gegangen.

4 **Vergleiche. Setzen Sie die folgenden Wörter an der passenden Stelle in der richten Form ein.**

> ähneln · ähnlich · dagegen · entsprechen · Unterschied · sich unterscheiden · verschieden

In Deutschland und der Schweiz gibt es (1) _Unterschiede_ im Bildungssystem von Land zu Land bzw. von Kanton zu Kanton. (2) _____ ist das Bildungswesen in Österreich einheitlich.

Es (3)_____ in wesentlichen Bereichen dem Bildungssystem in Deutschland.

Die Sekundarstufe I ist in den drei Staaten zwar verschieden lang, aber (4) _____ gegliedert: neben einem Schultyp mit Grundansprüchen gibt es ein bis zwei Schultypen mit höheren Ansprüchen. Sie haben in den drei Ländern (5) _____ Bezeichnungen.

Um an einer Hochschule studieren zu können, muss man in Deutschland das Abitur als Abschluss der Sekundarstufe II machen. Ihm (6) _____ in Österreich die Matura, in der Schweiz die Maturität. Auch die Formen der beruflichen Ausbildung (7) _____ in den drei Ländern nicht erheblich.

Der euro*pass* Lebenslauf

A **1 Begriffe**

a) Wozu passt welcher Oberbegriff? Orientieren Sie sich an dem euro*pass* Lebenslauf im Lehrbuch, S. 160.

> Berufsbildung · Berufserfahrung · soziale Fähigkeiten · Kenntnisse ·
> Kompetenzen · Qualifikation · Schulbildung

1 Englisch, Polnisch, ...   *Kenntnisse* _____

2 dreijährige Tätigkeit als Firmenkundenberater, ...   _____

3 Gymnasium, Handelsakademie, ...   _____

4 Umgang mit Menschen, Anpassungsfähigkeit, ...   _____

5 Banklehre, Studium der Betriebswirtschaft, ...   _____

6 EDV, Buchhaltung, ...   _____

7 Diplom-Ingenieur, Speditionskaufmann, ...   _____

b) Welcher Oberbegriff aus Aufgabe a) hat die gleiche Bedeutung wie *Ausbildung*?

_____

A **2 Tragen Sie die Informationen aus dem Text auf der nächsten Seite in den Lebenslauf ein.**

Name	*Angelika Szabó* _____
Staatsangehörigkeit	_____
Geburtsdatum und -ort	_____
Geschlecht	_____
Gewünschtes Berufsfeld	_____
Schul- und Berufsbildung	
Datum	_____
Qualifikation	_____
Hauptfächer	_____
Name und Art der Ausbildungseinrichtung	_____
Datum	_____
Qualifikation	_____
Name und Art der Ausbildungseinrichtung	_____
Berufserfahrung	
Datum	_____
Beruf oder Funktion	_____
Arbeitgeber	_____
Datum	_____
Beruf oder Funktion	_____
Arbeitgeber	_____
Persönliche Fähigkeiten und Kompetenzen	
Muttersprache	_____
Sonstige Sprache(n)	_____
IKT-Kenntnisse und Kompetenzen	_____

Angelika Szabó wurde am 4. Februar 1981 in Budapest (Ungarn) geboren. Nach der Grundschule erwarb sie 2000 am István-Gymnasium das Abitur. Neben Englisch lernte sie auf der Schule auch Deutsch. Nach der Schule machte sie zunächst in Koposvár ein dreimonatiges Praktikum in der Produktion und der Entwicklungsabteilung der Firma Electronic, die Bauteile für Elektromotoren und Haushaltsgeräte herstellt. Diese Erfahrung motivierte sie, ein technisches Studium aufzunehmen. Sie studierte ab 2001 Elektrotechnik an der Technischen Universität Budapest und schloss das Studium 2005 als Diplomingenieurin mit der Note „sehr gut" ab. Während des Studiums machte sie 2002 ein weiteres viermonatiges Praktikum bei der ÖTM Maschinenbau GmbH & Co. KG in Graz in Österreich, bei dem sie sich vor allem mit Steuerungstechnik beschäftigte. Nachdem sie wieder an die Hochschule zurückgekehrt war, belegte sie neben dem Studium einen Deutschkurs, den sie mit einem Zertifikat abschloss, das ihr das Niveau C2 bescheinigte. Das Englisch, das sie in der Schule gelernt und durch häufiges Surfen und Spielen im Internet nebenbei verbessert hatte, hat nach ihrer eigenen Einschätzung ungefähr das Niveau C1. Der Umgang mit Rechnern und den üblichen Programmen für Textverarbeitung, Kalkulation und Präsentation ist ihr vertraut; außerdem beherrscht sie die Grundlagen der Programmierung. Im Augenblick bewirbt sich Frau Szabó um Stellen in Österreich, wo sie am liebsten im Einkauf einer großen Firma in der Metall- oder Elektroindustrie arbeiten würde.

B **3** **Ergänzen Sie die Verben in der richtigen Zeitform: Präsens, Präteritum, Plusquamperfekt.**

1 kommen, sein: Als Frau Eder zum ersten Mal nach Deutschland

   _kam_____, _war_____ sie schon zwei Jahre alt.

2 leben, finden: Nachdem ihre Familie ein paar Jahre in Deutschland

   _____, _____ Frau Eders Mutter

   1989 wieder Arbeit in Peking.

3 wohnen, zurückkommen: Frau Eders Mutter _____

   wieder in Peking. Deshalb freut sich Frau Eder immer, wenn sie nach

   Peking _____.

4 zurückgehen, aufhalten: Bevor sie dann 1996 nach Berlin

   _____, _____ sie sich ein Schuljahr

   lang in den USA _____.

5 lernen, besuchen: Nachdem sie dort gut Englisch _____,

   _____ sie auch in Berlin eine amerikanische Schule.

6 machen, entscheiden: Als sie nach der Schule in Paris ein Praktikum _____,

   _____ sie sich, Bankkauffrau zu lernen.

7 teilnehmen, abschließen: Sie _____ in Peking an einem Chinesischkurs

   _____, nachdem sie ihre Lehre _____.

B **4** **Vorher – nachher**

Markieren Sie in den Sätzen, was zuerst passiert ist.

1 Bevor Ernst Clemens seine erste Stelle annahm, macchte er eine Weltreise.
2 Nachdem er in Indonesien angekommen war, wurde er schwer krank.
3 Nach der Entlassung aus dem Krankenhaus erholte er sich zum Glück schnell wieder.
4 Er arbeitete einige Wochen bei einer deutschen Firma in Djakarta, bevor er nach Laos weiterreiste.
5 Von dort fuhr er nach Vietnam und China, nachdem er kurz in Kambodscha gewesen war.
6 In Peking traf er sich mit einem Freund, bevor er über Japan nach Kanada reiste.
7 Noch vor seiner Abreise von Japan nahm er Kontakt mit Bekannten in Brasilien auf, die ihn zu sich einluden.
8 Dorthin flog er, nachdem er einen Monat durch Kanada gereist war.
9 Bevor er direkt nach Deutschland zurückreiste, machte er noch einen Besuch bei Freunden seiner Eltern in Chile.

B **5** *Als, wenn* oder *wann*?

1 _Wenn_ ich genug Geld habe, höre ich auf zu arbeiten.

2 Meinen ersten Job fand ich, _____ ich 25 Jahre alt war.

3 Ich weiß nicht mehr, _____ ich zum ersten Mal für Geld gearbeitet habe.

4 _____ Herr Schwing seine Fortbildung zum Raumausstattermeister machte, arbeitete er in Boppard.

5 Immer _____ Herr Schwing zu einer Prüfung fuhr, war er nervös.

6 _____ man Meister ist, bekommt man besser bezahlte Stellen.

7 Es ist schwer zu sagen, _____ man am besten seine Stelle wechselt.

8 Herr Pfahls war gerade 56 Jahre alt, _____ er entlassen wurde.

B **6** **Eins nach dem anderen! Schreiben Sie Sätze wie im Beispiel.**

> Kundenbesuche organisieren · Angebote erstellen · Visitenkarten archivieren · Briefe schreiben · Messenotizen sortieren · Kataloge an Kunden versenden · Informationen in die EDV eingeben

> *Frau Klose sortierte nach der Messe zunächst die Messenotizen. Nachdem sie diese sortiert hatte, gab sie die Informationen in die EDV ein. Nachdem Frau Klose die Informationen eingegeben hatte, ...*

Die schriftliche Bewerbung

B **1** **Suchen Sie in dem Bewerbungsschreiben von Frau Eder im Lehrbuch, S. 163, nützliche Formulierungen für folgende Punkte.**

1 Informationsquelle zu der Stelle: _Ihr Stellenangebot vom 21.10.2006 in der Frankfurter Rundschau_

2 Ihr Interesse an der Stelle: _die ..._

3 Zusammenfassung des Angebots: _Sie ..._

4 Einleitungssatz zu:
Warum sind Sie die/
der Richtige für diese Stelle? _Für ..._

5 Grund für die gute Beherrschung einer Fremdsprache:

6 positive Bedeutung des Auslandsaufenthalts:

7 Beschreibung Ihrer Motivation:

8 Wann könnten Sie bei der Firma anfangen:

9 Schlusssatz:

2 Schreiben Sie jeweils eine Begründung mit *weil* und eine Erklärung mit *nämlich*.

1 Aufgrund ihres einjährigen Schulaufenthalts in den USA beherrscht Frau Eder Englisch perfekt.

 Frau Eder beherrscht Englisch perfekt, weil sie ein Jahr in den USA zur Schule gegangen ist.

 Frau Eder beherrscht Englisch perfekt. Sie ist nämlich ein Jahr in den USA zur Schule gegangen.

2 Die Bewerberin bringt aufgrund ihres Studienschwerpunkts *Finanzdienstleistungen* gute Voraussetzungen für die Stelle mit.

3 Die Firma lädt Frau Eder aufgrund des interessanten Lebenslaufs sofort zu einem Gespräch ein.

4 Wegen des Vorstellungsgesprächs ist Frau Eder ziemlich nervös.

5 Wegen ihrer vielen Auslandsaufenthalte ist Frau Eder daran gewöhnt, sich schnell auf neue Situationen einzustellen.

6 Frau Eder wird aufgrund ihrer guten Zeugnisse und ihrer Auslandserfahrungen eingestellt.

3 Bewerbungsbrief

Schreiben Sie mit den folgenden Hilfen einen Bewerbungsbrief zu Anzeige 1 im Lehrbuch, S. 156. Bitte beachten Sie die Regeln für einen formellen Brief.

Der Name des Absenders ist Gregor Siegel. Er wohnt in der Neusser Straße 217 in 50737 Köln; seine Telefonnummer ist 0221/43503, sein Mobiltelefon hat die Nummer 0170/200383 und seine E-Mail-Adresse ist g.siegel@wax.de

Ihr Stellenangebot vom …	← 22.04.2006/Darmstädter Echo – Verkaufssachbearbeiter Osteuropa
Anrede	← Frau Gesine Kräuter
die ausgeschriebene Position interessiert mich sehr. Sie suchen für … einen Mitarbeiter, der … und dabei …	← Innendienst/eigenverantwortlich osteuropäische Verkaufsgebiete betreuen/in ständigem Kontakt mit Kunden, Außendienstmitarbeitern und Produktionsstätten stehen
Für diese verantwortungsvolle Aufgabe bringe ich alle Voraussetzungen mit. Nach meiner Ausbildung … war ich … tätig	← Kaufmann/mehrere Jahre/Großhandelsfirma in Russland
Seit … bin ich … zuständig.	← 2003/Köln/Vertrieb eines Autozulieferers/Verkaufsgebiet Polen/Tschechien/Slowakei
Ich bin für … und für … verantwortlich.	← Erstellung von Angeboten/die gesamte Auftragsabwicklung
Ich bin gewöhnt, …	← Verantwortung übernehmen, auch wenn Probleme auftreten
Aufgrund meiner Erfahrungen … weiß ich, wie …	← in Russland/man dort geschäftlich miteinander umgeht
Andererseits habe ich gelernt, wie …	← ein deutsches Unternehmen funktioniert
Mich interessiert eine Tätigkeit in …, die …	← eine Firma/größere Herausforderungen und bessere Weiterentwicklungsmöglichkeiten bieten
Außerdem sehe ich bei Ihrem Angebot die Chance, …	← meine zweite Muttersprache Russisch wieder sinnvoll einzusetzen
und freue mich auf die Arbeit in …	← ein nettes Team
Ich könnte Ihnen … zur Verfügung stehen.	← Ende des laufenden Quartals
Über eine Einladung zu einem Vorstellungsgespräch würde ich mich sehr freuen.	
Grußformel	

4 Bilden Sie Nebensätze mit *weil* oder *obwohl*.

1 Trotz seiner guten Russischkenntnisse wurde der Bewerber nicht ausgewählt.

  Obwohl der Bewerber gut Russisch konnte, wurde er nicht ausgewählt.

2 Frau Eder bewirbt sich bei einer Kapitalbeteiligungsgesellschaft. Sie will nämlich auch einmal außerhalb von Banken Erfahrungen sammeln.

3 Aufgrund ihres Schulaufenthalts in den USA kann Frau Eder perfekt Englisch.

4 Frau Eder hat noch nie etwas mit einer Kapitalbeteiligungsgesellschaft zu tun gehabt. Trotzdem bewirbt sie sich auf die Stelle.

5 Wegen ihrer geringen Berufserfahrung schreibt Frau Eder nichts zum Punkt Durchsetzungsvermögen in der Anzeige.

6 Frau Eder sucht eigentlich nach einer Firma mit Traineeprogramm. Aber sie bewirbt sich auf die Stelle bei der PCF AG.

Das Vorstellungsgespräch

B 1 Stellen Sie Fragen – aber bitte höflich!

Bilden Sie mit den Frageeinleitungen im Schüttelkasten höfliche Fragen.

> Für mich wäre noch wichtig zu wissen, … •
> Ich würde gern noch wissen, … •
> Mich würde (auch noch) interessieren, … •
> Könnten Sie vielleicht (kurz) erläutern, … •
> Darf ich fragen, … •
> Könnten Sie vielleicht dazu etwas sagen, … •
> Könnten Sie (vielleicht) …

1 Vorgesetzter? (interessieren)
  → *Mich würde interessieren, wer mein Vorgesetzter wäre.*

2 Aufgaben? (erläutern)
  →

3 Zusammenarbeit mit wem? (interessieren)
  →

4 Entwicklungsperspektive im Unternehmen? (etwas sagen)
  →

5 Beispiel dafür geben? (Könnten …)
  →

6 Sozialleistungen? (auch noch interessieren)
  →

7 Gehalt? (fragen dürfen)
  →

8 Arbeitszeiten? (würde gern wissen)
  →

9 Organisation der Einarbeitung (wichtig zu wissen)
  →

2 **Das Vorstellungsgespräch**

a) Lesen Sie die folgenden Überschriften und dann den Text. Welche Überschrift passt am besten zu welchem Abschnitt?

> Sie werden beobachtet! ·
> Welche Rolle spielen Sie am besten?

> Sie sind an der Reihe. ·
> Was müssen Sie fragen?

> Seien Sie flexibel! ·
> Bereiten Sie sich nicht zu intensiv vor!

> Freude über den Erfolg ·
> ~~Die wichtigsten Punkte zu Ihrer Vorbereitung~~

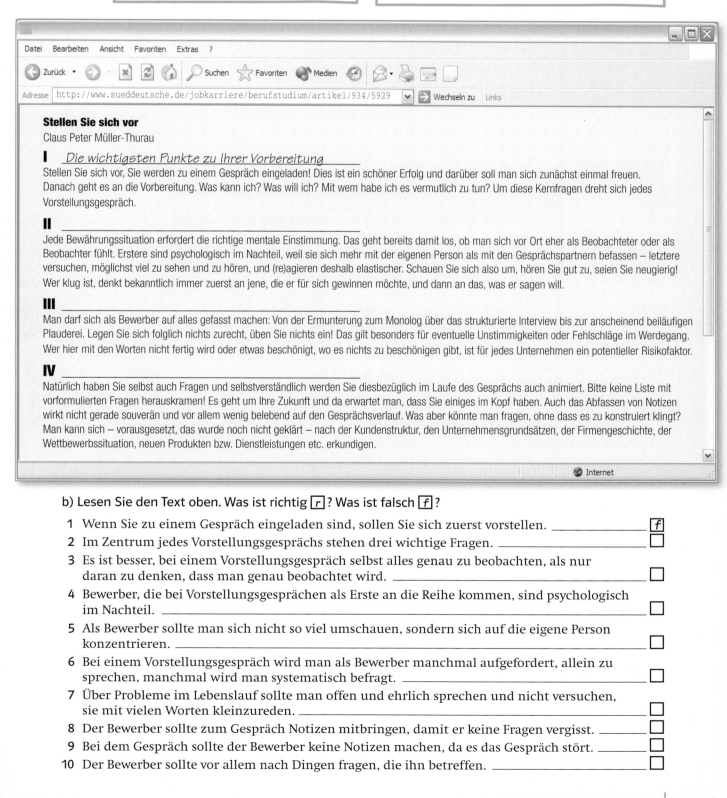

Datei   Bearbeiten   Ansicht   Favoriten   Extras   ?

Zurück · | Suchen | Favoriten | Medien

Adresse http://www.sueddeutsche.de/jobkarriere/berufstudium/artikel/934/5929 | Wechseln zu | Links

Stellen Sie sich vor
Claus Peter Müller-Thurau

I *Die wichtigsten Punkte zu Ihrer Vorbereitung*
Stellen Sie sich vor, Sie werden zu einem Gespräch eingeladen! Dies ist ein schöner Erfolg und darüber soll man sich zunächst einmal freuen. Danach geht es an die Vorbereitung. Was kann ich? Was will ich? Mit wem habe ich es vermutlich zu tun? Um diese Kernfragen dreht sich jedes Vorstellungsgespräch.

II _____
Jede Bewährungssituation erfordert die richtige mentale Einstimmung. Das geht bereits damit los, ob man sich vor Ort eher als Beobachteter oder als Beobachter fühlt. Erstere sind psychologisch im Nachteil, weil sie sich mehr mit der eigenen Person als mit den Gesprächspartnern befassen – letztere versuchen, möglichst viel zu sehen und zu hören, und (re)agieren deshalb elastischer. Schauen Sie sich also um, hören Sie gut zu, seien Sie neugierig! Wer klug ist, denkt bekanntlich immer zuerst an jene, die er für sich gewinnen möchte, und dann an das, was er sagen will.

III _____
Man darf sich als Bewerber auf alles gefasst machen: Von der Ermunterung zum Monolog über das strukturierte Interview bis zur anscheinend beiläufigen Plauderei. Legen Sie sich folglich nichts zurecht, üben Sie nichts ein! Das gilt besonders für eventuelle Unstimmigkeiten oder Fehlschläge im Werdegang. Wer hier mit den Worten nicht fertig wird oder etwas beschönigt, wo es nichts zu beschönigen gibt, ist für jedes Unternehmen ein potentieller Risikofaktor.

IV _____
Natürlich haben Sie selbst auch Fragen und selbstverständlich werden Sie diesbezüglich im Laufe des Gesprächs auch animiert. Bitte keine Liste mit vorformulierten Fragen herauskramen! Es geht um Ihre Zukunft und da erwartet man, dass Sie einiges im Kopf haben. Auch das Abfassen von Notizen wirkt nicht gerade souverän und vor allem wenig belebend auf den Gesprächsverlauf. Was aber könnte man fragen, ohne dass es zu konstruiert klingt? Man kann sich – vorausgesetzt, das wurde noch nicht geklärt – nach der Kundenstruktur, den Unternehmensgrundsätzen, der Firmengeschichte, der Wettbewerbssituation, neuen Produkten bzw. Dienstleistungen etc. erkundigen.

Internet

b) Lesen Sie den Text oben. Was ist richtig $\boxed{r}$? Was ist falsch $\boxed{f}$?

1 Wenn Sie zu einem Gespräch eingeladen sind, sollen Sie sich zuerst vorstellen. _____ $\boxed{f}$

2 Im Zentrum jedes Vorstellungsgesprächs stehen drei wichtige Fragen. _____ ☐

3 Es ist besser, bei einem Vorstellungsgespräch selbst alles genau zu beobachten, als nur daran zu denken, dass man genau beobachtet wird. _____ ☐

4 Bewerber, die bei Vorstellungsgesprächen als Erste an die Reihe kommen, sind psychologisch im Nachteil. _____ ☐

5 Als Bewerber sollte man sich nicht so viel umschauen, sondern sich auf die eigene Person konzentrieren. _____ ☐

6 Bei einem Vorstellungsgespräch wird man als Bewerber manchmal aufgefordert, allein zu sprechen, manchmal wird man systematisch befragt. _____ ☐

7 Über Probleme im Lebenslauf sollte man offen und ehrlich sprechen und nicht versuchen, sie mit vielen Worten kleinzureden. _____ ☐

8 Der Bewerber sollte zum Gespräch Notizen mitbringen, damit er keine Fragen vergisst. _____ ☐

9 Bei dem Gespräch sollte der Bewerber keine Notizen machen, da es das Gespräch stört. _____ ☐

10 Der Bewerber sollte vor allem nach Dingen fragen, die ihn betreffen. _____ ☐

D ▶ **3** *das* oder *was*? Kreuzen Sie an.

1 Frau Eder erzählt nicht alles, ☒ was ☐ das sie im Jahr 2002 gemacht hat.
2 Es gibt aber vieles, ☐ was ☐ das sie über ihre Erfahrungen im Ausland berichten kann.
3 Leider gibt es das Haus, ☐ was ☐ das sie in Peking als Kind bewohnte, nicht mehr.
4 Ihre Kindheit dort ist das Schönste, ☐ was ☐ das sie bisher erlebt hat.
5 Allein schon das Essen, ☐ was ☐ das sowohl billig als auch gut ist, macht das Leben in Peking sehr angenehm.
6 Dort begann sie auch mit dem Hobby, ☐ was ☐ das sie heute noch hat: Klavier spielen.
7 Frau Eder spricht gut Chinesisch, ☐ was ☐ das nicht viele Europäer können.

E ▶ **4** **Lesen Sie die Kategorien im Beurteilungsbogen im Lehrbuch, S. 165. Welche Erklärung passt?**

1 Fachkenntnisse
2 Auftreten
3 Redegewandtheit
4 Auffassungsgabe
5 Einstellung
6 Eindruck

a) Fähigkeit, etwas schnell und richtig zu verstehen
b) Wie man etwas oder jemanden findet.
c) Verhalten einer Person in einer formellen Situation
d) Wie man über etwas denkt bzw. wie man sich zu etwas verhält.
e) Kenntnisse auf einem bestimmten Fachgebiet
f) Fähigkeit, gut und interessant zu sprechen

Wie stehen meine Chancen?

A ▶ **1** **Ergänzen Sie die Relativpronomen und, falls nötig, Präpositionen.**

1 EURES ist ein Internet-Portal, _das_____ in vielen europäischen Sprachen zur Verfügung steht.

2 Es wurde von der EU eingerichtet, um die Mobilität der Arbeitskräfte zu fördern, _____ der Arbeitsmarkt immer mehr verlangt.

3 Die Startseite, _____ Zugänge zu vier Servicebereichen angeboten werden, ist sehr übersichtlich gestaltet.

4 Ein Servicebereich, _____ man oben links auf der Startseite findet, enthält Stellenangebote von Firmen aus der ganzen EU.

5 Der zweite Bereich, _____ Lebensläufe von Stellensuchenden enthält, ist ein Treffpunkt für Arbeitgeber und Arbeitnehmer.

6 Zwei weitere Bereiche, _____ man durch einen Mausklick kommt, liefern Informationen und Angebote für einen Ortswechsel sowie Aus- und Weiterbildungsangebote.

7 Es gibt immer mehr Menschen, _____ wegen der Arbeit umziehen müssen und _____ Informationen über andere Städte und Länder von Bedeutung sind.

8 Diese vier Servicebereiche sind das Wichtigste, _____ die Startseite anbietet.

9 Ein Freund, _____ ich die Adresse der Homepage geschickt habe, konnte mit ihrer Hilfe einen Job finden, _____ mich natürlich sehr gefreut hat.

10 Leider hat nicht jeder, _____ den Service von EURES nutzt, so viel Glück.

11 Aber jeder, _____ ich die Homepage empfohlen habe, fand sie interessant.

B2 **2** **Schreiben Sie zwei kleine Informationstexte wie im Beispiel.**

	Mecklenburg-Vorpommern	Baden-Württemberg	Nordrhein-Westfalen
Bevölkerung	1,7 Millionen	10,7 Millionen	18,1 Millionen
Anteil an Erwerbstätigen[1] in Deutschland	1,8%	13,9%	21,7%
Anteil am realen BIP (Bruttoinlandsprodukt)	1,4%	14,5%	22,1%
Arbeitslosenrate	20,3%	7,0%	12,0%

[1] Personen, die für Geld arbeiten

Baden-Württemberg hat 10,7 Mio. Einwohner. Es ist damit in Deutschland ein mittelgroßes Bundesland. Es erwirtschaftet 14,5% des realen Bruttoinlandprodukts der Bundesrepublik. Sein Anteil an der erwerbstätigen Bevölkerung in Deutschland beträgt 13,9%. Die Arbeitslosenrate liegt bei 7,0% und damit deutlich unter dem bundesdeutschen Durchschnitt von über 10%.

Nordrhein-Westfalen hat …

Es ist …

_____

_____

_____

_____

Mecklenburg-Vorpommern …

_____

_____

B **3** **Formulieren Sie Fragen zu den fett gedruckten Satzteilen.**

1 **In Deutschland** gibt es auf dem Arbeitsmarkt erhebliche regionale Unterschiede.
   → *Wo gibt es auf dem Arbeitsmarkt erhebliche regionale Unterschiede?*

2 Auf dem deutschen Arbeitsmarkt haben **Ingenieure, EDV-Fachleute, Grafiker und Designer** Chancen.
   → _____

3 EU-Bürger können **drei Monate** ohne Aufenthaltsgenehmigung in Österreich bleiben.
   → _____

4 In der Schweiz muss man **vor Stellenantritt** eine Arbeitsbewilligung beantragen.
   → _____

5 Eine Arbeitsbewilligung ist in der Schweiz die Voraussetzung **für eine Aufenthaltsbewilligung**.
   → _____

6 Die Löhne liegen in der Schweiz **um ca. 25%** höher als in Österreich.
   → _____

C **4** **Bitte setzen Sie *was, wer, wo, wohin, woran, worauf* oder *worüber* ein.**

1 Simone reiste nach der Lehre nach Peking, _wohin_ ihre Mutter umgezogen war.

2 Sie fand dort gleich einen passenden Sprachkurs, _____ sie sich sehr freute.

3 Er fand an der gleichen Hochschule statt, _____ früher ihr Vater gearbeitet hatte.

4 Sie konnte schon sprechen, machte aber beim Schreiben und Lesen nur langsam Fortschritte, _____ sie sehr störte.

5 Simone brauchte plötzlich etwas, _____ sie früher nie gedacht hatte: Geduld und Fleiß.

6 _____ schon einmal chinesische Zeichen gelernt hat, weiß, wie schwer das ist.

7 Nach vier Monaten konnte sie ein bisschen Zeitung lesen, _____ sie so lange gewartet hatte.

Bewerbungsbrief

1 **Suchen Sie in der Zeitung oder im Internet nach einer Stelle, die zu Ihnen passt und für die Sie sich auf Deutsch bewerben müssen.**

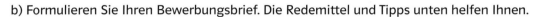

a) Selbstanalyse. Sammeln Sie Argumente für Ihren Bewerbungsbrief.

1 Was hat Sie an der Anzeige besonders angesprochen?
2 Wer sind Sie (Kenntnisse, Fähigkeiten, Eigenschaften)?
3 Was wollen Sie?
4 Weshalb passt die Stelle zu Ihnen?
5 Was bieten Sie bzw. was bringen Sie für diese Stelle mit / Welche Forderungen aus dem Anzeigentext erfüllen Sie?

b) Formulieren Sie Ihren Bewerbungsbrief. Die Redemittel und Tipps unten helfen Ihnen.

> (Name)   (Ort), (Datum)
> (Straße und Hausnummer)
> (Postleitzahl und Ort)
> (Land)
> (Telefonnummer)
> (evtl. E-Mail-Adresse)
>
> (Anschrift mit Ansprechpartner, wenn der bekannt ist)
>
> Ihr Stellenangebot vom … in der … Zeitung / unter www … – … (Stellenbezeichnung)
>
> Sehr geehrte Damen und Herren, / Sehr geehrte Frau …, / Sehr geehrter Herr …,

Einleitung

- vielen Dank für das informative Telefongespräch am … Wie besprochen erhalten Sie anbei meine Bewerbungsunterlagen.
- als … mit Erfahrung in … habe ich Ihr Stellenangebot mit großem Interesse gelesen.
- die ausgeschriebene Stelle / Position interessiert mich sehr. Sie suchen …,
- Ich bringe … / alle Voraussetzungen dafür mit. / Ich bringe folgende Voraussetzungen dafür mit: …
- Sie sind ein Unternehmen, das …, und ich habe … zu bieten.

Hauptteil

- Meine Berufsausbildung / Mein Studium habe ich … erfolgreich abgeschlossen. Anschließend … Seit … arbeite ich bei … und bin … für … zuständig.
- Ich möchte mich beruflich neu orientieren / meine Erfahrungen im Bereich … ausbauen. Ihre Firma ist mir vor allem wegen … ein Begriff und ich bin überzeugt, dass … / unser Telefonat bestärkte mich darin, dass …
- In meiner bisherigen Berufspraxis eignete ich mir … an / sammelte ich Erfahrung in … / Ich verfüge über umfassende Kenntnisse in …
- Ich bin es gewohnt, … zu … / … ist für mich ebenso selbstverständlich wie … / Meine persönlichen Stärken sind …

Schluss

- Ich könnte sofort / ab dem … für Sie tätig werden / zur Verfügung stehen.
- Für alle weiteren Fragen stehe ich Ihnen gern in einem persönlichen Gespräch zur Verfügung.
- Über die Einladung zu einem persönlichen Gespräch würde ich mich sehr freuen.
- Mit freundlichen Grüßen (Unterschrift)
- Anlagen: Lebenslauf mit Lichtbild, Zeugnisse

TIPP

- Es ist von Vorteil, vorher bei der Firma anzurufen. Dabei erfahren Sie auch, wer Ihr Ansprechpartner ist.
- Schreiben Sie kurze Sätze und nicht mehr als eine Seite.
- Schon in der Einleitung sollten Sie ein interessantes Argument für sich nennen.
- Argumentieren Sie knapp und überzeugend: Führen Sie nur die Argumente aus Ihrer Selbstanalyse auf, die für die Stelle wichtig sind.
- Nennen Sie Beispiele.
- Zeigen Sie, dass Sie sich über das Unternehmen informiert haben.
- Machen Sie Ihre Motivation für die Bewerbung deutlich: Grund für Bewerbung oder Wechselwunsch.
- Halten Sie den Schluss knapp und freundlich.
- Lassen Sie den Brief und den Lebenslauf von Freunden oder Bekannten korrigieren.

Rund um das Vorstellungsgespräch

1 **Telefonische Nachfrage. Simone Eder hat ihre Bewerbung schon vor drei Wochen verschickt und noch nichts gehört. Ordnen Sie den Dialog. Nummerieren Sie.**

Herr Renz

☐ Schön, das freut mich. Dann sehen wir uns nächste Woche.

☐ Ja, Ihre Unterlagen sind angekommen ...

☐ Aber natürlich! Heute Vormittag haben wir einen Brief mit der Einladung zum Vorstellungsgespräch an Sie verschickt. Wenn ich Sie nun schon am Apparat habe, können wir das auch gleich telefonisch besprechen: Könnten Sie am Montag, dem 20., um 14.00 Uhr bei uns sein?

☐ 1 Renz, PCF, Guten Tag.

☐ Auf Wiederhören, Frau Eder.

Frau Eder

☐ Vielen Dank, Herr Renz. Bis nächsten Montag, 14.00 Uhr. Auf Wiederhören.

☐ Können Sie mir schon Auskunft geben, ob ich in die engere Wahl gekommen bin?

☐ 2 Guten Tag, Herr Renz, hier spricht Simone Eder. Ich habe mich um die freie Stelle im Bereich Marketing beworben, die Sie vor drei Wochen in der Frankfurter Rundschau ausgeschrieben hatten. Haben Sie meine Unterlagen erhalten?

☐ Moment, ich sehe kurz in meinem Terminkalender nach. ... Ja, das wäre möglich.

2 **Sie wurden auf Ihre Bewerbung zum Vorstellungsgespräch eingeladen. Bereiten Sie sich darauf vor.**

1 Bestätigen Sie den Termin schriftlich, per E-Mail oder Brief.

2 Planen Sie Ihre Anfahrt und überlegen Sie, was Sie anziehen sollen, ob Sie noch einmal zum Friseur müssen etc.

3 Lesen Sie das Stellenangebot und Ihre Bewerbung noch einmal genau und überprüfen Sie Ihre Selbstanalyse.

4 Informieren Sie sich über die Firma, z.B. bei Freunden oder im Internet.

5 Überlegen Sie sich, was man Sie fragen könnte, und überlegen Sie sich unbedingt Antworten auf folgende Fragen:
– Warum möchten Sie bei uns arbeiten?
– Was bringen Sie fachlich und persönlich für die ausgeschriebene Stelle mit?
– Wann könnten Sie bei uns anfangen?
– Wie sehen Ihre Gehaltsvorstellungen aus?

6 Überlegen Sie sich Ihre Fragen zum Unternehmen und zur Stelle: „Können Sie mir Näheres über ... sagen?", „Ich würde gern wissen, ob/wie ...", „Stimmt mein Eindruck, dass ...?"

7 Üben Sie: Sprechen Sie mit jemandem auf Deutsch über sich, das Stellenangebot und die Firma.

3 **Erzählen Sie uns von sich. – Sprechen Sie über Ihren Lebenslauf.**

Über den Lebenslauf sprechen

• Ich fange bei meinem Schulabschluss an. ... habe ich ... abgelegt.

• Anschließend habe ich ein Jahr/... bei .../in ... verbracht./Da ..., habe ich mich anschließend zu einer Ausbildung als .../einem Studium der ... entschlossen.

• Während meiner Ausbildung/meines Studiums habe ich außerdem ... Meine Schwerpunkte waren ... Daraus entwickelte sich (auch) ...

• Nach meinem Abschluss zur/zum ... habe ich eine Stelle als ... bei ... gefunden. Das passte sehr gut, denn ich wollte immer schon ... Dort habe ich ... gelernt und war zunächst zuständig für ... und später auch für ... Dabei sammelte ich Erfahrungen in ...

• Zusätzliche Kenntnisse im Bereich ... habe ich durch eine Weiterbildung als .../ein Fernstudium .../... erworben.

• Momentan arbeite ich als ... bei ... Ich habe die Verantwortung für ... Mein Aufgabenbereich besteht vor allem in ... Besonders gefällt mir ... Dabei habe ich festgestellt, dass meine Stärken in ... liegen. Ein besonderer Erfolg war ...

• Seit ... bin ich auf Stellensuche und nutze die Zeit, um ...

Lücken im Lebenslauf erklären

• Ich habe einige Zeit gebraucht, um mir darüber klar zu werden, wie mein zukünftiger Lebensweg aussehen soll. In dieser Zeit habe ich ...

• Leider wurden in meiner damaligen Firma Stellen abgebaut. Da ich noch nicht lange dort war, musste ich gehen. Sie wissen sicher, wie lange es heute dauern kann, eine neue Stelle zu finden.

• Ich habe die Zeit genutzt, um ...

Ungewöhnliche Entscheidungen begründen

• Während meiner Zeit bei .../des Studiums habe ich festgestellt, dass meine persönlichen Stärken eher im Bereich ... liegen. Daher orientierte ich mich neu und ...

• Leider war ich aus persönlichen Gründen dazu gezwungen, ... zu ...

• Da ich mich im Bereich ... weiterentwickeln wollte, entschied ich mich für ...

Name: _____

1 Lesen

a) Welche Überschrift passt am besten zu der folgenden Zeitungsnotiz?

1 Auch mit Hochschulreife in die Lehre
2 Probleme der Hauptschule in Deutschland
3 Rückgang der Zahl von Ausbildungsplätzen
4 Wachsender Ausländeranteil an deutschen Hauptschulen

2

2

WIESBADEN · 26. JULI · AP · Für Hauptschulabsolventen wird es in Deutschland immer schwerer, einen Ausbildungsplatz zu finden. Ihr Anteil an Ausbildungsanfängern, die eine Lehre im Rahmen des dualen Systems machen und die Berufsschule besuchen, ist in den vergangenen zehn Jahren zurückgegangen, wie das Statistische Bundesamt am Dienstag berichtete. Von rund 572 000 Auszubildenden, die 2004 eine Lehre begannen, hätten rund ein Drittel den Hauptschulabschluss, knapp die Hälfte Realschulabschluss und jeder sechste Hochschul- oder Fachhochschulreife. Im Vergleich zu 1994 sank der Anteil der Azubis mit Hauptschulabschluss von 37 auf 33 Prozent.

Dabei bildet besonders die Hauptschule die Schüler für praktische Berufe in Handwerk und Industrie aus. Immer wieder klagt die Wirtschaft jedoch über das sinkende Leistungsniveau vieler Schüler. Vor allem in den Großstädten mit hohem Ausländeranteil erschweren die mangelnden Deutschkenntnisse vieler Schüler den Lernprozess. Und auch in anderer Hinsicht bleiben die Hauptschüler zurück: Während junge Erwachsene mit Mittlerer Reife noch zu 67 Prozent Zugang zum Internet haben, verfügen darüber nur 29 Prozent der Hauptschulabsolventen.

b) Notieren Sie die Angaben aus dem Text zu folgenden Stichpunkten.

1 Zahl der Ausbildungsanfänger: _572 000_

2 Anteil der Ausbildungsanfänger mit Hauptschulabschluss: _____   **1**

3 Anteil der Ausbildungsanfänger mit Realschulabschluss: _____   **1**

4 Anteil der Ausbildungsanfänger mit Hochschulreife: _____   **1**

5 Entwicklung des Anteils der Auszubildenden mit
Hauptschulabschluss in den 10 Jahren bis 2004: _____   **1**

6 Kurze Bezeichnung für Jugendliche, die gerade eine Lehre machen: _____   **1**

7 Aufgabe des Schultyps Hauptschule: _____   **1**

8 Kritik aus der Wirtschaft an der Hauptschule: _____   **1**

9 Anteil der Hauptschüler mit Zugang zum Internet: _____   **1**

8

2 Wortschatz

Was ist richtig? Kreuzen Sie an: a), b) oder c).

Aufträge z. B. aus Osteuropa werden oft per Bahnexpress (1) _____. Nachdem die
Disposition den Liefertermin (2) _____ und die Exportabteilung darüber
(3) _____ hat, schickt diese dem Kunden eine Auftragsbestätigung. Im Versand wird
der Auftrag zunächst in die EDV (4) _____. Vor der Versendung muss die Ware
(5) _____ und (6) _____ werden. Dann wird sie auf einen Lkw (7) _____.
Anschließend wird die Ware von der Spedition am Containerbahnhof (8) _____ und
in Container (9) _____. Nach Ankunft der Container am Zielbahnhof wird die Ware
(10) _____ und zum Empfänger (11) _____.

1 ☐ a) beladen	☒ b) abgewickelt	☐ c) umgeladen
2 ☐ a) informiert	☐ b) geschrieben	☐ c) geklärt
3 ☐ a) geklärt	☐ b) informiert	☐ c) avisiert
4 ☐ a) eingegeben	☐ b) transportiert	☐ c) verpackt
5 ☐ a) beladen	☐ b) verpackt	☐ c) ausgeliefert
6 ☐ a) avisiert	☐ b) angeliefert	☐ c) bereitgestellt
7 ☐ a) verladen	☐ b) gebracht	☐ c) geschickt
8 ☐ a) angeliefert	☐ b) transportiert	☐ c) abgewickelt
9 ☐ a) verladen	☐ b) ausgeliefert	☐ c) umgeladen
10 ☐ a) ausgegeben	☐ b) verzollt	☐ c) eingegeben
11 ☐ a) ausgeliefert	☐ b) weitergeleitet	☐ c) angeliefert

1
1
1
1
1
1
1
1
1
1

10

Name: _____

3 Redeintentionen

Was sagt man in welcher Situation? Ordnen Sie zu.

Sie ...

1 finden etwas fast sicher.
2 halten etwas für wahrscheinlich.
3 fragen nach einem Anliegen.
4 tragen ein Anliegen vor.
5 machen ein Angebot auf eine Reklamation.
6 drücken Ihr Bedauern aus.
7 erfragen Informationen im Kundengespräch.
8 fragen sehr höflich nach einer Information.
9 beziehen sich auf ein Beschwerdeschreiben.
10 verabschieden sich nach einem Bewerbungsgespräch.
11 bedanken sich, dass Sie zu einem Bewerbungsgespräch eingeladen worden sind.

Sie sagen:

a) Das tut mir wirklich leid.
b) Was kann ich für Sie tun?　　　　　　　1
c) Sie haben uns mitgeteilt, dass die Sendung noch nicht eingetroffen ist.　1
d) Ich komme wegen des Geräts, das ich gestern bei Ihnen gekauft habe.　1
e) Das müsste so sein.　　　　　　　　1
f) Ich biete Ihnen an, das Gerät umzutauschen.　　　　　　　　1
g) Ich danke Ihnen für die Möglichkeit, mich bei Ihnen vorzustellen.　　1
h) Könnten Sie den Fehler genauer beschreiben?　　　　　　　　1
i) Darf ich Sie fragen, wann das Traineeprogramm beginnt?　　　1
j) Das dürfte so sein.　　　　　　　　1
k) Ich danke Ihnen für das interessante Gespräch.

☐ **10**

4 Schreiben

Schreiben Sie eine E-Mail an Austriapersonal.

Erkundigen Sie sich unter Bezug auf die nebenstehende Internet-Anzeige danach, ob eine Bewerbung überhaupt sinnvoll ist. Erwähnen Sie folgende Punkte:

- Hochschulabschluss in Englisch und Deutsch, gute Französischkenntnisse (1 Jahr als Austauschschüler in Frankreich)
- Arbeit in einem Sekretariat während Ihres Studiums
- Umfang der Teilzeitstelle / Wochenarbeitszeit?
- Beginn der Tätigkeit?

> www.austriapersonal.at – kaufmännische Berufe
>
> ### Fremdsprachensekretär/in (Teilzeit)
>
> Wir suchen für die Zentrale einer internationalen Wirtschaftsprüfungsgesellschaft in Wien eine/n Mitarbeiter/in für den Empfangsbereich.
> Sie verfügen über eine Ausbildung als Fremdsprachensekretärin (Englisch / Französisch) oder haben entsprechende Kenntnisse. Das Aufgabengebiet umfasst die üblichen Sekretariatsarbeiten, Postein- und -ausgang, Telefondienst und Fristenkontrolle. Eigeninitiative, Verantwortungsbewusstsein und vor allem ein freundlicher und sicherer Umgang mit unseren Kunden sind ebenso erforderlich wie gute EDV-Kenntnisse.

☐ **12**

5 Grammatik

Setzte Sie *als, bevor, nachdem, obwohl, was, weil, wenn, wenn* und *wo* ein.

1 *Wenn* sich der Warenwert auf über 2 500 Euro beläuft, liefern wir frei Haus.
2 _____ die Disposition den Liefertermin geklärt hatte, erhielt der Kunde die Auftragsbestätigung.　1
3 Ich arbeite gern im Versand, _____ ich oft Überstunden machen muss.　1
4 _____ die Ware bereitgestellt wurde, wurde der Auftrag in die EDV eingegeben.　1
5 _____ unsere Zollerklärung vorliegt, stellt die Spedition den Frachtbrief aus.　1
6 _____ dem Kunden die Frachtdaten übermittelt wurden, war die Ware bereits mit der Spedition unterwegs.　1
7 Das Fax gab Auskunft darüber, _____ die Ware liegen geblieben war.　1
8 Die Lieferung hat sich verspätet, _____ wir sehr bedauern.　1
9 Die Ware kam nicht pünktlich an, _____ es auf der Autobahn einen großen Stau gegeben hatte.　1

☐ **8**

☐ **50**

LÖSUNGEN

KAPITEL 1
HERZLICH WILLKOMMEN!
Sind Sie Herr …?

1 2ik • 3ef • 4cj • 5dh • 6ab

2 1 Ja, wir sind pünktlich abgefahren. • Nein, wir können gleich anfangen. • 2 Sehr anstrengend. • Ja, aber die Kontrollen haben sehr lange gedauert. • Ein bisschen. Hätten Sie vielleicht einen Kaffee?

3 a) 10 • 5 • 3 • 2 • 6 • 9 • 4 • 7 • 8 • 1
b) B • A • A • B • B • A • B • A • B • A

4 1 Kollegen • Kollegen 2 Namen • Name • Namen 3 Tourist • Touristen • Touristen 4 Kunde • Kunden • Kunden

5 a) 9 • 7 • 6 • 4 • 1 • 10 • 3 • 2 • 8 • 5

Wir haben für Sie reserviert …

1 a) 2M • 3P • 4P • 5M • 6P • 7P • 8M
b) 2 Das Landhotel M. bietet Ruhe und Erholung, denn es liegt nicht in der Stadtmitte. 3 Das Hotel Am P. kümmert sich um den Transport vom und zum Flughafen, denn es ist sehr weit zum Flughafen. 4 Das Hotel Am P. bietet den größeren Komfort in den Zimmern, denn die Zimmer haben Bad und Minibar. 5 Das Landhotel M. ist familienfreundlich, denn es kümmert sich um die Kinder. 6 Das Hotel Am P. kümmert sich um Sport und Freizeit, denn es hat ein Schwimmbad und einen Fitnessraum. 7 Das Hotel Am P. ist günstiger für Geschäftsleute, denn es hat Konferenzräume. 8 Das Landhotel M. ist preiswerter, denn die Zimmer sind einfacher.

2 a) 2 mich 3 mich 4 uns 5 mich 6 sich
b) 2 Frau Engel entschuldigt sich. 3 Herr Kolb beschwert sich. 4 Frau Engel und Herr Kolb verabschieden sich. 5 Herr Kolb stellt Frau Engel und sich vor. 6 Herr Kolb informiert Frau Engel.

3 **reflexiv:** sich freuen • sich erkundigen • sich beschweren • sich irren • sich wundern • sich verabreden • sich verspäten • **nicht reflexiv:** Gäste erwarten • den Koffer mitnehmen • den Gast abholen • die Freunde einladen • den Weg finden • den Gast begrüßen • Freunde besuchen • **reflexiv und nicht reflexiv:** sich verabschieden/den Gast verabschieden • sich entscheiden/eine Sache entscheiden • sich anmelden/den Besucher anmelden • sich vorstellen/den Kunden vorstellen • sich treffen/den Kunden treffen • sich informieren/den Kunden informieren • sich fragen/den Freund fragen

4 2eE • 3aC • 4dD • 5cB • 6bF

5 2 Ja, ich kümmere mich um das Problem. 3 Ja, er kümmert sich … 4 Ja, ihr sollt euch … 5 Ja, ich kümmere mich … 6 Ja, du musst dich … 7 Ja, sie sollen sich …

6 *Mögliche Lösung:* **Karl sagt:** … um 12.00 Uhr getroffen. Ich habe mich verspätet, weil ich mich verlaufen habe. Ich habe mich bei Heinz für meine Verspätung entschuldigt. • **Heinz sagt:** … haben uns aber erst um 12.00 Uhr getroffen. Ich habe mich gewundert, dass Karl nicht pünktlich kam. Aber Karl hat sich verlaufen. Ich habe mich gefreut, dass Karl sich für seine Verspätung entschuldigt hat.

Das Programm ist wie folgt

1 a) 2b • 3a • 4b • 5b • 6a • 7a
b) 2 Am Palmengarten 3 … Kaisersaals im Römer, Besuch des Goethe-Hauses, des Historischen Museums u.a. 4 9.00 Abfahrt vom Hotel 5 Beginn des Internationalen Kongresses für Pharmakologie 6 Rückfahrt gegen 15.00 Uhr 7 Weiterreise der Gruppe nach Basel mit ICE

2 a) 2 die Eröffnung 3 begrüßen • die Begrüßung 4 dauern • die Dauer 5 vorstellen • die Vorstellung 6 diskutieren • die Diskussion 7 besichtigen • die Besichtigung 8 fortsetzen, • die Fortsetzung 9 vergleichen • der Vergleich 10 glauben • der Glaube 11 vorbereiten • die Vorbereitung 12 verabschieden • die Verabschiedung 13 abreisen • die Abreise
b) 9.30 Eröffnung der Tagung, Begrüßung der Teilnehmer • 10.00 Vorstellung des neuen Marketingleiters • 10.15 Beginn der Diskussion • 12.00 Besichtigung des Vertriebs • 14.00 Vergleich der Verkaufsergebnisse • 15.00 Vorbereitung der Messe • 16.00 Verabschiedung der Teilnehmer
c) *Mögliche Lösung:* … Teilnehmer begrüßt. Um 10.00 Uhr hat Frau Zilly den neuen Marketingleiter vorgestellt. Um 10.15 Uhr hat die Diskussion begonnen. Von 12.00 bis 13.00 Uhr haben wir den Vertrieb besichtigt. Um 13.00 Uhr haben wir zu Mittag gegessen. Von 14.00 bis 15.00 Uhr haben wir die Verkaufsergebnisse verglichen. Zwischen 15.00 und 16.00 Uhr haben wir die Messe vorbereitet. Um 16.00 Uhr haben wir die Teilnehmer verabschiedet.

3 3 die Zeit der Ankunft 4 der Besuch des Museums 5 die Einrichtungen für die Freizeit 6 der Leiter des Seminars 7 der Raum für die Konferenz 8 der Techniker für den Service 9 der Leiter der Abteilung 10 die Annahme der Reparatur 11 die Rechnung für die Reparatur

12 die Mitte der Stadt 13 der Beginn des Kurses
14 das Geschenk für den Gast 15 das Zimmer
für die Besprechung 16 die Reservierung des
Zimmers / der Zimmer 17 das Ende der Woche
18 die Beschreibung des Weges 19 die Betreuung
der Kinder 20 das Ticket für die Messe

4 2 ihren Transfer ins Hotel 3 ihr Programm 4
Ihre Aktivitäten in der ... 5 Auf ihrem Programm
steht ... 6 Ihr Besuch bei der Medisan AG ... 7 Zu
ihrer Stadtbesichtigung gehört ...

5 a) 2 seine 3 ihrem 4 ihrer 5 ihren • ihrer
6 seinen 7 ihrem • ihrer
b) *Mögliche Lösung:* ... meine Kollegin. Frau
Weiß arbeitet gut mit mir zusammen. Bei
unserer Arbeit müssen wir viele Dienstreisen
machen. Auf unseren Reisen treffen wir die
Geschäftspartner unserer Firma. Für die
Dienstreisen nehme ich immer meinen Wagen.
Frau Weiß fährt nicht mit ihrem Auto, sondern
mit dem Auto unserer Firma.

Eine Betriebsbesichtigung

1 3 diesen 4 diese 5 dieses 6 diese
2 a) 2bD • 3aB • 4eA
b) 1bD • 2eC • 3aB • 4cA
c) 1dB • 2aA • 3cD • 4eC
d) 1cB • 2eC • 3dA • 4aD
3 1 Vertrieb 2 Herstellung 3 Werbung 4 Forschung
5 Verkauf 6 Personalwesen 7 Vorstand
4 2 Der Bericht des Abteilungsleiters erfolgt von
10.15 bis 10.45 Uhr. 3 Wann diskutieren wir den
Bericht? Die Diskussion des Berichts erfolgt von
10.45 bis 11.15 Uhr. 4 Wann präsentieren wir
die neue Produktlinie? Die Präsentation der
neuen Produktlinie erfolgt von 11.15 bis 12.15
Uhr. 5 Wann planen wir die Werbung für die
neue Produktlinie? Die Planung der Werbung
für die neue Produktlinie erfolgt von 12.15 bis
13.30 Uhr. 6 Wann besprechen wir den neuen
Prospekt? Die Besprechung des neuen Prospekts
erfolgt von 14.30 bis 15.30 Uhr.
7 Wann überprüfen wir den Marketingplan? Die
Überprüfung des Marketingplans erfolgt von
15.30 bis 16.45 Uhr.
5 1a • 2gec • 3i • 4b • 5h • 6f

Was kann man hier machen?

1 2 uns • a • 3 für • f • 4 mich • b • 5 Sie • c •
6 interessierst • d
2 2 für die Fertigung 3 nach dem neuen Lager
4 um einen Prospekt 5 um die Prospekte 6 die
Prospekte 7 bei Frau Köhler für die Prospekte
8 von Frau Köhler
3 a) 2f • 3f • 4r • 5r • 6f • 7r • 8f
b) *Mögliche Lösung:* 1 drei Züge. 2 Der Fahrplan
gilt auch sonntags. 3 Mittags und abends fährt
nicht stündlich ein Zug nach Hamburg.
4 Mittags fährt nur ein Zug, um 12.55 Uhr.

4 2 ... geöffnet. 3 Aber montags ist es geschlossen.
4 Zweimal wöchentlich ist das Museum bis
20.00 Uhr geöffnet. 5 Heute haben wir unsere
wöchentliche Besprechung. 6 Einmal monatlich
muss ich nach Bern. 7 Isst du mittags immer in
der Kantine? 8 Am Montag ist unsere jährliche
Konferenz.

5 2 Gespräche • — 3 Abendessen 4 Stadt kennen
lernen • Stadtrundgänge • — 5 Interesse für
Kunst • Das Städel • — 6 Konzert am Abend
• London Philharmonic Orchestra • sich um
Karte kümmern 7 In die Umgebung fahren •
Rheingau-Tour • —

Darf ich Sie einladen?

1 2 Rindersteak, Röstkartoffeln, Rotkraut
3 Vanilleeis, Himbeeren 4 Rotwein, Wasser
2 2 Zanderfilet 3 Himbeeren 4 Gemüse 5 Spätzle
mit Ei
3 1 einen gemischten Salat 2 dir • Lachsfilet
• Schweinesteak 3 Ihnen • Butterreis •
Röstkartoffeln 4 euch • Rosenkohl • Spinat 5 dir
• Käseplatte • Rote Grütze 6 uns • Weißwein
• Mineralwasser 7 ihm • Kaffee
4 2 Magst du keine Suppe? • ... Salat. 3 Er mag
kein Bier. • ... Wein nehmen. 4 Wir mögen keine
Kartoffeln • ... doch Reis. 5 Mögt ihr keinen
Kaffee? • ... Tee. 6 Sie mögen keinen Kuchen.
• ... Eis nehmen.
5 a) 13 • 12 • 5 • 8 • 1 • 3 • 9 • 11 • 6 • 10 • 7 •
14 • 2 • 4
b) O • O • G • O • O • O • G • G • O • O • O •
G • G
6 2 Ja, ich bringe sie den Herren. • Ja, ich bringe
sie ihnen. 3 Ja, ich erkläre der Dame den Weg.
• Ja, ich erkläre ihn der Dame. • Ja, ich erkläre
ihn ihr. 4 Ja, ich zeige den Besuchern die
Prospekte. • Ja, ich zeige sie den Besuchern. Ja,
• ich zeige sie ihnen.
7 *Mögliche Lösung:* einen Freund / eine
Entscheidung begrüßen • Freunde / eine
Ausstellung besuchen • einen Freund / einen
Rat brauchen • dem Gast ein Glas Wein
einschenken • den Kunden / einen Befehl
empfangen • dem Gast das Hauptgericht
empfehlen • dem Kunden die Maschine
erklären • den Freund fragen • der Kollegin
einen Rat geben • der Freundin gratulieren
• dem Kunden helfen • den Besuchern einen
Prospekt holen • dem Freund ein Geschenk
kaufen • einen Freund / ein Essen mögen •
einen Tee nehmen • dem Gast den Kuchen
reichen • die Freundin / den Schlüssel suchen
• einen Kaffee trinken • dem Besucher die
Kollegin / die Firma vorstellen • etwas nicht
wissen • dem Kollegen einen guten Anfang
wünschen

KAPITEL 2
RUND UM DIE FIRMA
Was stellt das Unternehmen her?

1 2 Energiewirtschaft 3 Fahrzeughersteller
4 Maschinenbauingenieur 5 Versicherungs-
kaufmann 6 Energiemesstechnik

2 1 Energie- 2 Telefon- • Windkraft- 3 Fernseh- •
Küchen- 4 Personen- • U-Bahn- 5 Chemie- •
Textil- 6 Impf- • Kunst- 7 Druck- • Kaffee
8 Kleider- • Kühl- 9 Nahrungs- • Pflanzenschutz-
10 Fahrzeug- • Maschinen- 11 Fahr- • Flug-
12 Fertig- • Fisch-

3 a) 2r • 3r
b) 1r • 2r • 3f
c) 1f • 2r • 3f

4 a) 2c • 3a • 4b • 5f • 6e
b) 2 Bei HKM handelt es sich um ein
Unternehmen der Stahlindustrie. 3 Bei Druckern
und Scannern handelt es sich um Produkte
der Elektronikindustrie. 4 Bei Unternehmen
Deutsch handelt es sich um ein Sprachlehrbuch
für den Beruf. 5 Bei der Stadt Frankfurt handelt
es sich um ein wichtiges Finanzzentrum. 6 Bei
Merck handelt es sich um ein weltweit tätiges
Unternehmen.

5 a) 1 Kosmetik • Chemie 2 Flugzeug • Omnibus •
Straßenbahn 3 Brot • Fleisch • Milchprodukte
4 Drehstuhl • Regal • Schreibtisch
b) 1 Kosmetik und Chemie ... 2 Flugzeug,
Omnibus und Straßenbahn gehören
zu Nutzfahrzeugen. 3 Brot, Fleisch und
Milchprodukte gehören zu Lebensmitteln.
4 Drehstuhl, Regal und Schreibtisch gehören zu
Büromöbeln.

6 a) 3 Wir bieten unsere Produkte auf allen
Kontinenten an. 4 Wir verkaufen unsere
Produkte auf allen Kontinenten. 5 Wir verkaufen
unsere Produkte in Österreich und der
Schweiz. 6 Officeline verkauft seine Produkte in
Österreich und der Schweiz.
b) 2 Unsere Mitarbeiter stellen seit vielen Jahren
hochwertige Büromöbel her. 3 Unsere
Mitarbeiter stellen seit vielen Jahren
hochwertige Chemikalien her. 4 Unsere
Mitarbeiter entwickeln seit vielen Jahren
hochwertige Chemikalien. 5 Merck-
Gesellschaften in 52 Ländern entwickeln seit
vielen Jahren hochwertige Chemikalien. 6 Merck-
Gesellschaften in 52 Ländern entwickeln für
Abnehmer auf allen Kontinenten hochwertige
Chemikalien.

Unternehmen, Wirtschafts-
bereiche, Branchen

1 1 Benzin 2 Druckmaschinen • Lkws
3 Digitalkameras • Sportschuhe 4 Kaffee •
Nudeln 5 Brötchen • Einbauschränke

6 Autoreparatur • Kleiderreinigung
7 Buchhandel • Lebensmittelhandel
8 Gütertransport • Personenverkehr 9 Haft-
pflichtversicherungen • Krankenversicherungen
10 Fitness-Training • Urlaubsreisen

2 a) 1 Handwerk 2a) Bäckereien • Brot • Brötchen
2b) Schreinereien • Möbel 3 Dienstleistungshandwerk 3a) reparieren Autos
b) ... Fahrzeugbau, Textilindustrie,
Kosmetikindustrie, Getränkeindustrie und
Lebensmittelindustrie ... Industrie. ...
unterscheidet man ... Grundstoff- und
Produktionsgüter-Industrie, Investitionsgüter-
Industrie, Konsumgüter-Industrie, Nahrungs-
und Genussmittel-Industrie.
... Energiewirtschaft und Stahlindustrie.
... Energiewirtschaft ... ... Baustahl und Bleche
her. Zur Investitionsgüter-Industrie gehören
zum Beispiel ...

3 Rechtsform: 2 OHG 3 GmbH 4 AG • **Größe:**
1 Einzelunternehmen 3 mittelständisches
Unternehmen 4 Konzern

4 2c • 3b • 4a

5 2d • 3a • 4b

6 1 Pharma- und Chemieindustrie
2 Gesellschaften • 52 Ländern 3 rezeptpflichtige
Arzneimittel und Produkte für die
Selbstmedikation, Flüssigkristalle für Displays,
Produkte und Dienstleistungen für die gesamte
Prozesskette der Pharmaindustrie 4 KGaA,
Kommanditgesellschaft auf Aktien

7 1 ... Lebensmittel-Einzelhandel. 2 ... ALDI
SÜD handelt es sich ... Lebensmittel-... 3 ...
Lebensmittel, Getränke und Konsumgüter
aus dem Non-Food-Bereich ... 4 ALDI SÜD
... 31 ... mit ca. 1 600 Niederlassungen in
West- und Süddeutschland ... internationale
Gesellschaften.

Wie groß ist das Unternehmen?

1 a) 2 sechs 3 25 000 4 280 Mio. Euro 5 Mitarbeiter
6 sechs 7 25 000 Stück 8 280 Mio. Euro
b) 1 ... 180 cm 2 ... des Schrankes beträgt 220 cm
3 ... des Schrankes beträgt 50 cm 4 ... des
Schrankes beträgt 489.– € 6 ... hoch 7 ... ist 50 cm
tief 8 ... kostet 489,– €

2 1 ... hat 1500 Mitarbeiter. 2 ... ist das Regal? • ...
hat das Regal? • ... ist 180 cm breit. • ... des
Regals beträgt 180 cm. 3 ... ist ... Monat? • ...
beträgt 620 € pro Monat. • ... kostet 620 € pro
Monat. 4 ... ist der Preis des Kopiergeräts? •
... kostet das Kopiergerät? • ... des Kopiergeräts
• ... beträgt 1321 € • ... Kopiergerät kostet
1321 €. 5 ... ist das Gewicht des Pakets? •
... ist das Paket? • ... des Pakets beträgt 20 kg. •
... ist 20 kg schwer.

3 *Mögliche Lösung:* 2 Der Anteil des Bereichs
Damenbekleidung am Gesamtumsatz liegt bei
48 %. 3 Der Anteil des Bereichs Sport & Freizeit

am Gesamtumsatz beläuft sich auf 13 %.
4 Der Anteil des Bereichs Kinderbekleidung am Gesamtumsatz beträgt 8 %.

4 2cA • 3cE • 4abdfhB • 5aefghC • 6aefghF • 7eD • 8cG

5 2 ... Mitarbeiter das Unternehmen beschäftigt. 3 ... was das Unternehmen herstellt. 4 ... welche Rechtsform Officeline heute hat. 5 ... wann der Kongress beginnt. 6 ... wie lange die Fahrt von Wien nach Zürich dauert.

6 2 ...9 675 gestiegen. 3 ... ist er von 9 675 um 25 Punkte auf 9 700 gestiegen. 4 ... 12. bis zum 13. ist er von 9 700 um 150 Punkte auf 9 550 gesunken. 5 ... 13. bis zum 14. ist er gleich geblieben. 6 ... 14. bis zum 15. ist er von 9 550 um 50 Punkte auf 9 600 gestiegen.

7 *Mögliche Lösung:* 2 ... ist ... 45 € ... 42 € 3 ... ist ... 11 € ... 53 € gestiegen 4 ... ist der Heizölpreis von 53 € auf 45 € gesunken 5 ... ist der Preis auf 56 € gestiegen 6 ... ist der Preis gleich geblieben 7 Im August ist der Preis auf 67 € gestiegen. 8 Im September hat der Preis 60 € betragen. 9 Von Oktober bis November ist der Preis von 65 € auf 57 € gesunken. 10 Im November und Dezember ist der Preis fast gleich geblieben.

Unternehmensstruktur

1 1 Stuttgart 2 Dienstleistungen • Nutzfahrzeuge 3 Buenos Aires • Detroit 4 Lkws • Motoren 5 Dodge • smart 6 DaimlerChrysler Argentina S.A. • EvoBus GmbH 7 17 800 (Freightliner L.L.C.) • insgesamt rund 380 000

2 2 Mit wie viel Prozent ist DaimlerChrysler an Mercedes-Benz Türk A.S. beteiligt? 3 Wie hoch ist der Umsatz von DaimlerChrysler Argentina S.A.? 4 Wie viele Niederlassungen hat DaimlerChrysler in Europa? 5 Wann haben die Daimler-Benz AG und die Chrysler-Group fusioniert? 6 Welche Marken gehören zur Mercedes Car Group und zur Chrysler Group?

3 2f • 3r • 4f • 5r • 6r

4 *Mögliche Lösung:* ... 100 % an der Terraquadra Systembau GmbH. ... 100-prozentige Tochter der Altanova Holding AG. ... 100 ... der Altanova Holding AG. Die Terraquadra Anlagenbau AG ist mit 90 % an der Kortex Glasfasertechnik AG beteiligt und besitzt 40 % an der Kompoflex AG. Die Terranova Vertriebs GmbH ...

5 a) *Mögliche Lösung:* Das freundliche Team ist gut informiert. • Dem freundlichen Team wünsche ich viel Erfolg. • Den freundlichen Mitarbeitern und Mitarbeiterinnen wünsche ich viel Erfolg. • Die freundlichen Mitarbeiter und Mitarbeiterinnen haben uns geholfen. • Die freundlichen Mitarbeiter treffe ich gern. ...
b) *Mögliche Lösung:* Eine wichtige Anfrage / Ein wichtiges Angebot bearbeiten wir sofort. • Wichtige Briefe / Angebote sind angekommen. • Ein wichtiger Brief ist angekommen. •

Wichtigen Anfragen schenken wir viel Zeit. • Einem wichtigen Angebot / Einer wichtigen Anfrage schenken wir viel Zeit. • Wichtige Briefe bearbeiten wir sofort. ...

6 a) 2 e 3 e, e 4 e 5 e 6 en 7 en 8 e
b) 1 es 2 e 3 er 4 e 5 es 6 e 7 em 8 es 9 en 10 en
c) 1 en 2 e 3 e 4 en 5 en 6 en 7 es 8 e 9 en

Unternehmensgeschichte

1 2c • 3a • 4b • 5a • 6c • 7d • 8c • 9b • 10a

2 a) 2 ten 3 ten 4 den 5 te 6 ten 7 te 8 ten 9 te 10 te 11 te 12 te 13 te
b) 1 1863 2 Chemikalien, Arzneimittel, Kunststoffe, Pflanzenschutzmittel 3 Hoechst AG, BASF AG und anderen 5 Neugründung der Bayer AG 6 170 000 Mitarbeiter 7 41,643 Mill. DM 8 Verlegung mehrerer Geschäftsbereiche in selbstständige Gesellschaften

3 *Mögliche Lösung:* ... meldete er seine Firma in Koblenz an. Die Schreinerei entwickelte sich gut. 1936 kaufte er ein großes Grundstück am Rhein und baute dort eine neue Werkhalle. Nach dem Krieg baute Paul Ziegler 1948 das Unternehmen wieder auf. In den 50er-Jahren vergrößerte sich die Firma schnell. 1960 beschäftigte Paul Ziegler fast 100 Mitarbeiter. 1965 beschäftigte er schon 150 Mitarbeiter. Von 1985 bis 2000 arbeitete er oft mit der Firma Koch & Söhne zusammen. 2000 erfolgte die Gründung der Ziegler & Koch GmbH.

4 1 darf 2 kann • konnte 3 solltest • sollst 4 mussten • müsst 5 will • wollte

5 *Mögliche Lösung:* ... seinem Bruder Karl zusammen • ... Produkte der Mess- und Regeltechnik her • ... eine moderne elektronische Baureihe • ... die neuen Modelle in die europäischen Absatzmärkte ... • man 25-jähriges Firmenjubiläum • ... eine Niederlassung in Innsbruck • ... AG • ... seinen Sitz nach Luxemburg • ... die Körner AG mit 50 % an der Terranova Vertriebs GmbH • ... Zusammenarbeit mit der Lihua Engineering Group • • ... weltweit 1 545 Mitarbeiter

6 2 gründeten 3 beliefern 4 hatte 5 dauert 6 war 7 will 8 liefert

Unternehmensporträt

1 2 Jahresumsatz 2004 • Siemens AG 3 Tochterunternehmen • DaimlerChrysler 4 Unternehmensstruktur • Merck KGaA 5 Mitarbeiter • Business&Tours 6 Rechtsform • Merck KGaA 7 Produkte • DaimlerChrysler 8 Firmensitz • Medisan AG 9 Absatzmärkte • Officeline GmbH

3 Von 2004 bis 2005 ist die Produktion von 100 % um 26,8 % auf 126,8 % gestiegen. • Von 2003 bis 2004 ist der Absatz von 35 000 Stück um 5 000 Stück auf 30 000 Stück gefallen. • Von 1980 bis

2000 ist die Zahl der Kunden gleich geblieben.

4 2 ... den Betrieb. • Wir haben den Betrieb verlegt. • Wir verlegten den Betrieb. 3 Wir stellen Möbel her. • Wir haben Möbel hergestellt. • Wir stellten Möbel her. 4 Verkauf von Fahrzeugen. • Wir haben Fahrzeuge verkauft. • Wir verkauften Fahrzeuge.

5 2 Industrie 3 gründete 4 entwickelte 5 stellte 6 stellt 7 hoch- 8 Sitz 9 Unternehmens 10 gehören 11 Tochter- 12 handelt 13 Haftung 14 bis 15 Produktion 16 gestiegen 17 Zahl 18 ist 19 auf 20 gestiegen

6 **waagerecht:** 4 VW 5 Bus 8 Anliegen 10 EC 11 er 12 Gesellschaft 15 Eis 16 Indien 17 Tag 18 Fahrzeug 20 Null 21 Angebot • **senkrecht:** 1 Belegschaft 2 Tochter 3 Marke 4 Verlegung 6 U-Bahn 7 Schaden 9 ICE 13 Sitz 14 Firma 19 Gueter

KAPITEL 3
AM ARBEITSPLATZ
Die Firmenorganisation

1 2d • 3i • 4h • 5f • 6g • 7j • 8b • 9e • 10a

2 **oben:** Geschäftsführer, Heinz Morlock • Konstruktion • **Mitte:** Betriebsleiter, Hannes Scheck • Verwaltungsleiterin • Vertriebsleiterin, Susanne Fischer • **unten:** Teilefertigung, Qualitätsprüfung • Personal, Buchhaltung, Controlling • Marketing, Verkauf, Kundendienst

3 a) **links:** Öl, Gas, Kohle • Klimabelastung • **rechts:** erneuerbare Energien • Umweltschutz, Stabilisierung des Klimas • Solaranlagen • Warmwasserbereitung
b) *Mögliche Lösung:* ... fossilen Energieträgern ... erneuerbaren Energien • ... fossilen Energieträgern ... Öl, Gas und Kohle • ... fossilen Energieträger ... sie das Klima belasten • ... der erneuerbaren Energien sind, dass sie die Umwelt schützen und das Klima stabilisieren. • ... Stromerzeugung • ... kann man zur Warmwasserbereitung und zur Stromerzeugung benutzen.

4 2r • Die Anlagen leisten einen Beitrag zur Entlastung der Erdatmosphäre. 3r • Die Anlagen werden in die gesamte EU, in die USA und nach Fernost geliefert. 4f • Im Bereich Solarenergie stellen wir auch Anlagen zur Stromerzeugung her. 5f • Die Umwandlung in eine AG wird vorbereitet.

5 2 ... des Pulvers erfolgt im Granulierbehälter. • ... Granulierbehälter granuliert. 3 ... das Pressen des Granulats erfolgt unter hohem Druck. • ... das Granulat wird unter hohem Druck gepresst. 4 Ja, das Lackieren der Tabletten erfolgt in der Tablettenmaschine. • Aha, die Tabletten werden in der Tablettenmaschine lackiert. 5 Ja, das Verpacken der Tabletten erfolgt mit der Verpackungsmaschine. • Aha, die Tabletten werden mit der Verpackungsmaschine verpackt.

6 *Mögliche Lösung:* 2 ... werden neue Mitarbeiter eingestellt und Mitarbeiter fortgebildet. 3 Herr K. leiten den Bereich Betrieb. Da werden Produkte hergestellt. 4 Herr L. leitet den Kundendienst. Da werden Anlagen gewartet und instand gesetzt. 5 Frau S. leitet den Vertrieb. Da werden Kunden betreut. 6 Herr K. leitet die Montage. Da werden Anlagen montiert. 7 Frau B. arbeitet in der Konstruktion. Da werden neue Produkte entwickelt.

Wofür sind Sie zuständig?

1 2f • 3a • 4h • 5d • 6b • 7i • 8j • 9g • 10e

2 2 Dafür 3 Dafür 4 Darum 5 Dafür 6 Dabei 7 Dazu 8 Daran 9 damit 10 Davor 11 Darauf 12 Darüber

3 3 Darauf wartet ... 4 Für sie sind ... verantwortlich. 5 Dafür ist ... zuständig. 6 Dafür ist ... verantwortlich. 7 Um sie kümmert sich ... 8 Darum kümmert sich ... 9 Auf sie wartet ...

4 9 • 7 • 4 • 3 • 2 • 1 • 5 • 6

5 2 Betrieb 3 Lager 4 Lohmann 5 Kundendienst 6 Einweisung 7 Labor 8 Mitarbeiter 9 Ingenieur 10 Versand 11 Organigramm 12 Abteilung 13 Umweltschutz 14 Werkstatt 15 Vorgesetzte 16 Fertigung 17 Personalwesen 18 Montage

Betrieblicher Arbeits- und Umweltschutz

1 2 ... mit Gefahrstoffen gearbeitet. Man muss darauf achten, dass Schutzkleidung getragen wird. 3 Hier werden Lasten getragen. ..., dass die Lasten richtig gehoben werden. 4 Hier wird am Bildschirm gearbeitet. ..., dass Pausen gemacht werden. 5 Hier werden Schadstoffe in die Luft geleitet. ..., dass für saubere Luft gesorgt wird. 6 Hier wird in großer Höhe gearbeitet. ..., dass Schutzhelme getragen werden.

2 2d • 3a • 4b • 5c • 6b • 7a

3 1 ... Gesundheitsbeschwerden 2 ... Konzentrationsstörungen, Schlafstörungen ... Erschöpfung 3 ... Gesundheitsbeschwerden, Augenbeschwerden, Rücken-/Kreuzschmerzen, Kopfschmerzen ... Schulter-/Nackenschmerzen 4 23 % 5 15 % der Mitarbeiter

4 a) *Mögliche Lösung:* 2eD • 3bF • 4aE • 5fC • 6cA
b) ... bekommt man durch das Tragen von schweren Lasten. ... Sie schwere Lasten zu zweit tragen. • Atemwegserkrankungen bekommt man durch belastete Luft. Vermeiden Sie also schwere Arbeit in belasteter Luft. • Rückenschmerzen ...

5 b) 2 Reinigen Sie das Abwasser vor dem Einleiten in den Fluss. 3 Man muss das Abwasser vor dem Einleiten in den Fluss reinigen. 4 Das Abwasser wird vor dem Einleiten in den Fluss gereinigt.

c) 1 Das Netzkabel zuerst anschließen. 3 Man muss zuerst das Netzkabel anschließen. 4 Das Netzkabel wird zuerst angeschlossen.
d) 1 Bei der Arbeit in der Werkhalle immer einen Schutzhelm tragen. 2 Tragen Sie bei der Arbeit in der Werkhalle immer einen Schutzhelm. 3 Man muss bei der Arbeit in der Werkhalle immer einen Schutzhelm tragen.

6 2 -mittel 3 -gesellschaft 4 -säule 5 -arbeitsplatz 6 -haltung 7 -schutz 8 -dienst 9 -träger 10 -pause 11 -stoffe

Unterweisung: Einzelteile, Funktionsweise, Arbeitsschutz

1 *Mögliche Lösung:* 1b) Schreib- 2a) Drehzahl- b) Temperatur- 3a) Drehzahl- b) Wärme- 4a) Drucker- b) Telefon- 5a) Haupt- b) Netz- 6a) Elektro- b) Verbrennungs-

2 2 Anschließen des Geräts 3 Bedienen des Kopierers • Bedienung des Kopierers 4 die Drehzahl messen • Messung der Drehzahl 5 die Waren verkaufen • das Verkaufen der Waren 6 Güter produzieren • das Produzieren von Gütern 7 das Drucken des Textes • Druck des Textes 8 Daten speichern • die Speicherung von Daten 9 das Reparieren des Autos • die Reparatur des Autos

3 2 ... ein Gerät zum Messen der Wärme 3 ... ein Gerät zum Regeln der Temperatur 4 ... ein Hebel zum Schalten 5 ... ist eine Maschine zum Bohren ... 6 sind Maschinen zum Drucken 7 ... ein Kabel ... Anschließen ... Druckers 8 ... ist ein Helm zum Schutz ...

4 *Mögliche Lösung:* ... Wähltastatur ... Hörer. • ... dient zum Wählen der Telefonnummer. • Der Hörer dient zum Führen des Gesprächs. • Die Wahlwiederholung dient zur automatischen Wiederholung der Rufnummer. • Die Speichertasten dienen zum Speichern der Rufnummern.

5 2 Schutzfolie von der Druckerpatrone entfernen • Am roten Ende der Folie ziehen • Entfernen Sie die Schutzfolie, indem Sie am roten Ende der Folie ziehen. 3 Druckerpatrone einsetzen • Sie fest eindrücken • Setzen Sie die Druckerpatrone ein, indem Sie sie fest eindrücken. 4 Drucker mit dem PC verbinden • Druckerkabel in den PC und den Drucker einstecken • Verbinden Sie den Drucker mit dem PC, indem Sie das Druckerkabel in den PC und den Drucker einstecken. 5 Drucker einschalten • Netzschalter links unten drücken • Schalten Sie den Drucker ein, indem Sie den Netzschalter links unten drücken. 6 Drucker-Software installieren • CD-ROM ins Laufwerk legen und den Anweisungen auf dem Bildschirm folgen • Installieren Sie die Drucker-Software, indem Sie die CD-ROM ins Laufwerk legen und den Anweisungen auf dem Bildschirm folgen.

Frau Breuer wird krankgeschrieben

1 Von unten im Uhrzeigersinn: das Bein • das Knie • der Arm • die Hand • der Hals • die Nase • der Kopf • das Auge • der Mund • die Brust • der Bauch

2 *Mögliche Lösung:* **Beschwerden:** Bauchschmerzen • Fieber • Herzbeschwerden • Kopfschmerzen • **Erkrankungen:** Entzündung • Erkältung • Husten • Infektion • **Befindlichkeitsstörungen:** Konzentrationsstörungen • Schlafstörungen • Schwindel • Schwerhörigkeit

3 2b • 3a • 4b • 5c • 6d • 7a • 8c

4 3 • 5 • 2 • 7 • 6 • 4 • 1

5 2 Dr. Hager, Arzt für Allgemeinmedizin 3 Dr. Schmidt, Zahnarzt 4 Dr. Dussmann, Internist 5 Dr. Michaelis, Facharzt für Augenheilkunde 6 Dr. Borchert, HNO-Facharzt

6 *Mögliche Lösung:* 1 ... seit einer Woche schlecht. ... Grippe und hohes Fieber. Der Hals tut ihm auch weh und seine Nase ist entzündet. Der Arzt hat ihn krankgeschrieben. Er muss im Bett bleiben. Aber er schläft kaum noch und hat Kopfschmerzen. Er nimmt Nasentropfen und Tabletten. Er ist müde und erschöpft. 2 ... schlecht geht. ... du Grippe und hohes Fieber hast. ... dir der Hals wehtut und deine Nase entzündet ist? Hat der Arzt dich krankgeschrieben und musst du im Bett bleiben? Stimmt es, dass du kaum noch schläfst und Kopfschmerzen hast? Nimmst du Nasentropfen und Tabletten? Ist es richtig, dass du müde und erschöpft bist?

7 a) 1 Übungen machen 2 Fieber • Tabletten nehmen 3 Husten, Halsschmerzen • heißen Tee trinken
b) 1 Bei einem Bandscheibenschaden muss man Übungen machen gegen die Rückenschmerzen. 2 Bei einer Infektion muss man Tabletten nehmen gegen das Fieber. 3 Bei einer Bronchitis muss man heißen Tee trinken gegen den Husten und die Halsschmerzen.

8 2f • 3b • 4d • 5c • 6g • 7a

Drei Krankenversicherungs-systeme

1 2b • 3b • 4c • 5a • 6c

2 2 D • CH 3 D • A 4 CH 5 A 6 D 7 D • A 8 CH 9 A • 10 CH

3 2b • 3b • 4b • 5a • 6a

4 D: 1 Versichertenkarte 4 Versicherungsbeitrag • A: 2 Dienstgeber 3 Spital 5 Verpfleggeld • CH: 4 Obligatorium

5 a) 2 e 3 en 4 er 5 en 6 e 7 er 8 en 9 en 10 s
b) **links:** Mitarbeiter • Mitarbeiter • Mitarbeitern • Mitarbeiter • **Mitte:** Patienten • Patienten • Patienten • Patienten • Patienten •

Patienten • **rechts:** Angestellten • Angestellten • Angestellten • Angestellten • Angestellten • Angestellten

6 2 Infektion 3 Fieber 4 Facharzt 5 Erschöpfung 6 Verletzungen 7 Augen 8 Tablette 9 Diagnose 10 Grippe 11 Allergie 12 Tropfen 13 Wirbelsäule 14 Medikamente 15 Magenschmerzen 16 Unfall 17 Bein 18 Arm

KAPITEL 4
VON HAUS ZU HAUS MIT ...
Wie machen wir das?

1 a) 2a • 3d • 4b
   b) 1c • 2d • 3a • 4b
2 a) 2r • 3r • 4f • 5f • 6r
   b) 2 ... der Mercedes Sprinter eine Nutzlast von 2 400 kg hat. 3 Es ist richtig, dass es von Würzburg nach Linz ca. 400 Kilometer sind. 4 Die Aussage „Die Fahrzeugkosten ..." ist falsch. Die Fahrzeugkosten betragen nicht 95,– €, sondern 150 €. 5 Die Aussage „Firma Kögel ..." ist falsch. Nicht die Firma Kögel muss zuerst beliefert werden, sondern Elektro Moser. 6 Es ist richtig, dass die Fahrt von Linz nach Stuttgart etwa 630 € kostet (Benzin: 515,– € + ca. fünf Fahrstunden à 22,– €).
3 2 ... umfasst verschiedene Fahrzeuge. 3 ... Kilometer betragen ungefähr zwei Euro. 4 ... lang fünf Mitarbeiter zur Verfügung. 5 ... Entfernung von Nürnberg nach Stuttgart beträgt 204 km. 6 ... erwartet die Lieferung zwischen 12.00 ... 7 ... Fahrzeit von Stuttgart nach Nürnberg beträgt zwei Stunden.
4 2a • 3e • 4c • 5b
5 2 Wenn Sie sich gegen Hauterkrankungen schützen wollen, dann müssen Sie den Kontakt mit Schadstoffen vermeiden. 3 Wenn Sie die Wirbelsäule entlasten wollen, dann müssen Sie technische Transportmittel benutzen. 4 Wenn Sie Bandscheibenschäden beheben wollen, dann müssen Sie Sport treiben.
6 *Mögliche Lösung:* ▶ Wenn aber zwei Mitarbeiter die Aufträge erledigen, können wir schon am Vormittag zu Transko fahren. • ▶ Aber wenn zwei Mitarbeiter die Aufträge erledigen, ist kein Mitarbeiter mehr in der Werkstatt. Wenn aber Herr Mayer in der Werkstatt bleibt, dann kann er den ganzen Tag in der Werkstatt arbeiten. • ▶ Aber wenn Herr Mayer in der Werkstatt bleibt, dann wird Herr Müller vielleicht nicht fertig. Wenn aber der Auftrag bei Transko länger dauert, muss er am nächsten Tag noch einmal zu Transko fahren. • ▶ Aber wenn der Auftrag bei Transko länger dauert, kann Herr Müller einfach später Feierabend machen.

So machen wir das

1 a) *Mögliche Lösung:* 2 ... geht die Lieferung? 3 ... geliefert? 4 Wie schwer ist das Frachtgut? 5 Welches Fahrzeug steht zur Verfügung? 6 Wer ist der Fahrer? 7 Wann fährt Herr Speiser ab? 8 Wenn kehrt Herr Speiser zurück?
   b) 2 acht 3 Feinblechstahl 4 Siemens 5 MAN 12-Tonner 6 Fahrer 7 9.10. 8 8.00 Uhr 9 am 10.10. um 18.00 Uhr
   c) *Mögliche Lösung:* Es handelt sich um die Fahrt nach Passau. Wir liefern 200 Kartons Fruchtjogurt an die Strobl KG. Wir fahren mit dem 1,2t-Kleintransporter. Die Fahrerin ist Erika Feld. Sie fährt am Dienstag um 9.00 Uhr ab und kommt am Nachmittag um 16.00 Uhr zurück.
2 2 die • -disposition 3 die • das • der • Liefer- 4 -zeit 5 die • das • die • Nutz- 6 der • -einsatz 7 der • das • Netto- 8 die • -kosten 9 der • das • Fern-
3 *Mögliche Lösung:* 2 ... der im Urlaub ist 3 ... die gerade repariert wird 4 ... die unkompliziert sind und wenig Zeit brauchen 5 ... das noch drei Tage unterwegs ist
4 2 Wir möchten eine große Wohnung mit vier Zimmern, die man nicht renovieren muss. 3 Ich bestelle ein vegetarisches Gericht mit viel frischem Gemüse, das nicht dick macht. 4 Ich suche eine gut bezahlte Stelle in einer IT-Firma, die gute berufliche Entwicklungs-möglichkeiten bietet. 5 Wir sind ein erfolgreiches Team aus Spezialisten, das schon lange gut zusammenarbeitet. 6 Wir planen eine wichtige Konferenz zum Thema Kundendienst, die zwei Tage dauern soll. 7 Der Chef sucht einen interessierten Mitarbeiter mit guten Polnischkenntnissen, der ihn auf seiner Geschäftsreise nach Warschau begleitet.
5 1 München • 2 Elektro Hiller • Goethe-Institut 3 Elektroschalter • Bücher 4 1,9t (= 1,3t + 600kg) 5 Mercedes Sprinter 6 ca. 800 km (hin und zurück) 7 ca. 8½ Std. 8 7.00 Uhr 9 Regensburg: ca. 10 Uhr • München: 12.30 10 von 13.30 Uhr bis 14.30 Uhr 11 18.30 Uhr

Holen Sie die Personen bitte um 10.00 Uhr ab!

1 a) 2eB • 3bE • 4fA • 5cC • 6aD
   b) 1 ... Rosemarie Schlüter, Praxis Dr. Hager. Könnten Sie bitte einen Patienten nach Hause in die Schlüterstr. 12 fahren? Bitte holen Sie ihn jetzt in der Praxis, Guttmannstr. 24, ab. 2 ... Kastrup, Hotel Clarissa. Könnten Sie bitte 14 Seminarteilnehmer zur Messe Nürnberg fahren? Bitte holen Sie sie am Montag um 8.30 Uhr vor dem Hotel ab.
2 2 Rufen Sie bitte bei Herrn Winkelmann an. • Könntest du bitte bei Herrn Winkelmann anrufen? • Könnten Sie bitte bei Herrn

Winkelmann anrufen? **3** Bring mir bitte einen Kaffee. • Bringen Sie mir bitte einen Kaffee • Könntest du mir bitte einen Kaffee bringen? **4** Wiederhol bitte deine Telefonnummer. • Könntest du bitte deine Telefonnummer wiederholen? • Könnten Sie bitte Ihre Telefonnummer wiederholen? **5** Sieh bitte nach, wo der Brief ist. • Sehen Sie bitte nach, wo der Brief ist • Könnten Sie bitte nachsehen, wo der Brief ist?

4 **4** Nom. • Akk. **5** Nom. • Akk. **6** Nom. • Akk. • Dat. **7** Nom. • Akk. • Dat. **8** Nom. • Akk. **9** Nom. • Dat. **10** Nom. • Akk.

5 a) **2** der **3** dem
b) **1** das **2** dem **3** das
c) **1** der **2** die **3** die
d) **1** die **2** denen **3** die

6 **2** ... 600 kg Bauteile liefern, erwartet uns vor 17.00 Uhr in Würzburg. **3** Unsere Kunden, denen wir unser Büromöbel-Programm liefern, findet man in ganz Europa. **4** Der Sprinter, den wir für kleinere, dringende Transporte benutzen, hat eine Nutzlast um 2,4 Tonnen. **5** Ich möchte Ihnen Frau Süßlin, die bei uns für Arbeits- und Umweltschutz zuständig ist, vorstellen. **6** Der Kundendienst, dem Sie die Probleme mit dem Kopierer erklären sollen, wartet heute unsere Bürogeräte.

7 a) **Begründung**: Ich habe einen Termin. • Ich habe keine Zeit. • Ich habe das noch nie gemacht. • Ich bin auf einer Geschäftsreise. • **Bedingung**: Kein anderer Kollege hat Zeit. • Ich kann das morgen machen. • Jemand hilft mir. • Ich muss dafür meinen Urlaub nicht verschieben.
b) *Mögliche Lösung*: Tut mir leid, das kann ich nicht machen, weil ich einen Termin habe. • Ja, das kann ich machen, aber nur wenn kein anderer Kollege Zeit hat. • Tut mir leid, das kann ich nicht machen, weil ich keine Zeit habe. • Ja, das kann ich machen, aber nur wenn ich das morgen machen kann. • ...

Mit wem spreche ich am besten?

1 2c • 3b • 4a

2 Ablauf A: 3 Ablauf B: 1 Ablauf C: 2

3 Guten Tag, hier ist Spedition Transko Logistik ... • Moment, ich verbinde Sie. • Hauser, Wareneingang ... • Tag, Herr Hauser. Hier ist ... • Das macht nichts, aber ... • Danke für Ihr Verständnis. Auf Wiederhören. • Auf Wiederhören.

4 a) **Transko:** 6 • 9 • **andere:** 3 • 4 • 5 • 7 • 8 • 10
b) **2** ... technisch planen. **3** Transko lässt Nussbaum + Partner die Bauarbeiten überwachen. **4** T. lässt ein örtliches Bauunternehmen die Bauarbeiten machen. **5** T. lässt die Elektrofirma H&S das System installieren. **6** T. lässt das Nürnberger

Systemhaus Sysserve die Programme entwickeln. **7** T. lässt einen Fachbetrieb den Kantinenservice organisieren.

5 2b • 3c • 4a • 5b • 6c • 7a • 8c • 9a • 10d • 11b • 12a

Kommunikation ja – aber wie?

1 a) 2c • 3a • 4d • 5b • 6d • 7a
b) 2d • 3d • 4c • 5a • 6a • 7b

2 2b • 3a • 4c

3 Anmeldung • unangemeldet • Abmelden • Abmeldung • abgemeldet
Einsatzplan • Tourenplan • geplant • ungeplant • Planung • Personalplanung • Projektplanung

4 **2** Ich würde sie reklamieren. **3** Ich würde den Kundendienst rufen. **4** Ich würde um Entschuldigung bitten. **5** Ich würde ihn erledigen. **6** Ich würde ihn besuchen. **7** Ich würde nachfragen.

5 **2** Ich hätte gern teilgenommen **3** Er hätte gern angerufen **4** Sie wären gern länger geblieben **5** Wir wären gern mitgefahren **6** Sie hätte das gern organisiert **7** Ich wäre gern spazieren gegangen

6 *Mögliche Lösung:* **2** Herr Strauß braucht dringend ein Taxi. Im Allgemeinen würde er anrufen. Aber diesmal sucht er auf der Straße, weil er keine Zeit hat. Er hätte angerufen, wenn er mehr Zeit gehabt hätte. **3** Frau Werner fordert einen Kunden zur Zahlung auf. Im Allgemeinen würde sie einen Brief schreiben. Aber in diesem Fall besucht sie ihn, weil sie schon lange Probleme mit diesem Kunden hat. Sie hätte einen Brief geschrieben, wenn sie nicht schon lange Probleme mit diesem Kunden hätte. **4** Wir bestätigen den Auftrag. Im Allgemeinen würden wir eine schriftliche Bestätigung schicken. In diesem Fall bestätigen wir telefonisch, weil es nur ein kleiner Auftrag ist. Wenn es aber ein großer Auftrag gewesen wäre, hätten wir eine schriftliche Bestätigung geschickt. **5** Frau Breuer und Herr Schnittger fahren nach Hamburg. Im Allgemeinen würden sie den Zug nehmen. Diesmal fahren sie aber mit dem Auto, weil sie viel Gepäck und Unterlagen haben. Hätten sie aber wenig Gepäck und Unterlagen gehabt, wären sie mit dem Zug gefahren.

Guten Tag, hier spricht der Anschluss von ...

1 **1** Auftraggeber/in • Besucher/in • Dienstleister • Auftragnehmer/in • Firmengründer/in • Käufer/in • Lehrer/in • Mitarbeiter/in • Apotheker/in **2** Behälter • Drehzahlmesser • Drucker • Gepäckanhänger • Lautsprecher • Roboter • Schalter • Temperaturregler • Telefonhörer

2 a) 4, 3, 1, 2 • A beenden B Anweisungen geben
C sich melden D Situation erklären
b) *Mögliche Lösung:* 1 Herzlich willkommen
bei der Firma Officeline Büromöbel GmbH.
Unser Büro ist zurzeit nicht besetzt. Nach dem
Signalton können Sie ... Wir rufen dann zurück.
Vielen Dank für Ihren Anruf. 2 Sie haben die
Nummer der Zahnarztpraxis Dr. Schmidt
gewählt. Wir haben Urlaub vom 21. Juli bis zum
15. August. In dringenden Fällen wenden sie
sich bitte an ... Vielen Dank für Ihren Anruf.

3 a) *Mögliche Lösung:* 2 ... die Rückfragetaste.
3 ... drücken Sie die Optionstaste. 4 Wiederholen
Sie als Viertes das Drücken der OK-Taste.
5 Wählen Sie als Fünftes die Nummer des
weiteren Partner. 6 Drücken Sie als Sechstes
die Optionstaste, wenn sich der weitere Partner
meldet. 7 Wählen Sie als Siebtes im Display die
Option *Partner in Konferenz* aus. 8 Wenn Sie als
Achtes die OK-Taste drücken, ist die Konferenz
eingerichtet. 9 Wenn Sie sehen wollen, wer an
der Konferenz teilnimmt, dann drücken Sie als
Neuntes die Options- und OK-Taste. 10 Wenn
Sie nicht weiter an der Konferenz teilnehmen
wollen, dann legen Sie als Zehntes den Hörer
auf.
b) *Mögliche Lösung:* Danach wird die
Rückfragetaste gedrückt. Dann wird die
Optionstaste gedrückt. Als Nächstes wird
nochmal die OK-Taste gedrückt. Dann wird die
Nummer des weiteren Partners gewählt. ... Zum
Schluss wird der Hörer aufgelegt.

4 2 Während • indem 3 Während 4 indem
5 Wenn 6 Wenn • während • indem

KAPITEL 5
DAS PERFEKTE MIETSYSTEM
Profitex hat das Komplett-Angebot

1 2c • 3d • 4b • 5e • 6a

2 2f • 3f • 4r • 5f • 6r

3 2 eren 3 er • billigere 4 er • größere 5 erem
6 er • interessanterer 7 er • praktischere
8 kürzere 9 älter • langsamer • eren • eren
10 pünktlichere

4 a) 2 schlecht 3 zufriedener 4 größer
5 unpassend 6 bekannter
b) 2 ... eine schlechte Qualität. Unser Ziel ist
eine bessere Qualität. 3 Wir haben unzufriedene
Kunden. ... sind zufriedenere Kunden. 4 Wir
haben einen kleinen Absatzmarkt. ... ist ein
größerer Absatzmarkt. 5 Wir haben eine
unpassende Rechtsform. ... ist eine passendere
Rechtsform. 6 Wir haben unbekannte Produkte.
... sind bekanntere Produkte.

5 a) 2 ... Besprechungsraum vorbereiten.
3 ... lässt er die Getränke bereitstellen. 4 Die
Sekretärin lässt er den Tisch im Restaurant
„Turm" reservieren. 5 Den Fahrer lässt er die
Besucher um 8.45 Uhr am Flughafen abholen.
6 A. Lang lässt er die Besucher um 10.00 Uhr
empfangen. 7 A. Lang und K. Mende lässt er von
10.15 bis 12.30 Uhr Einzelgespräche führen.
8 A. Brant lässt er um 14.30 Uhr das neue Modell
präsentieren.
b) 2 ... Besucherdienst vorbereitet. 3 ... werden
vom Kantinenpersonal bereitgestellt. 4 Der
Tisch im Restaurant „Turm" wird von der
Sekretärin reserviert. 5 Die Besucher werden
vom Fahrer am Flughafen abgeholt. 6 Die
Besucher werden von A. Lang empfangen.
7 Einzelgespräche werden von A. Lang und K.
Mende geführt. 8 Das neue Modell wird von A.
Brant präsentiert.

6 2 Wäscherei 3 Anprobe 4 Schutz 5 Schliessfach
6 Leasing 7 Produktunterlagen
8 Sammelcontainer 9 Schäden 10 Mitarbeiter
11 Kleidung 12 Sollzustand 13 Garnitur
14 Reinigung

Wir suchen die beste Lösung

1 *Mögliche Lösung:* 2acef • 3dgh • 4acefk • 5j • 6be
• 7gh • 8acefk • 9dhk

2 2 Lieferzeit 3 Service 4 Zusatzleistungen
5 Fracht 6 Rabatt 7 Liefertermin
8 Produktpalette

3 2c • 3b • 4c • 5a

4 2 ob 3 welchen 4 ob 5 welche 6 wie viele
7 wie hoch 8 ob 9 wie weit

5 2 ..., wie viel der Wein kostet 3 ..., wann Sie
morgen ankommen 4 ..., woher Frau Ziemsen
kommt 5 ..., wie hoch die Frachtkosten sind
6 ..., ob Herr Möckel da ist

6 2 ..., ich weiß auch nicht, ob Frau Ziemsen
morgen kommt 3 ..., ob die Medisan-Aktie
gestiegen ist 4 ..., wie viele Mitarbeiter Siemens
hat 5 ..., worüber die Leute gesprochen haben
6 ..., warum Frau Breuer nicht da ist 7 ..., ob sie
zum Arzt musste 8 ..., ob sie krankgeschrieben
wird 9 ..., wozu dieser Hebel dient

7 2 eren • sten 3 ere • ste 4 ere • este 5 ere • ste 6
ere • ste 7 eren • sten 8 eren • esten 9 eren • ten

Der Service-Auftrag

1 2 ... neue Büromöbel anschaffen 3 ... die Rechner
austauschen (würden) 4 ... eine Teeküche
installieren (würden) 5 ... wir über den Plan bis
zum 15. Juli entscheiden

2 1 Karl Klose 2 Autohaus Jäger 3 Opel Corsa
4 einen 5 € 13 899 zzgl. Mehrwertsteuer
6 14.08.06 7 Anmeldung des Fahrzeugs,
Übernahme der Kosten 8 Anzahlung von
€ 5000,– vor Lieferung, ab Sept. 06 monatlich
€ 247,20

3 2 Das Autohaus Jäger hat sich verpflichtet, bis
zum 14. Aug. 2006 zu liefern. 3 Das Autohaus

Jäger bietet zusätzlich an, das Fahrzeug anzumelden. 4 Herr Klose hat dem Autohaus Jäger zugesagt, monatlich einen Betrag von € 247,20 zu zahlen. 5 Zu den Pflichten des Verkäufers gehört, die Ware pünktlich zu liefern.

4 a) 3: 2 4: 1 5: 1 6: 2 7: 1 8: 2 9: 1 10: 2
b) 2 ... Frau Ziemsen morgen kommt. 3 AWA hat mit Profitex vereinbart, dass Schließfach-Schränke aufgestellt werden. • AWA hat mit Profitex vereinbart, Schließfach-Schränke aufzustellen. 4 AWA hat vereinbart, dass Profitex das AWA-Logo an den Latzhosen anbringt. 5 Ich schlage vor, dass der Einkauf sich sofort um Angebote für die neuen Büromöbel kümmert.
6 Transko Logistik hat beschlossen, dass das Unternehmen eine neue Lagerhalle baut.
• ..., eine neue Lagerhalle zu bauen. 7 Die Konstruktion teilt mit, dass die Pläne für die neue Anlage fertig sind. 8 Wir haben vor, dass wir die Stadt besichtigen und am Abend ins Theater gehen. • ..., die Stadt zu besichtigen und am Abend ins Theater zu gehen. 9 Leider müssen wir Ihnen mitteilen, dass die letzte Lieferung viel zu spät angekommen ist. 10 Wir bitten Sie, dass Sie dieses Mal pünktlich liefern. • ..., dieses Mal pünktlich zu liefern.

5 2 Der Chef schlägt vor, dass Herr Müller morgen mit dem 12-Tonner nach Wien fährt. 3 AWA plant, mit Profitex über die Lieferung von Arbeitskleidung zu sprechen. 4 H. Ohlsen und K. Schüssler haben im Jahr 2000 beschlossen, weiter zusammenzuarbeiten und eine GmbH zu gründen. 5 Die Geschäftsführung teilt den Mitarbeitern mit, dass das Unternehmen ab nächstem Jahr einen Teil der Produktion ins Ausland verlegt.

Probleme, Ärger, Missverständnisse

1 2 Wenn wir Kopierpapier brauchen, dann kaufen wir sehr viel, damit wir einen günstigen Preis bekommen. 3 Wenn ich einen Kunden besuche, dann melde ich mich schriftlich an, damit ich ihn nicht verärgere. 4 Wenn die Ware Fehler hat, dann nehmen wir sie zurück, damit der Kunde zufrieden ist. 5 Wenn Sie sich verspäten, dann rufen Sie bitte an, damit wir Bescheid wissen. 6 Wenn es Ihnen nicht gut geht, dann gehen Sie ins Bett, damit Sie nicht krank werden.

2 2 verrechnen 3 einziehen 4 belastet 5 kürzen 6 erstatten

3 a) AWA: 3 • 1 • Profitex: 3 • 1 • 2
b) AWA soll sich schriftlich melden. Denn P. möchte die Angelegenheit mit dem Kunden klären. • AWA ..., damit P. die Angelegenheit mit dem Kunden klären kann. • AWA soll kein Geld mehr überweisen. Denn P. möchte

unnötige Arbeit vermeiden. • AWA ..., damit P. unnötige Arbeit vermeiden kann.

4 2 Den Hauptschalter braucht man, ... auszuschalten. 3 Wozu braucht man ...? Den Schutzanzug braucht man, um ... zu vermeiden. 4 Wozu braucht man ...? Den Temperaturregler braucht man, um ... zu regeln. 5 Wozu braucht man ...? Den Schutzhelm braucht man, um ... zu vermeiden. 6 Wozu braucht man ...? Den Schalthebel braucht man, um ... zu wählen.

5 a) 3, 5, 6, 7
b) 3 Tragen Sie bei der Arbeit Handschuhe, um Ihre Hände zu schützen. • Um Ihre Hände zu schützen, tragen Sie bei der Arbeit Handschuhe. 5 Wir rufen unsere Kunden an, um ihre Meinung über unsere Leistungen kennen zu lernen. • Um ihre Meinung über unsere Leistungen kennen zu lernen, rufen wir unsere Kunden an. ...

6 2 Um mit 1200 Umdrehungen zu bohren, schaltet man am Getriebegangschalter die Stufe 2 ein. 3 Um die Maschine einzuschalten, drückt man den Hauptschalter. 4 Um die Drehzahl herunterzufahren, stellt man mit dem Drehzahlregler die Drehzahl ein. 5 Um den Bohrer vorsichtig ans Werkstück heranzuführen, drückt man den Vorschubhebel nach unten. 6 Um den Bohrer zu schonen, gibt man Kühlmittel in die Bohrung.

Zahlungsverkehr

1 a) 2c • 3d • 4a • 5b
b) 2 Um am PC eine Überweisung machen zu können, braucht man eine TAN. 3 Um am Automaten einen Fahrschein kaufen zu können, braucht man Münzen und Banknoten. 4 Um Geld überweisen zu können, braucht man ein Girokonto. 5 Um am Online-Banking teilnehmen zu können, braucht man eine PIN.

2 2 bezahlen / zahlen 3 bezahlt 4 zahlen • bezahle 5 bezahlen 6 bezahlt 7 gezahlt / bezahlt 8 bezahlt • bezahle

3 Kundennr.: 1370343989 • Firma: Transko Logistics • Niederlassung: Nürnberg • Postleitzahl / Ort: 90455 Nürnberg • Datum / Ort: 12.08.2004, Nürnberg • Geldinstitut: Citibank Nürnberg • Konton-Nr.: 0 120 674 413 • Bankleitzahl: 300 209 00

4 a) ... → ihr Konto mit einem Betrag von ... belastet • Auftraggeber → Empfänger • etwas bestellt → nichts bestellt • eine Lieferung → keine Lieferung • bedankte sich für diese Gutschrift → reklamierte diesen Buchungsposten • erteilte ihr sofort Auskunft → lehnte jede Auskunft ab. Erst ... • erklärte, dass das Versandhaus ... schriftlich erteilt und mit seiner Unterschrift bestätigt hatte → behauptete, dass Frau Rivera den Überweisungsauftrag ... telefonisch erteilt

und mit ihrer Geheimnumer bestätigt hatte.
• wunderte sich → wurde... sauer • Denn
das Versandhaus ... belastet → Zwar hatte das
Versandhaus ... zurücküberwiesen. • Sie wollte
das nicht und ... → Aber sie wollte sichergehen
und ... • die Empfängerin → der Auftraggeber •
in unserer Buchhaltung → eines Mitarbeiters

5 2 das Bargeld 3 der Benutzername 4 die
Einzugsermächtigung 5 die Geheimnummer
6 das Girokonto 7 das Kennwort 8 der
Kontoauszug 9 die Kreditkarte 10 das
Sparkonto 11 das Telefonbanking 12 das
Überweisungsformular

6 2 anwesend • abwesend 3 Arbeitstag • Feiertag
4 Auftraggeber • Auftragnehmer 5 Bankeinzug
• Überweisung 6 Barzahlung • bargeldlose
Zahlung 7 Belastung • Gutschrift 8 Einzelpreis
• Gesamtpreis 9 Ist-Zustand • Soll-Zustand
10 komfortabel • unbequem 11 kostengünstig
• kostspielig 12 Leasing • Kauf 13 Nachteil •
Vorteil 14 Sparkonto • Girokonto 15 Verkäufer •
Käufer 16 Vertragsbeginn • Vertragsende

Bilanz: Wie war es? Wie ist es heute?

1 2 fand 3 fährt 4 aß • isst 5 ging • geht 6 saß •
sitzt

2 *Mögliche Lösung:* **Verben von Nomen:** sich
bemühen • begründen • sorgen für •
beauftragen • **Verben von Adjektiven:** stärken
• kürzen • verlängern • säubern • vergrößern
• **Verben aus dem Englischen:** einloggen •
faxen • outsourcen • leasen • managen •
Verben auf -ieren: präsentieren • montieren
• organisieren • probieren • definieren •
Verben auf -igen: berücksichtigen • kündigen
• bestätigen • beschäftigen • sich einigen •
Verben auf -ern: dauern • feiern • fordern •
liefern • sich wundern

3 2 er berät • er beriet • er hat beraten 3 er isst
• er aß • er hat gegessen 4 er liest • er las •
er hat gelesen 5 er ruft an • er rief an • er
hat angerufen 6 er bleibt • er blieb • er ist
geblieben 7 er überweist • er überwies • er hat
überwiesen 8 er hebt • er hob • er hat gehoben
9 er bietet an • er bot an • er hat angeboten
10 er nimmt • er nahm • er hat genommen
11 er spricht • er sprach • er hat gesprochen
12 er sinkt • er sank • er ist gesunken 13 er
findet • er fand • er hat gefunden

4 2 denkt • hat gedacht • dachte 3 weiß • hat
gewusst • wusste 4 verbrennt • hat verbrannt •
verbrannte 5 sendet • hat gesandt • sandte

5 2: 2 • 3 • 3: 1 • 3 • 4: 2 • 5: 1 • 3 • 6: 4 • 7: 3 •
8: 4 • 9: 4

6 a) 2 ging 3 begann 4 beendete 5 fand 6 traf
7 heirateten 8 bekamen 9 kündigte 10 blieb
11 kümmerte 12 bot ... an 13 entschieden 14 fing
... an 15 lud ... ein 16 konnte

b) ... begonnen, die ich 1979 erfolgreich
beendet habe. 1980 habe ich eine Stelle in Köln
begonnen. In Köln habe ich auch meine spätere
Frau getroffen. 1988 haben wir ...

KAPITEL 6
DER MITARBEITER IM BETRIEB
Verwaltungsvorgänge

1 4b der Gesprächstermin • 1c das
Beurteilungsgespräch • 5d die
Abteilungsleitung • 1e die Beurteilungsskala
• 3f das Arbeitszeugnis • 1g der
Beurteilungsbogen • 2h die Personalabteilung •
3i das Arbeitstempo • 2j der Personalleiter •
3k die Arbeitsmenge

2 2 Stelle 3 Gesprächstermin 4 Beurteilungsbogen
5 Stellenbezeichnung 6 Zwischenzeugnis
7 Vorgang

3 2a Text 2 • 3c Text 3 • 4b Text 2 • 5a Text 2

4 b) 2 der Wunsch • wunschgemäß 3 die
Vorschrift • vorschriftsgemäß 4 der
Auftrag • auftragsgemäß 5 die Erfahrung •
erfahrungsgemäß
c) 2 wunschgemäß 3 vorschriftsgemäß
4 Auftragsgemäß 5 erfahrungsgemäß

5 2 gehört ... zu 3 an ... schicken 4 ist mit ...
einverstanden 5 geht es ... um 6 bitten ... um
7 mit ... sprechen 8 über ... informiert 9 danken
... für

6 2g • 3j • 4f • 5b • 6h • 7a • 8i • 9e • 10c

7 2 Ihr Gruppenleiter, Herr Moosmann, wird
mit Ihnen ein Beurteilungsgespräch führen.
(Futur) 3 Ein Beurteilungsbogen wird meistens
vom Vorgesetzten im Gespräch mit dem
Mitarbeiter ausgefüllt. (Passiv) 4 Nach dem
Beurteilungsgespräch wird das Zwischenzeugnis
von der Personalabteilung erstellt. (Passiv) 5 Ich
werde Ihnen meine Stellungnahme auf jeden
Fall nächste Woche zuschicken. (Futur)

Das Personalwesen muss neu ausgerichtet werden

1 a) 2c • 3b • 4b • 5a • 6a • 7c • 8c
b) 2 13. KW 3 16. KW 4 vier Tage vor der AL-
Runde in der 18. KW 5 auf der AL-Runde in der
18. KW

2 *Mögliche Lösung:* ... ermöglicht werden.
• Die Potenziale sollten ermittelt und
entfaltet werden. • Die Karriereplanung
sollte besprochen werden. • Die Bezahlung
nach Leistung sollte gesichert werden. •
Weiterbildung sollte angeboten werden. • Die
Arbeitsatmosphäre sollte gepflegt werden. •
Angst sollte vermieden werden.

3 2 ... entfalten. • ... entfaltet werden. 3 Wir
wollen die Weiterbildung systematisieren. •
Die Weiterbildung muss systematisiert werden.

4 Wir wollen den Personaleinsatz verbessern. • Der Personaleinsatz muss verbessert werden. 5 Wir wollen die Zielvereinbarungen fokussieren. • Die Zielvereinbarungen müssen fokussiert werden. 6 Wir wollen die persönlichen Ziele der MA einbeziehen. • Die persönlichen Ziele der MA müssen einbezogen werden. 7 Wir wollen die Führungspotenziale bei den MA ermitteln. • Die Führungspotenziale bei den MA müssen ermittelt werden. 8 Wir wollen die individuelle Weiterbildung der MA festlegen. • Die individuelle Weiterbildung der MA muss festgelegt werden. 9 Wir wollen die Abläufe im Beurteilungssystem ändern. • Die Abläufe im Beurteilungssystem müssen geändert werden.

Die Zielvereinbarung

1 a) **Wünsche:** im Lotto gewinnen • Glück haben • gesund bleiben • ein Kind bekommen • **Vorsätze:** das Leben besser organisieren • die Eltern jeden Monat einmal besuchen • abnehmen • zu den Kollegen immer freundlich sein • regelmäßig Sport treiben • **Ziele:** eine Gehalterhöhung bekommen • Abteilungsleiter werden • MBA-Abschluss machen • Klavierunterricht beginnen • bis 1. Januar auf eine neue Stelle wechseln

2 a) 2 ... können terminiert werden. 3 ... können kontrolliert werden. 4 ... können realisiert werden. 5 ... nicht verzichten.
b) 2 veränderbare 3 motivierbar 4 ermittelbar 5 vermeidbar 6 lösbaren
c) 2 ..., wie gut der MA eingesetzt werden kann. 3 ..., ob die Ziele erreichbar sind. • ..., ob die Ziele erreicht werden können. 4 ..., wie gut die Arbeitsergebnisse verwendbar sind. • ..., wie gut die Arbeitsergebnisse verwendet werden können. 5 ..., ob das System reformierbar ist. • ..., ob das System reformiert werden kann. 6 ..., ob die Aufgaben lösbar sind. • ..., ob die Aufgaben gelöst werden können. 7 ..., ob die Fehler vermeidbar sind. • ..., ob die Fehler vermieden werden können.

3 2 Ein guter Zielvereinbarungsprozess hat folgenden Ablauf: 3 Zunächst muss das Mitarbeitergespräch vorbereitet werden. 4 Sowohl der Vorgesetzte als auch der Mitarbeiter müssen sich vorbereiten, indem sie überlegen, welche Ziele wichtig und realisierbar sind. 5 Auch persönliche Wünsche und Ziele des Mitarbeiters sollen berücksichtigt werden. 6 Im Mitarbeitergespräch werden dann Zielvereinbarungen getroffen und aufgeschrieben. 7 Der nächste Schritt ist dann die Umsetzung der Ziele. 8 Nach einem halben oder ganzen Jahr wird in einem Mitarbeitergespräch schließlich die Zielerreichung gemeinsam bewertet. 9 In diesem Gespräch werden auch wieder neue Ziele vereinbart.

Führung

1 2 Hildebrand 3 Bayer 4 Bönzli 5 Hildebrand 6 Bönzli 7 Bayer

2 2 Kontrolle 3 sachorientiert 4 interessiert 5 selten 6 Unterhaltung 7 Beratung 8 Vorbereitung 9 bedeutsam 10 Einmischung

3 2 Herr Brüggemann will nicht zu oft gefragt werden. Trotzdem will er genaue und häufige Berichte. 3 Herr Bönzli arbeitet zwar sehr selbstständig, aber er informiert seinen Chef ständig. 4 Herr Brüggemann sagt, er möchte sich gern um andere Aufgaben kümmern. Trotzdem verwendet er viel Zeit dafür, seine Mitarbeiter zu befragen. 5 Obwohl die Ziele realisierbar waren, war der Mitarbeiter nicht einverstanden. 6 Zielvereinbarungen sind zwar wichtig, aber ich habe keine Zeit dafür. 7 Obwohl Herr Hildebrand sehr qualifiziert ist, hat sein Abteilungsleiter Probleme mit ihm.

4 ... „dürfen" und „wollen" charakterisieren, was die Mitarbeiter dafür brauchen. • Als Erstes ist wichtig, dass die Mitarbeiter die strategische Ausrichtung des Unternehmens kennen. • Und sie müssen wissen, wie die Abteilungen zusammenarbeiten. • Zweitens ist das Können des Mitarbeiters wichtig. • Er braucht fachliche und soziale Kompetenz. • Gegebenenfalls muss das Unternehmen Weiterbildung anbieten. • Drittens ist wichtig, was der Mitarbeiter darf. • Er braucht Entscheidungskompetenz. • Er soll entscheiden, was für seine Aufgaben und Ziele wichtig ist. • Schließlich muss der Mitarbeiter auch wollen. • Die Punkte eins bis drei sind dafür sehr wichtig. • Außerdem wird seine Motivation durch Zielvereinbarungen und positives Feedback gefördert. • Alle vier Punkte hängen eng miteinander zusammen. • Ihr Zusammenspiel führt zu guter Zusammenarbeit im ganzen Unternehmen.

5 **waagerecht:** 1 entwickeln 2 Praxis 3 delegieren 4 Blei 5 Lärm 6 Gruppe 7 Mangel • **senkrecht:** 8 Weiterbildung 9 Kriterium 10 leiten

6 2 Entscheidungsvorbereitung 3 Entscheidungsfreiheit 4 Entscheidungskompetenzen 5 Entscheidungsfreude 6 Führungsgrundsätze 7 Führungskraft 8 Führungsmängel 9 Führungspotenzial 10 Führungsposition

7 2 dass 3 Obwohl 4 wie 5 ob 6 Um 7 dass 8 dass 9 ob 10 um 11 obwohl

Die Beurteilung

1 a) 2 Die Arbeitsgüte ist bei Frau Pfundstein zwar durchschnittlich, aber ihr Sozialverhalten ist hervorragend. 3 Ihre Selbstständigkeit

bei der Arbeit ist durchschnittlich, aber ihre Innovationsbereitschaft ist gut. 4 Bei Herrn Rapp ist die Verantwortungsbereitschaft hervorragend, dagegen ist sein Sozialverhalten im Team nur durchschnittlich.
b) 2 Frau Pfundstein verhält sich sozialer als Herr Bölli und Herr Rapp. 3 Herr Bölli zeigt so viel Verantwortungsbereitschaft wie Frau Pfundstein. 4 Herr Rapp arbeitet selbstständiger als Frau Pfundstein und Herr Bölli. 5 Frau Pfundstein ist kreativer als ihre beiden Kollegen.

2 a) 2 Arbeitsergebnisse 3 Kreativität 4 Kundenorientierung 5 Flexibilität 6 Leistungsmotivation 7 Wirtschaftlichkeit 8 Fachkompetenz
b) 2+ 3+ 4- 5+ 6+ 7- 8-

3 2 ... sowie Sozialverhalten halte ich bei ihm für durchschnittlich. 3 Seine Innovationsbereitschaft und Kreativität finde ich dagegen nur unterdurchschnittlich. 4 Bei Herrn Rapp halte ich keinen Punkt für unterdurchschnittlich. 5 Aber es gibt zwei Kriterien, die ich gut bzw. hervorragend finde. 6 Den wichtigen Bereich der Arbeitsgüte halte ich bei Frau Pfundstein nur für durchschnittlich. 7 Dagegen finde ich ihre Teamfähigkeit überdurchschnittlich.

4 a) 4 • 7 • 2 • 8 • 3 • 5 • 6 • 1
b) M • V • M • M • V • V • M • V

Zeit und Geld

1 1 abfeiern 2 Feiertag 3 Arbeitszeit 4 Kernzeit 5 Überstunde 6 Urlaub 7 aufschreiben 8 Trainee 9 Gruppenleiter 10 Wochenende

2 2 arbeite 3 gilt 4 arbeiten 5 abfeiern 6 ausgezahlt 7 aufschreiben 8 haben 9 geht 10 bleibe 11 gehen 12 gibt 13 beträgt 14 nehmen 15 macht

3 2 Österreich 3 Dänemark 4 Spanien 5 Frankreich 6 Finnland 7 Griechenland 8 Ungarn 9 Italien 10 Irland 11 die Niederlande 12 Polen 13 Schweden 14 Slowenien 15 Großbritannien

4 2 Frankreich 3 Großbritannien 4 Griechenland • Frankreich 5 Schweiz

5 2 Welche • Facharbeiter 3 Welchen • ... sinkt 4 Was • ... mitversichert 5 Für wen ... für wen • ... Ledige ohne Kinder ... Verheiratete mit mehreren Kindern 6 In welcher • ... sinkt die Höhe der Steuern 7 wie viel • ... reduzieren sich die Abgaben auf 12,6 %

KAPITEL 7
VERKAUFEN, VERKAUFEN, VERKAUFEN!
Die Vertriebskonferenz

1 **von oben im Uhrzeigersinn:** der Badezimmerspiegel • der Hebelmischer • das Waschbecken • der Handtuchhalter • die Badewanne • das WC • die Duschkabine

2 2a • 3e • 4c • 5b

3 2 9.00 bis 10.00 • 3 10.30 bis 11.30 • 4 15.30 bis 18.00

4 2 ... ist um 12 % gestiegen. Das ist positiv. 3 ... Kundenzufriedenheit ist ... Das ist positiv. 4 ... Sortiment ist gewachsen. Das ist positiv. 5 ... Kunden ist gleich geblieben. Das ist nicht so positiv. / Das ist eher negativ. 6 ... Zahl der Anbieter ist gestiegen. Das ist negativ. 7 ... hat sich verringert. Das ist negativ.

5 2b • 3b • 4a • 5b • 6c • 7c • 8c • 9b • 10a • 11a • 12b

6 2 ... das größere Zimmer nehmen, in dem es ein Bad gibt. 3 ... würde den schnelleren Rechner nehmen. • ... würde lieber den Rechner nehmen, zu dem das Betriebssystem und ein Scanner mitgeliefert werden. 4 ... würde die junge Bewerberin nehmen. • ... würde lieber die Bewerberin nehmen, über die wir viel Gutes gehört haben. 5 ... würde das preisgünstigere Angebot nehmen. • ... lieber das Angebot nehmen, bei dem es ein komplettes Servicepaket gibt. 6 ... würde die weniger komfortable, aber billigere Tastatur nehmen. • ... würde lieber die Tastatur nehmen, für die man kein Kabel braucht. 7 ... würde die einfachere Lösung nehmen / wählen. • ... würde lieber die Lösung nehmen / wählen, mit der die Kunden sehr zufrieden sind.

7 2 für den wir produzieren 3 modernisiert werden 4 verstärken 5 an die wir uns wenden

Die Umsatzziele der Bäder Bauer GmbH

1 a) 2 Durchführung von Rabattaktionen 3 ... Service verbessern 4 Erweiterung des Sortiments 5 Erschließung neuer Märkte 6 ... Messen beteiligen 7 ... Handwerk unterstützen 8 Kontaktaufnahme mit dem Handel

2 2 150 000 € • a) • 3 — • b) • 4 15 000 Stück • c) • 5 24 • a)

3 a) 2: 1 • 3: 2 • 4: 1 • 5: 2 • 6: 2 • 7: 1
b) ... Ausdruck. ..., der HL-2700CN druckt schwarz / weiß und farbig. • ... Auflösung ... 2400 x (mal) 600 dpi • Die Drucker unterscheiden sich der Druckgeschwindigkeit. Der HL-2070N druckt 20 Seiten pro Minuten, der HL-2700CN. ...

4 2 Ich kümmere mich darum. • Darum kümmere ich mich. 3 Ich warte darauf. • Darauf warte ich. 4 Ich beschäftige mich damit. • Damit beschäftige ich mich. 5 Ich spreche mich dagegen aus. • Dagegen spreche ich mich aus. 6 Ich arbeite daran. • Daran arbeite ich. 7 Ich frage danach. • Danach frage ich.

5 2 ... dafür ... das fehlende Material eingekauft ... 3 ... darum ... die Gäste vom Flughafen abgeholt und ins Hotel gebracht werden. 4 ... dafür ...

die Teilnehmer für die Tagung am Dienstag eingeladen werden. 5 ... daran ... der Termin für den Test der neuen Anlage eingehalten wird.

6 2 verschlechtern 3 Massenprodukt 4 sinken 5 Unterschied 6 überschreiten 7 preiswert 8 Fachhandel 9 Bestandskunden 10 Weiterverkäufer 11 Zentrale 12 nutzen

Dann brauchen wir aber ...

1 2 ... Sonderangebote, um neue Kunden zu gewinnen. 3 Wir brauchen Prospekte und Werbespots, um unsere Produkte bekannter zu machen. 4 ... neue Zielgruppen gewinnen. ... eignet sich die Zusammenarbeit mit dem Einzelhandel. 5 ... unseren Kundenkreis erweitern. ... eignen sich Infostände an verkaufsstarken Tagen. 6 ... den Service verbessern. • ... einen flexiblen Kundendienst ...

2 2 umsatz- 3 punkt- 4 markt- 5 familien- 6 kosten- 7 kunden- 8 verkehrs- 9 hilfs- 10 entscheidungs-

3 a) 8 • 4 • 6 • 9 • 2 • 1 • 5 • 7 • 3
b) C • C • C • R • C • R • R • R • R
c) gute Kollegen

4 2a) Wir würden gern an einem Montageseminar teilnehmen. b) Könnten wir an einem Montageseminar teilnehmen? c) Wäre es möglich, an einem Montageseminar teilzunehmen? • 3a) Wir würden gern die Baustellen zweimal täglich beliefern. b) Könnten wir die Baustellen zweimal täglich beliefern? c) Wäre es möglich, die Baustellen zweimal täglich zu beliefern? ...

5 a) 2c • 3a • 4b • 5f • 6g • 7e • 8h • 9k • 10j • 11i • 12l
b) ... Umsatz ... neue Zielgruppen ... Mailingaktion ... kostengünstig und effizient ist. • Wir haben das Ziel, unsere Kosten zu verringern. Um unsere Kosten zu verringern, müssten wir die Produktion modernisieren. Dazu würde sich die Anstellung eines Wirtschaftsingenieurs eignen, weil er unsere Produktionsabläufe untersuchen und verbessern kann. • Wir haben das Ziel, neue Absatzmärkte für unser Sortiment zu finden. Um neue Absatzmärkte für unser Sortiment zu finden, müssten wir Vertriebsgesellschaften in Osteuropa gründen. Dazu sollten wir preiswerte Produktlinien auf den osteuropäischen Markt bringen, weil dort der Bedarf für Altbausanierung und Neubau steigt.

Der Weg zum Kunden

1 a) 1 ... bittet um ein Angebot. 2 ... ein Angebot ab. 3 Der Kunde nimmt das Angebot an und erteilt den Auftrag. 4 Der Auftragnehmer bestätigt den Auftrag. 5 ... ein Gegenangebot. 6 ... die Ware ... stellt die Rechnung aus. 7 Der Auftraggeber bezahlt die Rechnung.

b) ... angenommen werden ... erteilt werden. ... Auftragnehmer der Auftrag bestätigt werden. Wenn der Kunde das Angebot ablehnt, ...

2 2g • 3h • 4j • 5k • 6i • 7f • 8b • 9d • 10a • 11e

3 a) 2 ... Rabatt geben, wenn die Bestellmenge größer wäre? 3 Der Drucker würde also funktionieren, wenn die Druckerpatrone voll wäre / nicht leer wäre. 4 Solche Unfälle würden also nicht passieren, wenn wir die Sicherheitsbestimmungen einhalten würden. 5 Die Qualität der Werkstücke wäre also gut, wenn die Maschine genau arbeiten würde.
b) 2 Wenn Sie mehr als 500 Stück bestellt hätten, hätten wir einen Rabatt gewährt. 3 Wenn Sie nicht zu spät abgefahren wären, wären Sie natürlich auch nicht verspätet angekommen. 4 Wenn ich am Dienstag nicht einen dringenden Termin gehabt hätte, hätte ich an der Konferenz teilgenommen. 5 Wenn Herr Bruns die vereinbarten Ziele umgesetzt hätte, hätte er eine gute Beurteilung bekommen.
c) 2 wäre 3 ließe 4 ginge

Bäder Bauer-Service: Das Montageseminar

1 a) 2e • 3g • 4b • 5c • 6h • 7d • 8a
b) Partnerarbeit führt man durch, indem man zwei Teilnehmer zusammenarbeiten lässt. • Eine Punkteabfrage führt man durch, indem man ein Thema, eine Problemlösung mit Punkten bewertet. • Eine Kartenabfrage führt man durch, indem man ein oder zwei Stichpunkte zu einem Thema auf eine Karte schreibt. • ...

2 2a • 3a • 4b • 5a • 6b

3 a) 2 nicht umgestellt 3 verschoben 4 vorgezogen 5 verschoben 6 vorgezogen
b) ... Arbeitsschutz in der Montage wird nicht umgestellt. • Der Tagesordnungspunkt Bericht Außendienst wird von 9.30 Uhr um 30 Minuten auf 10.00 Uhr verschoben. • Der Tagesordnungspunkt Marketingplan wird von 9.45 Uhr um 15 Minuten auf 9.30 Uhr vorgezogen. • Der Tagesordnungspunkt Reklamationen / Kundenzufriedenheit wird von 10.00 Uhr um 15 Minuten auf 10.15 Uhr verschoben. • Der Tagesordnungspunkt neue Lager-EDV wird von 10.15 Uhr um eine Stunde und 15 Minuten auf 9.00 Uhr vorgezogen.

4 a) 5 • 8 • 4 • 3 • 1 • 7 • 2 • 6
b) ... die Marktsituation mit den Niederlassungsleitern besprechen. ... Marksituation mit den Niederlassungsleitern besprochen haben, erfolgt die Einladung zur zentralen Vertriebstagung. Nachdem die Einladung zur Vertriebstagung erfolgt ist, muss eine ausführliche Diskussion stattfinden. Nachdem eine ausführliche Diskussion stattgefunden hat, beschließen

wir die Umsatzziele für das nächste Jahr. Nachdem wir die Umsatzziele für das nächste Jahr beschlossen haben, müssen die Niederlassungen die notwendigen Maßnahmen zur Umsetzung der Ziele planen. Nachdem die Niederlassungen die notwendigen Maßnahmen zur Umsetzung der Ziele geplant haben, teilen wir die beschlossenen Ziele an den Außendienst mit.
c) ... zentralen Vertriebstagung erfolgen kann, müssen wir die Marktsituation mit den Niederlassungsleitern besprechen. Bevor auf der zentralen Vertriebstagung die Umsatzziele für das nächste Jahr beschlossen werden, muss eine ausführliche Diskussion stattfinden. Bevor die beschlossenen Ziele an den Außendienst mitgeteilt werden, müssen die Niederlassungen die notwendigen Maßnahmen zur Umsetzung der Ziele planen.

5 2 ... einen Kunden bedient, kann man keinen Brief schreiben. 3 Ja, das geht. Während man Musik hört, kann man Zeitung lesen. 4 Nein, das geht nicht. Während man an der Gruppenarbeit teilnimmt, kann man keinen Vortrag halten. 5 ... an einer Besprechung im Büro teilnehmen. 6 ... Während eines Telefongesprächs kann man Gesprächsnotizen machen. 7 Nein, das geht nicht. Während eines Abendessens mit dem Chef kann man nicht die Post erledigen. 8 Nein, das geht nicht. Während einer Besprechung kann man keine Besucher empfangen.

Ist bei Ihnen der Kunde König?

1 2 3 • entschieden 3 2 • spontan 4 3 • preisbewusst 5 1 • risikoscheu 6 2 • gesprächsbereit
2 2cg • 3ae • 4bd • 5i
3 a) 2 die Mitarbeiter ... motivieren 3 Ziele vereinbart 4 nach einem bestimmten Zeitraum überprüft
b) 2 Informationen 3 geht es darum 4 Vorstellungen ... Wünsche 5 erklären 6 Fragen 7 Aussagen / Wünsche
4 2 das • was 3 die • was 4 was • der 5 die • was
5 2 ... sind erst kurz auf dem Markt. • ... erprobte Technik, aber unsere Solaranlagen bieten modernste Technik. • ... bieten unsere Solaranlagen modernste Technik. • ... unsere Solaranlagen modernste Technik bieten. • 3 ... haben aber kein besonderes Design. • ... besonderes Design, aber unsere Hosenmodelle sind klassisch elegant. • ... sind unsere Hosenmodelle klassisch elegant. • ... unsere Hosenmodelle klassisch elegant sind.
6 **Vertriebswege:** Großhandel • Fachhandel • Einzelhandel • Handwerk • **Kommunikation:** Beteiligung an Ausstellungen • Tag der offenen Tür • Zeitungsanzeigen • Displays • **Geschäftsabschluss:** Preis • Rabatt • Zahlungsweise • Zusatzleistungen

KAPITEL 8
AUF DER MESSE
Messeplätze

1 a) 2cm • 3bh • 4kl • 5dj • 6ei • 7gp • 8ah
b) 1 Beautyworld: Hautcremes • Haaarwaschmittel 2 Heim + Handwerk: Stühle • Küchengeräte 3 Eisenbahn-Technologie: Fahrscheinautomaten • Motoren 4 Energie.Raum.Gebäude: Solaranlagen • Temperaturregler 5 Medizin: Augentropfen • Röntengeräte 6 Grüne Woche: Ziegenkäse • Organgensaft 7 spoga: Hängematten • Sporthosen 8 Euro-BLECH: Feinblechstahl • Stahlwalzen
2 2 Abschnitt 1 • Zeilen 1–3 • 3 Abschnitt 4 • Zeilen 1–2 • 4 Abschnitt 3 • Zeilen 3–5 • 5 Abschnitt 2 • Zeilen 3–8 • 6 Abschnitt 1 • Zeilen 3–4
3 2 die vor allem von Fachleuten besucht werden 3 auf denen vor allem Konsumgüter ausgestellt werden 4 auf denen die wichtigsten Hersteller der Welt ausstellen 5 an denen sich nicht nur Unternehmen aus einem bestimmten Gebiet beteiligen 6 die sich vor allem an Konsumenten wenden 7 auf denen viele ausländische Firmen vertreten sind 8 mit der vor allem Unternehmen eines bestimmten Gebiets angesprochen werden sollen

Messeziele

1 a) Herr Lang: 5 • 11 • 3 • 13 • 9 • 1 • 7 • Frau Klein: 10 • 14 • 8 • 2 • 6 • 12 • 4
b) Medica
2 a) 2 ... Prototypen präsentieren. 3 ... Neuheiten vorstellen. 4 ... unser Unternehmen zu präsentieren. 5 ... unsere Öffentlichkeitsarbeit unterstützen. 6 ... neue Geschäftsverbindungen herzustellen. 7 ... den Markt zu beobachten. 8 ... Kundenwünsche zu ermitteln. 9 ... die Produkte der Konkurrenz vergleichen. 10 ... Marktnischen entdecken. 11 ... Aufträge zu akquirieren. 12 ... den Absatz zu steigern.
b) der Vergleich
c) die
3 *Mögliche Lösung:* 1 ... neue Märkte kennen zu lernen und um sich über Neuheiten und Entwicklungstrends zu informieren. 2 ... Produktinnovationen zu präsentieren und Prototypen vorzustellen. 3 ... an Messen ..., um neue Kunden zu werben und Markinformationen zu sammeln. 4 ... Mein Unternehmen beteiligt sich an Messen, um Kontakte zu potenziellen Lieferanten aufzunehmen und Vertreter zu suchen.
4 a) Beteiligungsziele und Messeauswahl
b) 2 Welches Ziel soll welches Gewicht haben? 3 Erstes Ziel: das Geschäft 4 Erstes Ziel: die

Geschäftsvorbereitung, die Beratung 5 Die
Messbarkeit von Beteiligungszielen
c) 2f • 3r • Zeile 4–7 • 4f • 5r • Zeile: 8–10 •
6f • 7f • Zeile: 17–19 • 8f • Zeile: 21–22 • 9r •
Zeile: 24–27 • 10f • Zeile: 28 • 11f • 12r • Zeile:
32–33 • 13r • Zeile: 33–36

Ich sehe, Sie interessieren sich für ...

1 2f • 3g • 4a • 5d • 6h • 7e • 8c
2 a) 2 für 3 an 4 – 5 an 6 an
b) 2 – • – • er • – • 3 mich • für • en • en • en
• 4 an • em • en • en • 5 an • em • en • en •
6 an • em • en • en
3 3 die Produktvorführung 4 das Handelsprodukt
5 das Qualitätsprodukt 6 die Produktinnovation
7 das Produktsortiment 8 die Produktunterlagen
9 die Produktentwicklung
10 die Produktplanung
4 a) ... Wofür ... sich • ... den Verkehrsverbund
Stuttgart ... mir ... Fahrscheinautomaten ... • ...
Prototyp ... Fahrscheinautomaten. Dafür ... zwei
Schweizer Großstädte • ... mir ... über ... sagen
... eine Produktpräsentation • ... mit unserem
Ingenieur ... • ... gern • ... hole ihn her
b) **Standmitarbeiter:** 11 • 5 • 3 • 1 • 9 • 7 •
Kunde: 10 • 4 • 2 • 6 • 8
c) *Mögliche Lösung:* S: Ich sehe, Sie interessieren
sich für unsere Stand-Hängematten. • K: Ja,
könnten Sie mir zu dieser Hängematte etwas
sagen? • S: Diese Hängematte ist aus unserer
Holiday-Serie. Wir verkaufen sie dieses Jahr sehr
gut. Sie ist sehr komfortabel und man kann
sie leicht aufbauen. • K: Nicht schlecht. • S:
Möchten Sie vielleicht zu einer Präsentation
kommen, bei der wir die Produkte der Holiday-
Serie vorführen / zeigen? • K: Ja, gern. Wann
findet die Präsentation statt? • S: Zweimal
täglich – um 11.00 oder um 15.00 Uhr. • K:
Ja, ich komme. Wir wollen unser Sortiment
erweitern und ich finde dieses Modell sehr
interessant. • S: Darf ich Ihnen vielleicht
unseren Katalog mitgeben? • K: Den nehme ich
bei der Präsentation mit. • S: Ja natürlich. Bis
später!
5 2g • 3f • 4a • 5d • 6e • 7b

Können Sie mir zu diesem Produkt etwas sagen?

1 2 Wodurch zeichnet er sich aus? 3 Wofür
ist er besonders geeignet? 4 Was schützt
vor Feuchtigkeit und Wind? 5 Aus welchem
Material ist er innen gefertigt? 6 Woraus besteht
die Füllung? 7 Bis zu welcher Körpergröße passt
er? 8 Wie viel wiegt er? 9 In welchen Farben
ist er erhältlich? 10 Wie sind seine Packmaße?
11 Was für Zubehör gibt es? 12 Wie ist der
Verkaufspreis? / Was kostet er?

2 3 Den unterschreiben wir morgen. 4 Das ist
schon abgeschickt. 5 Das stellen wir morgen
aus. 6 Der ist schon abgestimmt. 7 Das packen
wir morgen ein. 8 Die sind schon verteilt.
9 Die legen wir morgen bereit. 10 Das ist schon
eingerichtet.
3 2 Der Schlafsack ist sowohl sehr leicht als auch
sehr klein, wenn er zusammengelegt ist.
3 Entweder Sie kommen zur Präsentation oder
Sie sprechen mit unserem Ingenieur. 4 Das
reduziert zwar unsere Produktpalette, aber
dafür liefern wir beste Qualität. 5 Sie können
entweder um 15 Uhr oder um 16 Uhr kommen.
6 Ich schreibe dir weder eine E-Mail, noch rufe
ich dich an. 7 Wir produzieren zwar Käse,
aber keine Butter. 8 Wir verkaufen sowohl
Hängematten als auch Luftmatratzen.
5 a) Ausstattung • Leistung • Multifunktionalität
b) 2 Bedienung 3 Zahlungsmittel 4 warten
5 Bildschirm 6 gesteuert 7 Bezahlfunktionen
8 Umsatzvolumen 9 Zeitkarten 10 stationär und
mobil 11 kostengünstiger
c) **von oben nach unten:** Münzeinwurf •
Kartenleser • Touchscreen • Ausgabeschale

Nach der Messe

1 das Messeziel, -e • die Fachmesse, -n • der
Messestand, -stände • die Messenotiz, -en • die
Messestadt, -städte • die Konsumgütermesse,
-n • die Dienstleistungsmesse, -n • der
Messekongress, -e • die Kongressmesse, -n • der
Messerabatt, -e • das Messegespräch, -e • die
Messebeteiligung, -en
2 2b • 3d • 4b • 5a • 6c
3 a) 2 ... die beiliegenden Visitenkarten archiviert
werden. 3 ... müssen die eingegebenen
Informationen mit vorhandenen Informationen
verglichen werden. 4 ... muss die Arbeitsteilung
unter allen beteiligten Kollegen geklärt
werden. 5 ... muss für wichtige Kunden ein sie
betreuender Mitarbeiter festgelegt werden.
6 ... müssen die versprochenen Kundenbesuche
organisiert werden. 7 ... müssen Briefe
geschrieben und verschickt werden. 8 ... müssen
die von den Kunden gewünschten Unterlagen
zusammengestellt und versandt werden.
9 ... müssen Angebote erstellt werden.
b) ... mit den vorhandenen Informationen
verglichen werden. Wenn die Informationen
verglichen sind, muss die Arbeitsteilung unter
allen beteiligten Kollegen geklärt werden. Wenn
die Arbeitsteilung geklärt ist, muss für wichtige
Kunden ein betreuender Mitarbeiter festgelegt
werden. Wenn der betreuende Mitarbeiter
festgelegt ist, ...
4 2 die Sekretärin, die (die Informationen) eingibt
3 Preise, die steigen 4 Preise, die gestiegen
sind 5 der Brief, der unterschrieben ist 6 der
Geschäftsführer, der (den Brief) unterschreibt
7 der Betrag, der überwiesen ist 8 die Firma, die

(den Betrag) überweist

5 2 Herr Müller hat eine Messenotiz geschrieben. Sie ist nicht ganz vollständig. 3 Zunächst lag eine Visitenkarte bei. Sie ist leider verloren gegangen. 4 Der Kollege Müller ist vor einer Woche erkrankt. Wir sollten warten, bis er wieder da ist. 5 Fünf Besucher wünschen eine Produktvorführung. Sie müssen sofort angeschrieben werden. 6 Herr Süß hat eine Arbeitsteilung vorgeschlagen. Sie wird von den Mitarbeitern natürlich akzeptiert. 7 Das Interesse an Schließfachanlagen sinkt seit zwei Jahren. Das wird auch durch diese Messeergebnisse bestätigt.

Nach der Messe ist vor der Messe

1 3 Wir haben für die Messebeteiligung viel Geld ausgegeben, ohne einen einzigen Auftrag zu bekommen. 4 Wir beteiligen uns, um direkten Kontakt mit den Kunden zu haben. 5 Eins unserer Ziele ist, Mitbewerber zu beobachten. 6 Der Geschäftsführer hatte schon früher vor, die Messebeteiligungen zur Diskussion zu stellen. 7 Wir können diese Frage nicht lösen, ohne die Finanzabteilung einzubeziehen. 8 Wir brauchen eine genaue Kostenrechnung, um über den Nutzen der Messe sprechen zu können.

2 2 dass 3 sodass 4 dass 5 ohne dass 6 sodass

3 1 Schaubild: 3 2 Schaubild: 4

4 2 tiert 3 ukte 4 get 5 kation 6 nden 7 on 8 tel 9 serung 10 itts 11 es 12 erbung 13 ht 14 eiligung 15 gung 16 genen 17 reich 18 rd 19 hrung 20 ahme 21 üft

5 2 Müller 3 Elk, Strölin 4 Süß 5 GF 2 = Frau Hübner

6 *Mögliche Lösung:* Herr Müller kümmert sich um die Erstellung der Kosten für die Messen *ET* und *Blech*. • Herr Süß ist zuständig für die Zusammenstellung der Daten zu den Messen *ET* und *Blech*. • Frau Hübner ist für ...

Kapitel 9
Import – Export
Ein Unternehmen und sein Gründer

1 a) 2bd • 3ac
   b) 2a • 3e • 4c • 5d

2 a) 2 Unternehmensentwicklung • 3 Absatzmärkte • 4 Philosophie
   b) 2 Heilpraktiker 3 Bio-Läden 4 importiert 5 Anforderungen 6 synthetische Stoffe 7 Abnehmer 8 Tochtergesellschaft 9 mitgearbeitet 10 Unabhängige

3 a) ... 8.30 Uhr ausgeladen. Von 8.30 bis 9.00 Uhr wird die Lieferung anhand des Lieferscheins überprüft. Die Lieferdaten werden von 9.00

bis 10.30 Uhr in die EDV eingegeben. Ab 10.30 Uhr wird die Lieferung ins Lager einsortiert. Gleichleichzeitig werden benötigte Teile in die Fertigung gebracht.
   b) ... 10.30 Uhr ausgeladen worden. Die Überprüfung ist erst um 11.00 Uhr beendet worden. Danach ist mit der Eingabe der Lieferdaten begonnen worden. Um 12.00 Uhr ist die Lieferung ins Lager einsortiert worden. Die benötigten Teile sind deshalb erst nach der Mittagspause in die Fertigung gebracht worden.

4 2 im Bioladen verkaufte 3 1977 gegründeten 4 von Logona hergestellten 5 Logona eingesetzten 6 ausgewählten 7 erfolgreich abgeschlossenen

5 2c • 3a • 4c • 5b • 6b • 7a

Der Exportauftrag

1 2 Hat die Spedition die Ware schon verladen? • Ja, die Ware ist gestern von der Spedition verladen worden. • Nein, die Spedition muss die Ware noch verladen. 3 Hat die Firma Dorp die Lieferung schon umgeladen? • Die Firma Dorp lädt die Lieferung heute um. • Nein, die Firma Dorp muss die Lieferung noch umladen. 4 Hat der Empfänger die Ware schon verzollt? • Der Empfänger verzollt die Ware heute. • Ja, die Ware ist gestern vom Empfänger verzollt worden.

2 a) 3 • 6 • 1 • 8 • 4 • 5 • 7 • 2
   b) S • H • S • H • H • S • S • H

3 ... Ist das möglich? • Warten Sie bitte, ich überprüfe das. Der Lkw ist leider schon abgefahren. Aber morgen können wir die Lieferung abholen. • Um wie viel Uhr können Sie die Lieferung abholen? • Ungefähr um 10.00 Uhr. Die Lieferung wird am Flughafen sofort aufs Flugzeug nach Singapur umgeladen.

4 2f • 3r • 4f • 5r • 6f

5 a) 3 • 4 • 6 • 7 • 9
   b) 3 ..., gewähren wir 2 % Skonto. 4 Wenn man mit einer Geschwindigkeit von 100 km / h fährt, dauert die Fahrt ungefähr acht Stunden. 6 Wenn Sie für mehr als 500 Euro bestellen, liefern wir frei Haus. 7 Wenn die Verben eine trennbare Vorsilbe haben, liegt der Wortakzent auf der Vorsilbe. 9 Wenn Sie mehr als 50 Stück abnehmen, geben wir einen Rabatt von fünf Prozent.

6 2 Bei einem Arbeitnehmerentgelt von 2730,– € verdient der Arbeitnehmer 2 210,– € brutto. 3 Wenn der Arbeitnehmer brutto 2210,– € verdient, werden ihm 770,– € (Lohnstuer und Sozialabgaben) abgezogen. 4 Bei einem Nettoeinkommen von 1440,– € verdient der Arbeitnehmer 2 210,– € brutto. 5 Wenn das Arbeitnehmerentgelt 2 730,– € beträgt, bezahlt der Arbeitgeber 520,– € für die Sozialbeiträge des Arbeitnehmers.

Wo bleibt die Lieferung?

1 2a • 3d • 4ce • 5f • 6a • 7be • 8f

2 a) 1
b) 2 dienstlich/beruflich 3 dienstlich/beruflich
• privat 4 privat 5 dienstlich/beruflich 6 privat

3 2 ... stellst die Ware bereit. • ... stelltest die Ware
bereit. • ... hast die Ware bereitgestellt.
3 ... pünktlich eintreffen • ... traf pünktlich
ein. • ... ist pünktlich eingetroffen. 4 ... die
Ware abholen • ... holen die Ware ab. •
... holten die Ware ab. 5 ... die Ware exportieren
• ... exportiert die Ware. • ... habt die Ware
exportiert. 6 ... laden die Ware um. • ... luden
die Ware um. • ... haben die Ware umgeladen.

4 a) 2 wurde ... bereitgestellt 3 wurde ... abgeholt
4 wurde ... angeliefert 5 umgeladen ... wurde
b) 2 aber 3 sodass 4 Deshalb 5 Weil

5 2 ... gemeldet. 3 ... wurde bis 10.30 Uhr
ausgeladen. 4 ... wurde erst um 11.00 Uhr
beendet. 5 Die Eingabe der Lieferdaten in
die EDV wurde um 11.00 begonnen. 6 Die
Lieferung wurde um 12.00 ins Lager einsortiert.
7 Die benötigten Teile wurden erst nach der
Mittagspause in die Fertigung gebracht.

6 a) 2 Ja, Logona dürfte mit Kosmetika zu tun
haben. 3 Ja, Salzhemmendorf müsste der Sitz
von Logona sein.
b) 2 Ja, er könnte den Weg nicht gefunden
haben. 3 Ja, er müsste sich verfahren haben.
c) 2 Ja, die Ware ist vielleicht falsch umgeladen
worden. 3 Ja, die Lieferung ist sicher zu spät
abgeholt worden.

7 ... sie auch weitergeleitet worden sein. Sie
könnte schon auf dem Weg nach Rio sein.
Sie könnte aber auch auf ein falsches Schiff
gekommen sein. Wenn dem so ist, dürfte
ihre Lieferung mit großer Verspätung in Rio
ankommen. Das wird noch überprüft. Aber in
ein paar Tagen müsste die Lieferung bei Ihnen
ankommen.

Das Kleingedruckte

1 a) 2: 4 • 3: 6 • 4: 7 • 5: 1 • 6: 10 • 7: 3 • 8: 2 •
9: 8 • 10: 5
b) 2: 5 • 3: 2 • 4: 1 • 5: 8 • 6: 3 • 7: 7 • 8: 9

2 a) 2: 1 • 3: 7 • 4: 4
b) b) 3 • c) 4 • d) 1
c) 2 Nach Absatz 1 gelten die Liefer- und
Geschäftsbedingungen, sobald der Käufer
eine Bestellung unterschrieben hat. 3 Nach
Absatz 7 beginnt die Haftung des Verkäufers
auf Mängelfreiheit, sobald die Ware das
Zentrallager verlassen hat. 4 Nach Absatz 4
wird die Ware Eigentum des Käufers, sobald der
Käufer den Preis gezahlt und alle Forderungen
des Verkäufers beglichen hat.

3 2 ... die Zahlung des Kunden eingegangen ist,
leitet die Exportabteilung den Auftrag an den
Versand weiter. 3 Sobald die Exportabteilung
den Auftrag an die Disposition weitergeleitet
hat, klärt die Disposition den Liefertermin.
4 Sobald dem Versand der Auftrag übergeben
wurde, übermittelt er dem Kunden die
Frachtdaten. 5 Sobald der Versand den Kunden
informiert hat, wird die Ware verpackt
und bereitgestellt. 6 Sobald die Spedition
den Frachtbrief ausgestellt hat, holt sie die
Lieferung ab.

4 **waagerecht:** 10 Versandauftrag 11 zB 12 CIF
15 Mehrwertsteuer 17 Bankeinzug 18 Eton
19 Folge • **senkrecht:** 1 Frachtbrief 2 TAN 3 CIF
4 Tarif 6 Hafen 7 Einwaende 8 DZ 9 Abteilung
10 Schaubild 12 Werk 13 Rabatt 14 Skonto 16 Zoll

Plötzlich ist alles anders!

1 2 ... möchten wir einen schwarzen. • ... einen
schwarzen. 3 ... eines weißen Bürostuhles
möchten wir einen weißen und einen
schwarzen. • ... außerdem noch einen
schwarzen Bürostuhl. • Wir möchten nicht nur
einen weißen, sondern auch einen schwarzen
Bürostuhl. • Wir möchten sowohl einen weißen
als auch einen schwarzen Bürostuhl. 4 Statt
zwei Bürostühlen möchten wir (nur) einen
Bürostuhl. • Wir möchten nur einen Bürostuhl.
5 Statt eines weißen und eines schwarzen
Bürostuhls möchten wir einen grauen
Bürostuhl. • Wir möchten weder einen weißen
noch einen schwarzen Bürostuhl, sondern
einen grauen.

2 2a • 3c • 4d • 5b • 6f • 7e

3 1 Statt • während • trotz 2 Statt • Trotz •
wegen • während 3 Während • trotz • Wegen
• statt

4 a) 1 Wegen • statt • Trotz 2 Weil • nicht •
sondern • Obwohl 3 Während • trotz • statt
4 Während • nicht • sondern • obwohl 5 Trotz
• wegen 6 Obwohl • weil
b) 2 Statt der zehn Kartons liefern Sie bitte
zwanzig Kartons. 3 Trotz Überstunden konnten
wir das Projekt nicht pünktlich abschließen.
4 Wegen der vielen Aufträge war es ein gutes
Geschäftsjahr. 5 Während des letzten Jahres gab
es in der Produktion viele Probleme.

5 2 Luftfracht 3 frei Haus 4 Nettopreis 5 Stück
6 Importeur 7 Hafen 8 Ökologie 9 natürlichen
10 Unterschied 11 Zukunft

Beschwerdemanagement

1 2 Beschwerde 3 Beschwerden 4 beschwerden
5 Beschwerde 6 Beschwerde 7 Beschwerden

2 2 ... den Kunden aber nicht auf die Allgemeinen
Geschäftsbedingungen hingewiesen. • ... auf die
Allgemeinen Geschäftsbedingungen hinweisen
müssen. 3 ... nicht innerhalb von zwei Wochen
bearbeitet. • Der Kundendienst hätte sie aber

innerhalb von zwei Wochen bearbeiten können.
4 ... habe aber hier von 8.00 Uhr bis 18.30 Uhr geparkt. • ... hätten aber hier von 8.00 Uhr bis 18.30 Uhr nicht parken dürfen.

3 3 Sie brauchen mir nur den Weg zu Ihnen zu beschreiben. 4 Nein, Sie brauchen es erst heute Nachmittag zu reinigen. 5 Nein, er braucht nicht vorbeizukommen. 6 Nein, an der Besprechung braucht nur Frau Voss teilzunehmen.

4 2 Lieferung 3 Ärger 4 Verärgerung 5 Angebot 6 Gespräch 7 Besprechung 8 Reparatur 9 Reklamation 10 Regel 11 Versand 12 Sendung 13 Zusammenarbeit 14 Ankunft 15 Hilfe 16 Vorschlag 17 Entschuldigung 18 Versuch 19 Kauf 20 Übernahme

5 Frau Rivera • Frau Brandt • 12. August • Am 5. August wurden 420,25 € an ein Warenversandhaus überwiesen. Frau Rivera hat dort aber nichts bestellt. • Herr Bäumer aus der Privatkundenabteilung • Herr Bäumer überprüft den Vorgang. • Herrn Bäumer • 20. August • Ja

6 2d • 3a • 4c • 5e • 6g • 7h • 8b

KAPITEL 10
ICH MÖCHTE HIER ARBEITEN
Ein Blick in die Stellenangebote

1 2 entsprechende 3 vereinbarter 4 fließend 5 expandierendes 6 gelernten 7 wachsende 8 laufende

2 2 arbeitslose 3 serviceorientiert 4 konfliktreich 5 kundenorientiert 6 abwechslungsreiche 7 bargeldlos 8 rohstofffrei 9 zielgruppenorientierte 10 umfangreiches 11 exportorientiert 12 erfolglose

3 2: 6b) • 3: – • 4: 2– • 5: 1c) • 6: 5– • 7: 3a)

4 8 • 3 • 1 • 6 • 2 • 10 • 5 • 7 • 9 • 4

Bildungssysteme

1 2b • 3a • 4c • 5c • 6b • 7a • 8b

2 *Mögliche Lösung:* 2 Herr Walz ist Verkäufer von Beruf. Nach der Grundschule besuchte er die Hauptschule. Mit ca. 16 Jahren machte er dort seinen Hauptschulabschluss. Danach begann er eine 3-jährige Lehre. Er schloss die Lehre mit der Prüfung zum Einzelhandelskaufmann ab. Seit zwei Jahren arbeitet er in einem großen Kaufhaus in Stuttgart.
3 Herr Völker ist von Beruf Ingenieur. Nach der Grundschule besuchte er die Realschule und dann die Fachoberschule. Im Alter von ca. 18 Jahren erlangte er die Fachhochschulreife. Danach studierte er an der Fachhochschule Hannover vier Jahre lang Konstruktionstechnik. Er schloss sein Studium mit dem Diplom ab.

Seit vier Jahren arbeitet er bei einem mittelständischen Hersteller von Maschinenwerkzeugen für die Stahlindustrie.

3 1 zur 2 An 3 in der • in einem 4 das • auf die

4 2 Dagegen 3 entspricht 4 ähnlich 5 verschiedene 6 ähnelt 7 unterscheiden sich

Der euro*pass* Lebenslauf

1 a) 2 Berufserfahrung 3 Schulbildung 4 soziale Fähigkeiten 5 Berufsbildung 6 Kompetenzen 7 Qualifikation
b) Berufsbildung

2 ungarisch • 4. Februar 1981, Budapest • weiblich • Metall- oder Elektroindustrie, Einkauf • 2001–2005 • Diplomingenieurin • Elektrotechnik • Technische Universität Budapest • 2000 • Abitur • István-Gymnasium, Budapest • 2002 • Praktikum, Schwerpunkt Steuerungstechnik • ÖTM Maschinenbau GmbH & Co. KG, Graz • 2000 • Praktikum, Schwerpunkt Produktion, Entwicklungsabteilung • Firma Electronic, Koposvár • Ungarisch • Englisch (C1), Deutsch (C2) • Programme für Textverarbeitung, Kalkulation und Präsentation (Anwenderkenntnisse), Programmierung (Grundlagen)

3 2 gelebt hatte • fand 3 wohnt • zurückkommt 4 zurückging • hielt ... auf 5 gelernt hatte • besuchte 6 machte • entschied 7 nahm ... teil • abgeschlossen hatte

4 2 ... er in Indonesien angekommen war 3 ... Entlassung aus dem Krankenhaus 4 Er arbeitete einige Wochen bei einer deutschen Firma in Djakarta 5 ... er kurz in Kambodscha gewesen war 6 In Peking traf er sich mit einem Freund 7 ... nahm er Kontakt mit Bekannten in Brasilien auf 8 ... er einen Monat durch Kanada gereist war 9 ... machte er noch einen Besuch bei Freunden seiner Eltern in Chile

5 2 als 3 wann 4 Als 5 wenn 6 Wenn 7 wann 8 als

6 *Mögliche Lösung:* ... archivierte sie die Visitenkarten. Nachdem sie die Visitenkarten archiviert hatte, schrieb sie Briefe. Nachdem sie die Briefe geschrieben hatte, versandte sie die Kataloge an die Kunden. Nachdem sie die Kataloge an die Kunden versandt hatte, organisierte sie Kundenbesuche. Nachdem sie die Kundenbesuche organisiert hatte, erstellte sie Angebote.

Die schriftliche Bewerbung

1 2 die ausgeschriebene Position interessiert mich sehr 3 Sie suchen für Ihren Bereich Marketing einen Mitarbeiter, der mit soliden Fachkenntnissen die Qualität Ihrer Außendarstellung sichert, ... erstellt und ... zusammenarbeitet. 4 Für diese verantwortungsvolle Aufgabe bringe ich alle Voraussetzungen mit. 5 Aufgrund meiner Auslandsaufenthalte und meiner Schulausbildung an einem deutsch-amerikanischen Gymnasium … 6 … beherrsche ich Englisch perfekt in Wort und Schrift. Die Auslandsaufenthalte entwickelten auch mein Interesse an Menschen, meine Kommunikationsfähigkeit und meine Flexibilität. 7 Nach meinen bisherigen Tätigkeiten bei Banken möchte ich gern meine beruflichen Erfahrungen durch die Arbeit bei einer Kapitalbeteiligungsgesellschaft ausbauen. Das von Ihnen beschriebene Aufgabenfeld im Marketing ist attraktiv für mich, weil es zu meinen Ausbildungsschwerpunkten passt und mir gleichzeitig … neue reizvolle Aufgaben bietet. 8 Ich könnte Ihnen sofort zur Verfügung stehen. 9 Über eine Einladung zu einem Vorstellungsgespräch würde ich mich sehr freuen.

2 2 Die Bewerberin bringt gute Voraussetzungen für die Stelle mit, weil sie den Studienschwerpunkt „Finanzdienstleistungen" gewählt hat. • Die Bewerberin bringt … mit. Sie hat nämlich den Studienschwerpunkt „Finanzdienstleistungen" gewählt. 3 Die Firma lädt Frau Eder sofort zu einem Gespräch ein, weil sie einen interessanten Lebenslauf hat. • Die Firma lädt … ein. Sie hat nämlich einen interessanten Lebenslauf. 4 Frau Eder ist ziemlich nervös, weil sie ein Vorstellungsgespräch hat. • Frau Eder … nervös. Sie hat nämlich ein Vorstellungsgespräch. 5 Frau Eder ist gewohnt, sich schnell auf neue Situationen einzustellen, weil sie viel im Ausland gelebt hat. • Frau Eder ist gewohnt, sich … einzustellen. Sie hat nämlich viel im Ausland gelebt. 6 Frau Eder wird eingestellt, weil sie gute Zeugnisse und Auslandserfahrungen hat. • Frau Eder wird eingestellt. Sie hat nämlich gute Zeugnisse und Auslandserfahrungen.

3 *Mögliche Lösung:* s. Brief auf S. 174.

4 2 Frau Eder bewirbt sich bei einer Kapitalbeteiligungsgesellschaft, weil sie auch einmal außerhalb von Banken Erfahrungen sammeln möchte. 3 Frau Eder spricht perfekt Englisch, weil sie ein Jahr lang in den USA in die Schule ging. 4 Obwohl Frau Eder noch nie etwas mit einer Kapitalbeteiligungsgesellschaft zu tun gehabt hat, bewirbt sie sich auf die Stelle. 5 Frau Eder schreibt nichts zum Punkt Durchsetzungsvermögen in der Anzeige, weil sie nur eine geringe Berufserfahrung hat. 6 Obwohl Frau Eder eigentlich nach einer Firma mit Traineeprogramm sucht, bewirbt sie sich auf die Stelle bei der PCF AG.

Das Vorstellungsgespräch

1 *Mögliche Lösung:* 2 Könnten Sie vielleicht erläutern, welche Aufgaben ich hätte? 3 Mich würde auch noch interessieren, mit wem ich zusammenarbeiten würde. 4 Könnten Sie vielleicht etwas dazu sagen, welche Entwicklungsperspektive ich im Unternehmen hätte? 5 Könnten Sie mir bitte ein Beispiel dafür geben? 6 Mich würde auch noch interessieren, wie die Sozialleistungen bei Ihnen aussehen. 7 Darf ich fragen, was für ein Gehalt Sie mir anbieten würden? 8 Ich würde gern noch wissen, wie die Arbeitszeiten aussehen würden. 9 Für mich wäre noch wichtig zu wissen, wie die Einarbeitung organisiert wäre.

2 a) II Welche Rolle spielen Sie am besten? • III Seien Sie flexibel • IV Sie sind an der Reihe
   b) 2r • 3r • 4f • 5f • 6r • 7r • 8f • 9r • 10f

3 2 was 3 das 4 was 5 das 6 das 7 was

4 2c • 3f • 4a • 5d • 6b

Wie stehen meine Chancen?

1 2 die 3 auf der 4 den 5 der 6 auf die 7 die • für die 8 was 9 dem • was 10 der 11 dem

3 2 Wer hat Chancen auf dem deutschen Arbeitsmarkt? 3 Wie lange können EU-Bürger ohne Aufenthaltsgenehmigung in Österreich bleiben? 4 Wann / In welcher Situation muss man in der Schweiz eine Arbeitsbewilligung beantragen? 5 Wofür ist eine Arbeitsbewilligung in der Schweiz die Voraussetzung? 6 Um wie viel liegen die Löhne in der Schweiz höher als in Österreich?

4 2 worüber 3 wo 4 was 5 woran 6 Wer 7 worauf

Die Lösungen zu den Tests finden Sie im Lehrerhandbuch.

Gregor Siegel   13. Februar 2006
Neusser Straße 217
50737 Köln
Tel. (02 21) 4 35 03
Mobil: (0170) 20 03 83
E-Mail: g.siegel@wax.de

Giehrke Verpackung GmbH
Frau Gesine Kräuter

64287 Darmstadt

Ihr Stellenangebot vom 22.04.2006 im Darmstädter Echo -
Verkaufssachbearbeiter Osteuropa

Sehr geehrte Frau Kräuter,
die ausgeschriebene Position interessiert mich sehr. Sie suchen für den
Innendienst einen Mitarbeiter, der eigenverantwortlich die osteuropäischen
Verkaufsgebiete betreut und dabei in ständigem Kontakt mit Kunden,
Außendienstmitarbeitern und Produktionsstätten steht.

Für diese verantwortungsvolle Aufgabe bringe ich alle Voraussetzungen
mit. Nach meiner Ausbildung zum Kaufmann war ich mehrere Jahre in einer
Großhandelsfirma in Russland tätig. Seit 2003 bin ich in Köln in einem
Vertrieb eines Autozulieferers für das Verkaufsgebiet Polen/Tschechien/
Slowakei zuständig. Ich bin für die Erstellung von Angeboten und für die
gesamte Auftragsabwicklung verantwortlich.

Ich bin gewöhnt, Verantwortung zu übernehmen, auch wenn Probleme
auftreten. Aufgrund meiner Erfahrungen in Russland weiß ich, wie man dort
geschäftlich miteinander umgeht. Andererseits habe ich gelernt, wie ein
deutsches Unternehmen funktioniert.

Mich interessiert eine Tätigkeit in einer Firma, die größere
Herausforderungen und bessere Weiterentwicklungsmöglichkeiten bietet.
Außerdem sehe ich bei Ihrem Angebot die Chance, meine zweite Muttersprache
Russisch wieder sinnvoll einzusetzen, und freue mich auf die Arbeit in
einem netten Team.

Ich könnte Ihnen Ende des laufenden Quartals zur Verfügung stehen.

Über eine Einladung zu einen Vorstellungsgespräch würde ich mich sehr
freuen.

Mit freundlichen Grüßen

Gregor Siegel
Gregor Siegel

Anlagen: Lebenslauf, Zeugnisse

Bildquellenverzeichnis

Umschlag. 1: Deutsche Bahn, Berlin • Umschlag. 2: Avenue Images GmbH (Bananastock), Hamburg • S. 4: Klett-Archiv (EKS), Stuttgart • S. 5: Hannover Tourismus Service e.V., Hannover • S. 6.1: Picture Alliance (Frank May), Frankfurt • S. 6.2: www.hotel-sonne.org • S. 8: MEV, Augsburg • S. 10: BASF AG, Ludwigshafen • S. 11.1: MEV, Augsburg • S. 11.2: Merck KGaA, Darmstadt • S. 13: Messe Frankfurt GmbH, Frankfurt • S. 14.1: Klett-Archiv, Stuttgart • S. 14.2: MEV, Augsburg • S. 15: Getty Images (Photodisc), München • S. 18: Merck KGaA, Darmstadt • S. 20: MEV, Augsburg • S. 22: Obi, Wermelskirchen • S. 29: Porsche AG, Stuttgart • S. 34.1: BASF AG, Ludwigshafen • S. 34.2: MEV, Augsburg • S. 36: Image Source, Köln • S. 38.1: Fotosearch RF (Digital Vision), Waukesha, WI • S. 38.2: Avenue Images GmbH (Corbis RF), Hamburg • S. 38.3: Getty Images (Photodisc), München • S. 38.4: MEV, Augsburg • S. 38.5: JupiterImages (Photos.com), Tucson, AZ • S. 38.6: iStockphoto (RF), Calgary, Alberta • S. 39: Getty Images (Photodisc), München • S. 40: iStockphoto (RF), Calgary, Alberta • S. 41.1: Hewlett Packard, Böblingen • S. 41.2: Hewlett Packard, Böblingen • S. 41.3: Hewlett Packard, Böblingen • S. 41.4: Hewlett Packard, Böblingen • S. 41.5: Hewlett Packard, Böblingen • S. 41.6: Hewlett Packard, Böblingen • S. 42: Klett-Archiv (EKS), Stuttgart • S. 44.1: Wiener Gebietskrankenkasse, Wien • S. 44.2: Klett-Archiv (EKS), Stuttgart • S. 44.3: Klett-Archiv (EKS), Stuttgart • S. 44.4: Klett-Archiv (EKS), Stuttgart • S. 44.5: SWICA Gesundheitsorganisation, Winterthur • S. 49: aus: Mein Rückenbuch, v. Prof. Dr. Dietrich Grönemeyer, erschienen im ZS • S. 50: MAN Nutzfahrzeuge Gruppe, München • S. 54: Fotosearch RF (Digital Vision), Waukesha, WI • S. 56: MEV, Augsburg • S. 59: obs (Snom), Hamburg • S. 66: Profitex GmbH, Trossingen • S. 71.1: Internet // Screenshot • S. 71.2: Klett-Archiv, Stuttgart • S. 71.3: Internet / Screenshot • S. 71.4: Bosch, Gerlingen-Schillerhöhe • S. 71.5: Internet / Screenshot • S. 71.6: DaimlerChrysler, Stuttgart • S. 72: Klett-Archiv (EKS), Stuttgart • S. 73: Avenue Images GmbH (Brand X Pictures), Hamburg • S. 75: Fotosearch RF (Digital Vision), Waukesha, WI • S. 78: Mauritius (Grasser), Mittenwald • S. 87.1: Bananastock RF, Watlington / Oxon • S. 87.2: Avenue Images GmbH, Hamburg • S. 87.3: Bananastock RF, Watlington / Oxon • S. 88: PhotoAlto, Paris • S. 96.1: obs (Brother), Hamburg • S. 96.2: obs (Brother), Hamburg • S. 99: Linnigpublic, Koblenz • S. 100: Fotosearch RF (Digital Vision), Waukesha, WI • S. 108.1: Mack Brooks Exhibitions Ltd, St. Albans Herts • S. 108.2: msg medien-service-gmbh, Frankfurt am Main • S. 108.3: Messe Berlin GmbH, Berlin • S. 108.4: Reed Messe Wien GmbH, Wien • S. 108.5: Internet / Screenshot (www.hh-online.de) • S. 108.6: Kölnmesse GmbH, Köln • S. 108.7: Mack Brooks Exhibitions Ltd, St. Albans Herts • S. 108.8: Messe Düsseldorf GmbH, Düsseldorf • S. 110: Messe Stuttgart, Stuttgart • S. 111: Messe Frankfurt GmbH, Frankfurt • S. 112: Kölnmesse GmbH, Köln • S. 113: Krauth Apparatebau, Eberbach / Baden • S. 116: Krauth Apparatebau, Eberbach / Baden • S. 118: MEV, Augsburg • S. 124: LOGONA Naturkosmetik, Salzhemmendorf • S. 126.1: Deutsche Post World Net, Bonn • S. 126.2: Das Fotoarchiv (Arslan), Essen • S. 126.3: Flughafen Frankfurt-Hahn GmbH, Hahn-Flughafen • S. 126.4: Getty Images RF (Photodisc), München • S. 127: GLOBUS Infografik, Hamburg • S. 128: Deutsche Bahn (Koch), Berlin • S. 129: System Alliance, Niederaula • S. 134: Visum (C&M Fragasso), Hamburg • S. 135 Avenue Images GmbH (Brand X Pictures), Hamburg • S. 139.1: Bananastock RF, Watlington / Oxon • S. 139.2: MEV, Augsburg • S. 143: Klett-Archiv (EKS), Stuttgart • S.144: Klett-Archiv (EKS), Stuttgart • S. 146: Klett-Archiv (EKS), Stuttgart • S. 148: Europäische Gemeinschaften, 1995–2005

Textquellenverzeichnis

S. 111: Ziele der Messebeteiligung. In: www.auma-messen de / download / Erfolgreiche_Messebeteiligung.pdf, S. 19–22 (gekürzte Fassung). Hrsg. v. AUMA, Ausstellungs- und Messe-Ausschuss der Deutschen Wirtschaft e.V. • S. 147: Claus Peter Müller Thurau: Stellen Sie sich vor. In: Süddeutsche Zeitung, 26.10.2005, bzw. www.sueddeutsche.de / jobkarriere / berufstudium / artikel / 934 / 5929 (gekürzte Fassung)